MW00618696

SAHARA

Paru dans Le Livre de Poche :

ORO.
PARODIE.

CIZIA ZYKË

Sahara

HACHETTE

PREMIÈRE PARTIE

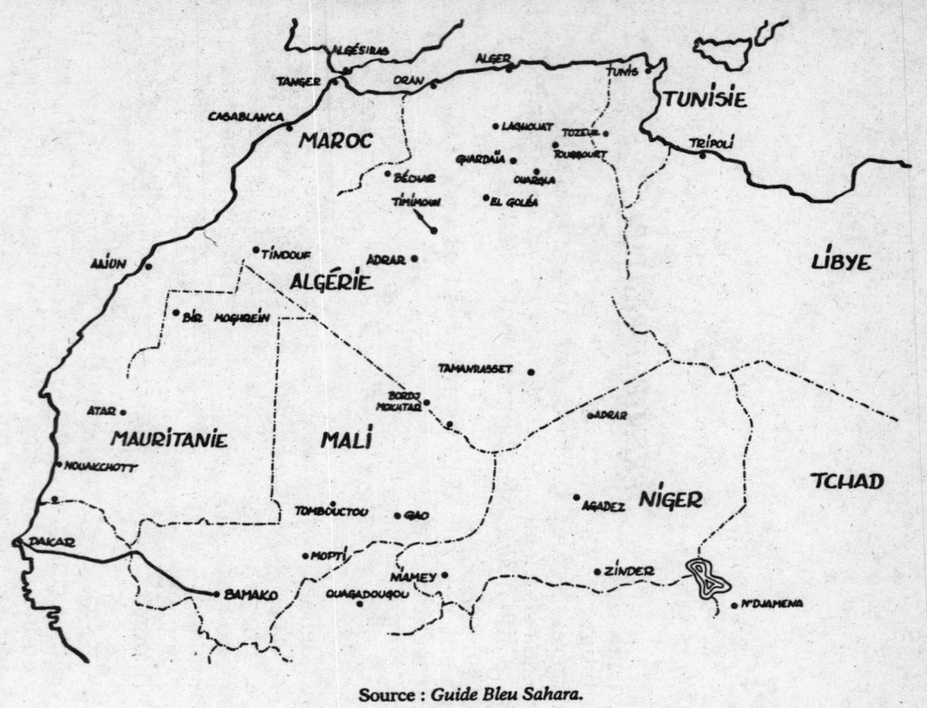

Source : *Guide Bleu Sahara.*

NIAMEY. Le camion nous a déposés poussiéreux et fatigués. Mes derniers centimes ont payé deux bières locales glacées, que nous dégustons en jouissant d'un moment de calme et de fraîcheur.

Climatisé et relativement confortable, le Rivoli, bar où nous avons trouvé refuge, est essentiellement réservé aux Blancs, auxquels se mêlent quelques Noirs aisés, commerçants et jeunes étudiants nigériens. La patronne, une grosse dame décolorée et défraîchie, a un terrible accent marseillais.

Dehors, il fait chaud et humide. Une foule de blacks s'agite, en boubou de couleur ou vêtus de n'importe quoi. Des femmes aux croupes impressionnantes, à peine masquées par un bout de pagne, avancent lentement, une bassine sur la tête. Des petits cireurs de chaussures, des vendeurs de mangues complètent cette image de carte postale.

Lorsque Miguel me parlait de l'Afrique, je ne réalisais pas à quel point ils seraient noirs, et nombreux. Pour moi, l'Afrique, c'était la jungle avec des animaux partout : un explorateur coiffé d'un casque colonial, accoudé à un bar, sirotant son whisky, sous l'air frais brassé par d'immenses pales de ventilateurs, une blonde à la voix rauque enroulée à son bras. Lorsque j'ai claqué la porte de l'appartement en Suisse, je savais juste que c'était en bas. Vers le sud. Vers le soleil.

Après une liaison dangereuse avec l'héroïne, un bol d'air était devenu nécessaire. J'ai pris ma décision en deux minutes et c'est les mains dans les poches que nous nous sommes enfoncés dans ce continent inconnu... Inconnu, mais pas désert! L'Afrique, c'est surtout les Noirs; et il y en a beaucoup et partout, de grands enfants rigolards et curieux de tout, au point que cela devient parfois pénible. L'intimité n'existe pas.

Le moindre de nos gestes semble d'un intérêt capital. Nous sommes entourés d'une foule de bamboulas qui observent, commentent, racontent à ceux du dernier rang ou simplement regardent évoluer ces deux personnes bizarres. Il est vrai qu'ils n'ont absolument rien d'autre à faire. Cette sensation d'être une vedette entourée de paparazzi est plaisante au début mais devient vite lassante. Impossible de soulever une pierre sans qu'un négrillon en jaillisse et demande d'une voix criarde: « Cadeau pat'on ? »

Pour eux le Blanc, le *toubab*, est un sac à fric: il est toujours riche. Depuis que nous nous baladons, Miguel et moi, j'ai beaucoup de mal à leur faire admettre que nous faisons partie d'une nouvelle tribu, inconnue ici, des Blancs sans pognon. Il faut de longues palabres pour le leur faire comprendre. Tout se monnaie, même le bout de ficelle qui tient le pantalon de Miguel. Tous ont quelque chose à vendre: une peau de caïman, une statuette ou leur sœur. A Niamey, ils s'intéressent aux voitures. Depuis notre arrivée c'est un défilé continu.

« Je vous achète la voiture, pat'on.

— Je n'en ai pas.

— Je paie très bien pat'on.
— Je te dis que je n'en ai pas.
— Je sais qui te l'achète pat'on. »

Ils me fatiguent. J'en renvoie deux, vingt, cinquante, avant de goûter un moment de paix.

« Je vous demande pardon, vous êtes venus en voiture ? »

Ça recommence.

Mais le personnage que nous avons devant notre table me semble immédiatement plus intéressant que tous les preneurs de tête qui l'ont précédé. C'est un grand type, très vieux et ridé, en boubou bleu, un calot blanc sur la tête. C'est un Noir musulman. Son sourire est sympathique, son regard est extraordinairement malin. Il pétille d'intelligence ce vieux, ce qui n'est pas courant ici.

« Écoute, on n'a pas de voiture, on n'a pas d'argent et on veut être tranquille. Compris ? »

Il me sourit de plus belle en s'inclinant.

« Est-ce que je peux me joindre à vous ? »

Une fois, quelqu'un a dû me dire qu'on ne tape pas sur le troisième âge, et puis son regard attire la sympathie. Il s'assoit et se présente.

« Je suis le ministre des Affaires d'occasion. Je vends tout. J'achète tout. »

Il se marre.

« Moi, c'est Charlie. Lui, c'est Miguel. »

Le ministre des Affaires d'occasion se déclare enchanté, sort d'un petit sac en jute une noix de cola qu'il se met à mâcher tout en parlant. Ici, à Niamey, comme partout en Afrique, tout se troque, se vend ou s'achète. Il me paraît être un roi du commerce, un bon voleur malin, mais plus fin que les autres car il comprend très rapidement que nous disons la vérité ; nous n'avons pas de voiture et pas un centime. Surprise : il nous offre l'hospitalité. Nous acceptons sans façon.

Dehors, c'est à nouveau un enfer de chaleur et de bruit. Notre nouvel ami achète quelques bonbons à un petit étalage en bois, en m'expliquant avec un clin d'œil qu'il a beaucoup de petits-enfants. Il appelle un taxi, une 404 déglinguée qui fonce en klaxonnant à travers Niamey. Le ministre des Affaires d'occasion habite une immense villa coloniale jaune sale. Dès qu'il apparaît, une nuée de gamins accourt vers lui et s'accroche à son boubou. Heureux au milieu des négrillons, il distribue bonbons et tapes sur la tête.

Le parc, qui a dû être un beau jardin, est transformé en terrain vague ; voitures sur cales, presque désossées, pneus, bouts de ferraille et quelques objets non identifiés jonchent le sol. C'est un fouillis, un bordel invraisemblable. La villa doit bien avoir quinze pièces où grouillent des enfants, mais aussi des hommes de tous âges, et une multitude de femmes. Elles ont les seins nus, pour la plupart, juste vêtues d'un long pagne attaché à la taille. Il y a du monde partout, dans chaque pièce et dans les couloirs : c'est la descendance de notre hôte. Le ministre nous guide jusqu'à une pièce vide, où des femmes installent précipitamment une table et des chaises en fer. Nous nous asseyons tous les trois. Un gamin apporte une gamelle de riz en sauce, avant d'aller s'asseoir dans un coin de la pièce. Celui-là n'est pas un petit-fils, mais un orphelin que le ministre des Affaires d'occasion a recueilli et qui lui sert de boy.

« Tu es marié, Charlie ?

— Non.

— Tu es sage, alors... »

Il s'interrompt pour foudroyer du regard Miguel qui, n'y tenant plus, s'est mis à manger, trempant sa main dans le riz. Cet imbécile s'est trompé de main : chez les musulmans, on mange avec la main droite, exclusivement. La gauche sert à se nettoyer le cul. Je l'explique à Miguel. Le ministre retrouve illico sa bonne humeur et reprend son discours.

« Les femmes ne servent à rien, Charlie. Qui peut le dire mieux que moi, qui en ai eu sept et qui tous les jours contemple le résultat ? »

Il me désigne la fourmilière humaine qui nous entoure et soupire. Il a eu dix-huit filles et deux garçons, dont il est très fier. A chaque fois qu'une de ces demoiselles tire un coup, elle lui ramène un gamin supplémentaire.

« Alors, pour les nourrir, comment je peux faire, hein ? Je fais du business, c'est ma seule solution ; je vends tout, j'achète tout... »

Il rit et son regard pétille.

« Et je fais des bénéfices. Vois-tu, Charlie, ici, les femmes coûtent cher. »

L'Afrique a au moins un point commun avec les autres pays du tiers monde, d'Asie et d'Amérique, que je connais. Il semble que l'amour soit une maladie occidentale. La romance passe après la survie et il faut avoir le ventre plein pour les envols amoureux.

« Ici, Charlie, tu as l'argent, tu as des femmes. Mais attention : *no money, no fuck.* »

Je l'avais compris aussi : la plus belle gueule ne sert à rien, les dames africaines ne sont sensibles qu'au billet bien placé.

Le ministre, tout en continuant à manger et à plaisanter, m'explique comment il gagne son argent. Le plus gros de son commerce, c'est la mécanique, pièces et voitures d'occasion, dont la vente dans ce pays semble être d'un excellent rapport. Il vend à ses compatriotes, mais fait aussi affaire avec des Européens, ses fournisseurs.

« En ce moment, je travaille avec deux Français, des Bordelais, qui seront là ce soir. Mais il est temps de vous reposer. »

Le petit boy nous conduit dans une chambre où nous attendent deux baquets d'eau. Nous sacrifions à la coutume locale qui consiste à dormir quand il fait trop chaud pour travailler.

Peu avant le dîner, les Européens font leur apparition. Ils sont trois ou plutôt deux et un. Le premier, le touriste classique, petit, le bide qui passe par-dessus le short, la raie bien droite sur le côté, des coups de soleil qui refusent de guérir, chemise à carreaux et sandales aux pieds, bref, l'abruti moyen en vacances.

Le ministre me le présente comme le Pâtissier.

Les deux autres sont des branleurs, des voyous du Sud-Ouest français. Frédéric est un grand brun réservé. Il porte des lunettes d'intellectuel derrière lesquelles ses yeux sont froids : un vrai salopard. Alain, son ami, semble aussi salopard, mais bien plus sympathique.

Encore crevé, mais calme après cette longue sieste, je n'ai aucune envie de faire plus ample connaissance. Je m'abstiens de leur dire que j'ai passé toute mon adolescence à Bordeaux. Eux-mêmes ne font aucun effort pour m'adresser la parole. Ce soir, nous avons encore droit au riz arrosé d'une sauce à base de plantes. L'Afrique n'est pas à classer dans le Gault et Millau.

L'herbe locale est excellente. Miguel a roulé un énorme pétard dans une page de la Bible qu'il a piquée au Vatican. Comme à l'intérieur la chaleur est étouffante, nous nous installons une natte sur le toit pour la nuit. En Afrique, l'un des rares moments agréables, c'est la fraîcheur de l'aube :

quelques minutes de paix. Aujourd'hui, Miguel en a décidé autrement. Miguel est mon compagnon de route, gentil et fou. C'est pour cela que j'ai décidé de l'aider et qu'il est encore avec moi.

Très grand, maigre comme une araignée, il accentue cette impression en portant constamment un pantalon noir serré comme une deuxième peau. Une boucle de ceinture énorme semble le déséquilibrer vers l'avant. Ses cheveux rouges, verts et bleus, à l'origine rasés sur les côtés, pendent dans son dos en une longue queue de cheval crasseuse.

Ses chevilles et ses poignets sont couverts de bracelets qui s'entrechoquent à chaque pas. Il parle peu mais rigole beaucoup. Totalement irresponsable, Miguel est traversé parfois par des éclairs de génie, comme ce matin où il a troqué une partie de sa quincaillerie contre un vieux clairon qui traînait dans la cour du ministre. Maintenant, debout, au garde-à-vous et au bord de l'apoplexie, il essaie d'en tirer des sons et emmerde tout le monde. Je me sers un café dans la gamelle de la maison. Le boy profite d'un de ses rares instants de silence pour faire hurler un poste de radio sans parvenir à toucher une station. Je me casse voir Alain, le petit Bordelais qui bâille en regardant quelques petites filles du ministre se laver dans la cour, spectacle doux, émouvant. L'eau ruisselle sur leurs corps à peine pubères, les jeunes seins sont fiers, la cambrure de la croupe appelle au viol. Ce sont des écolières mais déjà des femmes.

« Elles sont belles, hein ?

— Putain !

— Tu es de Bordeaux, Alain ?

— Ouais.

— Moi aussi. »

Alain me regarde surpris :

« C'est pas vrai, tu es Bordelais !

— Puisque je te le dis. »

Voilà, c'est parti. Le chauvinisme, ça sert aussi à se faire des copains. Fred nous a rejoints et une demi-heure plus tard, autour du premier pastis de la journée, nous nous découvrons des connaissances communes. Nous discutons toute la matinée, et l'après-midi passe à se raconter nos plus beaux coups. Après l'éternel riz du soir, Alain, de plus en plus volubile et vantard, me parle de leurs combines.

Il suffit d'acheter un véhicule d'occasion en France, le moins cher possible, le descendre depuis là-bas, traverser le désert et le revendre au plus fort prix possible à Niamey, où le ministre des Affaires d'occasion, bien sûr, s'occupe des négociations.

Traverser le désert et arriver ici, cela m'intéresse.

« Et c'est lucratif ?

— On se fait des couilles en or ! C'est le commerce du siècle ! Ces cons de nègres, ils t'achètent n'importe quoi, et ils ont de l'argent, crois-moi. On se fait des multiples de quatre ou cinq sur chaque voyage. »

Quinze jours pour descendre et traverser le désert, une semaine à dix jours pour vendre, la fête ici, la fête à Bordeaux, et ils recommencent le circuit.

« Et la traversée ?

— Le désert ? C'est tranquille. Du billard ! »

Il ne résiste pas à la tentation de me raconter le voyage du curé espagnol qu'ils ont ramassé la dernière fois dans le Sud algérien.

« Il était en panne. On lui a dit : "Mon père, montez avec nous", et lui nous a dit "merci". »

Il part d'un grand éclat de rire, et continue :

« Au bout de quelques kilomètres, Alain ouvrit le sac du Révérend Père et, par manière de plaisanterie, il balança par la fenêtre la première chose qui lui tomba sous la main. Le curé n'osait rien dire. Encouragé, Alain vira une à une toutes ses affaires. Comme le curé gris de trouille ne réagissait toujours pas, Alain déchaîné me dit de m'arrêter, chia dans le sable, profana plusieurs pages de la Bible et, ultime sacrilège, planta le crucifix dans ses déjections. Il ne nous restait plus qu'à laisser le saint homme, muet de terreur, au bord de la piste à attendre le prochain camion. »

Cela leur fait, semble-t-il, une bonne blague à raconter en se claquant les cuisses ! Voilà le genre...

Le plus marrant c'est qu'ils sortent tous les deux de la même école religieuse, rigide, qui en a fait les deux bandits qu'ils sont devenus. Ils sont sympathiques, tricheurs, menteurs et pourris jusqu'à la moelle. Entre les discussions avec le ministre et ces deux enfants de chœur les journées passent paisiblement.

Tôt ce matin, je suis allé faire un tour. Niamey est une ville moite et bruyante. Les heures de la matinée sont celles où l'activité des rues est la plus désordonnée, surtout dans le quartier du grand marché, débordant d'allées et venues, véritable labyrinthe de toits de paille et de couleurs criardes.

La plupart des Africains sont commerçants. Les moins favorisés sont assis dans la rue devant une natte où se trouve leur unique marchandise : une mangue, trois cacahuètes ou une paire de vieux boulons. Ceux-là ne réussiront pas. Les autres, gros poussahs noirs dégoulinants de graisse, sont plus prospères. Ils doivent leur succès commercial à l'excellent label U.N.I.C.E.F. Ils réalisent de très bonnes marges puisqu'ils vendent des cadeaux.

Je pensais pourtant être dénué de scrupules, mais en Afrique, je suis battu. Des cartons d'emballage portent encore le nom de cet organisme humanitaire. Certaines âmes charitables seraient sans doute surprises de savoir que leurs dons ne servent qu'à engraisser quelques salopards locaux.

Mais ils ont fait mieux encore : il y a quelques mois, ils ont vendu aux enchères des centaines de filles et de femmes de la tribu des Tamacheks. Fuyant le Sahel, elles venaient chercher de l'aide ici, où, à partir d'un certain seuil de richesse, il est d'usage d'avoir un harem, coutume agréable mais ô combien fatigante. Ils ont résolu ce problème d'une manière radicale, en coupant le clitoris de ces dames qui, de ce fait, ne manifestent plus aucune exigence sexuelle.

Un soir, le ministre revient joyeux, des bonbons plein les poches. Il vient de vendre à un prix élevé les deux véhicules des Bordelais. Pour Alain et Fred, la décision est immédiate : il faut faire la fête. C'est du grandiose. On a ramassé une douzaine de filles au Z Club, le seul night-club potable de Niamey. Dans une pièce de la villa, Fred épingle des billets de francs C.F.A.[1] de petite valeur, à intervalles réguliers le long du mur à hauteur de visage. Le jeu est simple : une fille devant chaque billet, bras et jambes écartés. Une file impressionnante de croupes noires et luisantes se forme. Fred, très maître de cérémonie, passe derrière chacune d'elles et, un seau d'eau à la main, nettoie les fesses de l'invitée d'un grand coup d'éponge, « pour

1. Communauté financière africaine.

l'hygiène». Elles sont prêtes. Miguel ne résiste pas à la tentation, le Pâtissier refuse ostensiblement. Les deux Bordelais sont déjà à l'ouvrage.

Très prude de nature, je décroche trois billets du mur et j'entraîne les trois négresses correspondantes dans une autre pièce.

Le lendemain, les Bordelais préparent leur retour en Europe. Alain vient me trouver dans la matinée.

« Écoute, Charlie...

— Ouais.

— Je ne veux pas me mêler de tes affaires, mais qu'est-ce que tu fous avec ce cake d'Espagnol ? »

Je regarde Miguel, assis un peu plus loin. Il déchiffre encore une fois sa minuscule carte d'Afrique imprimée sur une des pages de son agenda. Elle fait deux centimètres sur trois et il y a le reste du monde autour. Ce que je fais avec lui n'est pas facile à expliquer.

Nous avons le même âge, mais nous ne sommes pas du même monde. Il est incapable de se débrouiller seul, encore plus d'être productif. Même son faux passeport est un chef-d'œuvre d'amateurisme, un danger permanent. Après plusieurs années passées en vadrouille, un besoin de propreté et de confort m'a fait revenir en Europe, en rupture d'aventure.

Installé en Suisse, je faisais de fréquents voyages à Amsterdam pour mes achats personnels de drogue. C'est là que je l'ai rencontré. Nous nous étions croisés quelques semaines auparavant en Espagne, et il m'a reconnu. Il avait fui le régime fasciste de son pays. Seul, sans argent, dans l'hiver européen, il morflait terriblement et m'a demandé de l'aider. Ce n'est pas mon style de jouer au bon

Samaritain et, d'ordinaire, je refuse de m'embarrasser d'un improductif. Je prends dans mon entourage des types positifs dont je développe les qualités afin de pouvoir les utiliser. L'amitié vient après.

Miguel, lui, ne vaut rien et aurait même tendance à tout compliquer. Son look même est une source de problèmes. Je savais aussi que, si je lui donnais un coup de main, je me sentirais obligé d'aller jusqu'au bout. Mais il a su forcer, peut-être pas ma pitié, mais du moins ma sympathie. Alors je l'ai pris sous mon aile protectrice. Ses éclairs de folie m'amusent. Maintenant, je l'aime bien, c'est un bon compagnon de route auquel je me suis habitué, et c'est pour l'aider que je suis descendu en Afrique.

Inutile d'expliquer cela à Alain. Il ne comprendrait pas.

« Tu as mieux à faire. Tu es du pays, tu es à la hauteur, tu es un pirate, comme nous, Charlie. On en a discuté avec Fred. On te finance ton premier voyage, tu viens avec nous et on se fait un maximum. D'accord ? »

L'offre est tentante. Depuis le début de ce voyage, je sais que la prochaine aventure se trouve sur ce continent et surtout dans ce désert que j'ai traversé sans le vouloir. Le décor est grandiose, les gens sont calmes et tranquilles et la chaleur qui règne me convient parfaitement. Le commerce d'Alain et Fred est prospère. En grand, il peut rapporter énormément !

Elle est là l'aventure. Mais ça veut dire abandonner Miguel et ça, je ne le veux pas. Une générosité imbécile m'interdit de laisser dans la merde quelqu'un qui croit en moi. Je ne lui dois rien mais je ne le laisserai pas. Avec son passeport minable, c'est le condamner aux pires ennuis. A quoi bon tous ces efforts depuis Amsterdam si c'est pour en arriver là ? Il a encore besoin de promenade et d'apprentissage avant de pouvoir se débrouiller seul. D'autre part, cette balade m'est aussi nécessaire pour achever de me nettoyer de toute cette drogue européenne. Les affaires viendront après.

Ce n'est pas la première fois que je suis fauché, ni la dernière, ce n'est pas un problème. Je n'ai pas l'intention de faire le touriste éternellement. Je sais que l'opportunité est là. Je reviendrai, juste le temps de finir mon coup de main à Miguel. Pour l'instant je dois assurer la suite de la promenade.

Un coup de clairon derrière moi renforce ma décision.

« Non, Alain. Vous êtes sympas, mais pas maintenant. Il est avec vous le Pâtissier ? »

Du coup, il retrouve le sourire.

« Tu rigoles, c'est un cake... »

Il m'explique qu'il avait déjà tenté deux fois de traverser le désert mais que, par trouille, il avait flanché dès le Sud algérien. Cette fois-ci, il a réussi à passer, encouragé par la présence à ses côtés des Bordelais.

« On voulait lui monter un scénario, tu comprends ? Mais il est méfiant, l'enfoiré, et sur ses gardes. Il dort avec son blé, tu vois le genre ? »

Très bien ! Trouillard et radin, exactement la sorte de gens que je déteste le plus. On risque de s'amuser, mais il me faut encore quelques renseignements.

« Il veut descendre en Afrique noire, non ? »

Alain hoche la tête.

« Ouais. C'est son intention, mais il hésite. Il a peur, il croit que les nègres vont le manger.

— C'est parfait. Il a sûrement besoin d'un guide... »

Alain comprend vite. Il éclate de rire et se tape sur les cuisses. Son hilarité calmée, il m'assure qu'il va lui en toucher un mot.

Moins d'un quart d'heure plus tard, le Pâtissier s'approche de moi, bide en avant et bouche en cœur.

« Charlie, euh... C'est vrai que tu connais bien l'Afrique ?

— Ouais. J'y suis né et j'y ai passé toute ma vie.

— Ah ! bon. Tu vois, moi, je ne connais pas bien, et je voudrais aller y faire un tour...

— Qu'est-ce que tu veux faire ? Chasser ?

— Non, juste me balader.

— C'est pas mon domaine. Moi, je suis surtout spécialiste de la chasse. Lions, buffles, éléphants.

— Ah ! »

Il est impressionné et déçu. Je le sens prêt à renoncer. Gentiment je lui demande :

« Où veux-tu aller ?

— Sur la côte. Si tu voulais, euh...

— Non.

— Non ?

— Ta voiture est trop petite. »

Finalement, j'exige une heure de réflexion que je consacre à fumer avec Miguel. Le délai passé, le Pâtissier est là de nouveau.

« Bon. J'ai réfléchi. J'accepte. »

Son visage se fend d'un grand sourire soulagé, puis il redevient grave.

« Mais il faut définir... euh... Qu'est-ce que tu veux comme salaire ?

— T'as pas de psychologie, Pâtissier, je ne suis pas un salarié. Si j'accepte, c'est pour te donner un coup de main, t'as une bonne tête et je t'aime bien. »

Son sourire est revenu.
« Contente-toi d'assurer les frais de route. »
Son sourire s'estompe lentement. Je continue.
« C'est-à-dire les hôtels, les restaurants, le luxe minimum quoi ! »
Le sourire a maintenant presque disparu.
« Mais rassure-toi, nous ne te coûterons pas cher.
— Nous ?
— Ben oui. Miguel et moi. »
Là, il fait carrément la gueule. Je lui mets alors la main sur l'épaule d'un air protecteur et lui dis :
« Pâtissier, nous allons faire un beau voyage. »
Il hoche faiblement la tête, content malgré tout de mon accord. A tort ou à raison, les gens se sentent en sécurité à mes côtés et le Pâtissier ne fait pas exception.
Pour fêter notre association et le départ des Bordelais, j'inaugure mon nouveau budget en offrant à tout le monde une petite soirée semblable à celle de la veille, à ceci près que le Pâtissier, qui paie aujourd'hui, se décide à consommer.

Le lendemain, les Bordelais sont repartis pour l'Europe. Je serre longuement la main du ministre des Affaires d'occasion qui sait que je vais réapparaître. Je lui fais cadeau du siège passager de la Méhari du Pâtissier que j'ai viré, afin de pouvoir voyager à l'arrière, confortablement, jambes allongées. Miguel s'est installé à côté de moi.
On est reparti vers le sud.

Ah ! le Pâtissier ! Nos cinq semaines de balade n'ont été qu'un long calvaire pour lui. C'est de sa faute, c'est lui qui a commencé.

Dès les premiers jours, il s'est plaint du nombre de mes rapports sexuels, le jugeant exagéré : je lui ai rappelé les termes de notre contrat. Docilement, il a continué à sortir la paie de toutes ces jeunes filles de son petit baise-en-ville. Puis il m'a fait remarquer qu'il n'avait jamais été question des petites distractions de Miguel dans nos accords. Il n'a fait aucun effort pour comprendre combien l'Afrique est le continent du sexe, et que les effets conjugués des joints d'herbe africaine et de toutes ces croupes sont tangibles et urgents.

Même nos claques amicales sur la nuque ne l'ont pas convaincu.

Non content de nous gâcher nos plaisirs par sa petitesse, il s'est également permis de râler sur les prix des hôtels et des restaurants où nous descendions : nous aurions dû faire du camping ! Comme si j'avais une tête à dormir sous une tente ! Comme il insistait pour dormir à la belle étoile, un petit travail de ma part entre quatre yeux a fini par lui faire comprendre combien c'était dangereux à cause des voleurs, des détrousseurs et de ce genre de choses.

Puis il s'est offusqué du manque d'assistance qu'il recevait à chaque fois que sa Méhari crevait. Démonter la roue, réparer, gonfler, remonter, lui semblaient des tâches trop pénibles pour être assumées seul. Il voulait bien comprendre que je me repose en mangeant des bananes pendant qu'il œuvrait, j'étais son guide, responsable et chef d'expédition. Mais que Miguel reste à mes côtés et le regarde en ricanant ou en soufflant dans son clairon, cela l'irritait. Rien n'allait plus entre eux. Miguel éprouvait un malin plaisir à manger sa part au restaurant, à lui donner des claques sur la tête comme je le faisais, à l'insulter en espagnol. Le Pâtissier me demanda d'abord de traduire, ce que je fis, puis il renonça.

Heureusement, je découvrais le continent et ça me plaisait bien de regarder autour de moi, défoncé avec Miguel. J'ai fini par ne plus trop prêter attention à notre chauffeur.

L'Afrique, c'est amusant. Désordonné, bruyant, cassé, bricolé. La chaleur écroule tout le monde et rien ne marche comme il le faut, mais c'est plutôt drôle quand on est de passage. Dans les petits villages, trois maisons, deux petits greniers ronds, les gens sont sympathiques. A notre arrivée, les gamins nous entouraient, tout sourire et la main tendue. Au début, je leur caressais la tête pour m'essuyer les mains. Maintenant, c'est par affection que je le fais. Les adultes se marrent tout le temps et on ne comprend rien à ce qu'ils racontent. Les femmes sont toujours prêtes à gagner honnêtement quelques francs, le pagne relevé, sans même enlever la bassine ou le tas de bois qu'elles ont sur la tête.

Dommage que les bamboulas des villes soient aussi pénibles et imbéciles. A peine descendus de leurs arbres, ils se sont pris la civilisation dans la gueule, et cela ne leur a fait aucun bien. Les villes sont des repaires de violence, sans hygiène, sans organisation, où rien ne s'obtient sans argent. Ce sont des mondes absurdes, comme ces frontières tracées par les colonisateurs, leurs armées, leur administration, et tous les domaines où les Noirs se sont mis à singer leurs modèles. Les douaniers auxquels nous avons eu affaire étaient tous des enfoirés, tatillons et corrompus. Les flics, des salopards, les juges également.

C'est à cause du Pâtissier que nous avons fait connaissance de ces derniers. Au Ghana, exactement. Il avait commencé la journée en oubliant que, passée la frontière, en pleine brousse, tout à coup on doit rouler à l'anglaise, colonisation oblige, à gauche et non pas à droite où on risque de se prendre un camion dans la figure.

Après une petite émotion, il comprend. Quelques minutes plus tard, il pousse un cri, et pile net, renversant Miguel.

« Ma sacoche ! Mon argent ! »

Cet imbécile a oublié son immonde baise-en-ville au restaurant, trente bornes en arrière. On y retourne et, naturellement, la sacoche a disparu. Pas pour longtemps, car le Pâtissier rameute tout le monde par ses cris. Au moins trente Noirs remuent l'endroit et on finit par choper les deux commis du restaurant, évidemment attirés par cette fortune à portée de leur main. Toujours affolé, même après avoir retrouvé son bien, ce crétin hurle qu'on aille chercher la police. Cinq minutes plus tard, deux flics en short, longues chaussettes bleues et chaussures immenses pour leurs pieds de Noirs, déboulent dans le restaurant. Matraque à la main, ils se précipitent sur les deux gamins et ils tapent. Ils cognent de toutes leurs forces, éclatent les chairs, frappent à la tête, au ventre. Écœuré par leur brutalité, j'essaie d'intervenir mais l'un des flics m'arrête en pointant sa matraque vers moi.

« *Dont'move, it's our business.* »

Heureusement ils s'arrêtent et traînent les deux corps inanimés à l'extérieur, après nous avoir pris nos passeports, car nous devons assister au procès, comme témoins. Ce même soir, je me sens mal dans ma peau et vais voir le chef des flics pour négocier la liberté des gamins. Il refuse sèchement et nous convoque pour le procès le lendemain matin.

C'est pourquoi nous nous retrouvons à attendre dans une grande salle crasseuse du palais de justice. La construction a dû être jolie autrefois. Maintenant, elle n'est guère différente des souks africains, sale et remplie de mouches.

Cela fait une heure que nous attendons le bon vouloir des juges. Les accusés, dans le box, sont dans un état pitoyable. Tuméfiés, les lèvres éclatées, la tête qui a doublé de volume, en loques, ils tiennent à peine debout. Ils ont les mains liées dans le dos et deux grands flics se tiennent derrière eux, un stick à la main, avec lequel ils se distraient en tapotant les bosses de leurs victimes. Comme témoins, nous sommes aussi encadrés. Le reste de la salle est occupé par une vingtaine de personnes, correspondants de la presse locale, ou vendeurs de mangues, je ne sais pas, venus prendre le frais ou roupiller.

Enfin, messieurs les juges, pénétrés de leur importance, font leur entrée. Je balance un coup de coude à Miguel pour stopper le fou rire qui l'a pris : les magistrats sont habillés à l'anglaise, toque rouge et perruque blanche bouclée. Sur un vieux lord anglais, ce genre de moumoute est déjà ridicule, sur une face de nègre, c'est à mourir !

« Fais gaffe, ils sont dangereux. »

Effectivement, au fur et à mesure de la cérémonie, je sens le danger pour les gosses. Ces abrutis ont décidé de nous montrer que la justice de leur pays n'est pas un vain mot et vont leur coller une peine maximum. On ne peut pas laisser faire ça. Je me lève alors et prends la parole. Je leur déclare que leur pays est très beau, que j'ai un grand respect pour leur culture. Je leur parle de la grandeur légendaire du Ghana, rappelle les liens privilégiés qui rattachent nos deux pays et un tas de conneries du même acabit, puis je réclame l'indulgence pour les accusés. Nous sommes les coupables, car nous avons créé la tentation. Et ça, c'est vrai. On ne laisse pas une fortune à portée de la main d'enfants qui crèvent la faim.

Pendant ma tirade, je fixe un point au-dessus de leurs têtes. Je ne peux pas être sérieux en regardant ces billes de clown. Je remarque néanmoins qu'ils sont perplexes. L'un d'eux se gratte constamment la nuque, déplaçant sa perruque trop grande pour lui qui lui tombe alors sur les yeux.

Un coup de latte à Miguel, qui pouffe à côté de moi, et je me rassois dans un silence général après avoir demandé la clémence du jury. Les magistrats se regardent, visiblement embarrassés, observent les accusés, le plafond, et quand il n'y a plus rien à examiner prononcent l'acquittement. Les gamins en sont quittes pour une dernière dégelée avant d'être jetés dehors. Je récupère nos passeports et sors à mon tour rejoindre Miguel qui m'attend dehors, plié en deux sur le trottoir.

C'est après cet incident que Miguel perd définitivement tout respect pour le Pâtissier, qui n'a pourtant pas fini de faire des siennes.

Togo, Dahomey... Alors que la brousse regorge de négresses adorables, c'est à Lagos, Nigeria, la ville la plus dangereuse d'Afrique, résultat aberrant de l'urbanisme africain, que monsieur manifeste des besoins sexuels. Nous voilà partis en Méhari, la nuit, vers les quartiers à putes, où les filles viennent écarter les cuisses dans la lumière des phares en lançant leur cri de guerre: *Fucky-Fucky! Fucky-Fucky!*

Le Pâtissier choisit trois grosses après avoir tourné une heure, largement le temps de nous faire repérer, et, bien entendu, se lance dans une embrouille au moment de payer. Les filles veulent plus que prévu pour les trois minutes d'extase en arrière-cour. Au lieu de laisser tomber et de payer, le Pâtissier commence alors à s'attarder. La discussion attire des types, et la violence commence. Je fais replier tout le monde vers la voiture. Ils sont trois sur nous, le Pâtissier tarde à démarrer, alors on frappe. Je donne un grand coup de cric sur le plus proche. Miguel plante une pelle-bêche dans le front d'un deuxième. Ils reculent. Le mien a la tête dure, il revient à la charge et, cette fois, c'est de toutes mes forces que je l'étends, alors que le Pâtissier embraie enfin.

Ce coup-ci, notre compagnon de voyage a eu peur. On quitte le pays à toute allure pour se retrouver au Cameroun. Quelques jours plus tard, la nuit nous surprend sur la route près de Yaoundé, dans l'impossibilité de trouver un hôtel. Je consens à passer la nuit dehors, et je dors d'un sommeil de plomb. Au réveil, il n'y a plus rien. Cantines, matériel, tout a disparu. Miguel et moi dormions tout habillés, mais le Pâtissier n'a conservé que sa sacoche, sur laquelle il appuyait sa tête. Debout, ahuri, en slip d'un blanc douteux, il contemple le désastre. Pour lui, c'est le coup fatal. J'apprendrai plus tard que les voleurs font brûler une plante dont la fumée approfondit le sommeil. Le Pâtissier se moque bien de l'explication. Il craque. Après s'être acheté de nouvelles fringues, il me confie son intention de s'arrêter là et de remonter en Europe.

Après une courte discussion, il convient qu'il n'est pas très élégant de laisser deux copains en pleine Afrique sauvage, sans un centime de dédommagement pour rupture de contrat. Il sort ses travellers, me rembourse cinq cents dollars, et se lève de la table du bar où nous sommes installés. Un au revoir du bout des lèvres et il s'en va, sans même un dernier signe. Voilà un type qui partage mon intimité depuis plus d'un mois et qui me tourne le dos, comme ça ! Un peu tristement, Miguel et moi, toujours attablés, regardons la Méhari s'éloigner, et s'arrêter net car ce vicieux de Miguel a crevé les deux pneus arrière.

C'est la dernière image que je garde du Pâtissier, rougeaud, soufflant, maigri et amoindri, réparant encore une fois les pneus de sa petite voiture sous nos regards attendris.

J'aurais pu tout lui prendre. Ma grande satisfaction depuis que je parcours le monde est que je n'ai jamais cessé de me balader. Sans scrupules, intelligent ou manipulateur, comme on veut, j'ai sept ans de voyage derrière moi, les mains dans les poches de mon jean, bottes aux pieds et juste mon passeport, je ne me suis jamais privé de rien. L'argent, je le trouve, et s'il avait fallu ratisser ce minable en Méhari jusqu'au dernier centime, cela ne m'aurait posé aucun problème.

Je ne l'ai pas fait parce que j'ai juste besoin de cinq cents dollars pour l'action suivante. Il va falloir me séparer de Miguel, lui permettre de continuer son chemin, et me donner les coudées franches pour travailler sérieusement. Je dois retourner au Sahara où, je le sais, l'aventure m'attend. Je commence à beaucoup apprécier Miguel. Il a pris de l'envergure, des couleurs. Il est devenu plus bavard avec moi. C'est un bon copain, mais il n'a pas sa place dans la suite de l'histoire.

La première chose à faire est d'arranger son problème de passeport. Nous l'avions bricolé avant notre départ, mais il ne résisterait pas à un examen sérieux. C'est pour cela que nous sommes partis en Afrique : pour lui trouver un nouveau passeport, et parce que j'avais besoin d'un bon bol d'air après deux overdoses d'héroïne.

Mon premier soin à Yaoundé a été de vérifier s'il y avait une représentation consulaire espagnole. Ce point acquis, j'ai pris le prétexte d'un voyage que je devais accomplir en Guinée équatoriale, anciennement espagnole, pour rencontrer le consul. C'était un type jeune, trente-cinq ans environ, ouvert, très sympathique et volubile, parfait pour le rôle que je voulais lui assigner.

Consul, si tu lis ces lignes, ne m'en veux pas de t'avoir bouffé la tête, c'était pour sauver quelqu'un !

Premier point, changer d'apparence, moi et surtout Miguel. On achète des vestes, des chaussures présentables, une montre à trois balles et une chaîne en plaqué or pour le costume de Miguel. Ensuite, le plus dur : décider cette tête de bois de hippie espagnol à se faire couper les cheveux. J'y parviens à force de persuasion, et un petit coiffeur camerounais lui réussit une bonne tête de jeune abruti bien dégagée derrière les oreilles.

Nous traînons dans tous les bars climatisés de la ville, où nous avons des chances de rencontrer Ramon, notre consul, qui sort volontiers le soir. Trois jours plus tard, c'est chose faite, dans le café le plus huppé de Yaoundé, un bar à Blancs et à filles propres tenu par un Allemand, où il a ses habitudes.

Nous consacrons les deux semaines suivantes à gagner sa sympathie. Dans notre scénario, Miguel est un fils de famille en voyage d'éveil. Moi je suis le chaperon. Tous les deux rivalisons d'amabilité avec Ramon, ce que nous faisons sans difficulté, car c'est vraiment un type sympathique. Il connaît bien l'Afrique, et en parle volontiers, sans jamais être ennuyeux, sa conversation est agréable et puis, ce qui ne gâte rien, il aime les plaisirs et sortir le soir.

Boîtes, verres, repas, quelques petites fêtes avec des filles, nous sommes bientôt devenus inséparables. C'est à ce moment-là, alors que justement la saison des pluies vient de commencer, que je lui annonce notre intention d'aller faire une excursion de plusieurs jours en forêt. En saison des pluies, les pistes sont de vrais bourbiers et, selon lui, nous allons souffrir. Je lui réponds que c'est prévu, que cela fait partie du sport, et qu'il faut que Miguel se durcisse un peu.

Le lendemain, nous quittons Yaoundé, sans pour autant aller nous perdre en forêt. On s'arrête dans un village, à dix kilomètres de la ville où nous passons cinq jours, incrustés dans une famille qui nous prête une chambre de sa case, à fumer, à siffler du vin de palme et à déconner avec les gens du village. Le cinquième jour, solennellement, sous la pluie battante, devant un Miguel mort de trouille, je plonge son passeport dans la boue.

Le résultat est parfait. Le nom reste lisible, avec les dates de naissance et de validité du passeport. Le cachet qui recouvre la photo est complètement brouillé.

Retour à Yaoundé, et bientôt, visite à Ramon dans son bureau. Il m'accueille à bras ouverts, me demande des nouvelles de Miguel et de notre petite expédition.

« Justement, Ramon, on a un petit problème, et peut-être que tu peux nous aider. »

Je lui explique que le passeport de Miguel est malencontreusement tombé dans la boue, pendant un passage de piste difficile, que nous devons nous rendre en Guinée équatoriale sous peu, et que tout notre voyage serait remis en question si on devait retourner en Espagne pour lui obtenir un nouveau passeport.

Ramon commence par lever les bras au ciel. S'il a les moyens d'établir un nouveau passeport à Miguel, il n'en a officiellement pas le droit. J'insiste. Tout repose sur la sympathie qui nous lie depuis quelques semaines et la confiance qu'il nous accorde. Il ne me répond pas tout de suite, et me demande de le contacter le lendemain. Toute la nuit, Miguel tourne en rond dans la chambre de notre hôtel. Si Ramon ne marche pas, cette fois, il est foutu.

Le lendemain, Ramon accepte.

En fin d'après-midi, Miguel se retrouve avec un passeport officiel, portant le tampon du consulat espagnol. Un faux d'autant plus crédible qu'il est absolument authentique. Miguel, dans sa chambre d'hôtel, ne cesse de le regarder sous toutes les coutures, de le détailler et, de temps en temps, part d'un grand rire heureux. Ce sont ses éclats de gaieté soudaine qui me font comprendre à quel point il se sentait mal avec cette constante menace suspendue au-dessus de sa tête.

« Madame, je vais te bouffer l'oignon.

— Yé vais... té... bouffer... onione. »

Plusieurs fois, Miguel répète la phrase. L'accent n'y est pas encore tout à fait, mais ces leçons de français commencent à porter leurs fruits. J'ai décidé de parfaire un peu son éducation avant de le lâcher. Le français et l'anglais, en plus de son espagnol, voilà qui lui permettra de se débrouiller un peu partout.

« Oignon ! Pas ognonnne !

— Oign... Ognonnne. Oignon ! »

Mes leçons sont d'un genre un peu particulier, mais je n'ai pas le temps en quelques semaines de lui inculquer toutes les subtilités de la langue. J'ai pensé qu'il valait mieux aller à l'essentiel.

Aussi, plusieurs fois par jour, nous nous arrêtons sur le bord de la route pour nous reposer un peu, et lorsque nous ne jouons pas aux échecs, je lui apprends une nouvelle cochonnerie. Plus nous avançons sur cette longue route déserte, plus Miguel m'étonne. Il fait d'énormes progrès et répète mes phrases avec enthousiasme. Depuis qu'il a ce nouveau passeport dans sa poche, il est transfiguré. Il rigole, il parle, il s'amuse. Ses épaules se sont redressées et il a perdu cet air furtif de paumé en cavale qu'il avait au début du voyage.

Après avoir embrouillé le consul du Cameroun, nous sommes remontés vers le Tchad, N'Djamena, où nous sommes restés peu de temps. Ils faisaient la guerre entre eux, là-bas, et, dans l'impossibilité de déterminer qui était le bon et qui était le méchant, nous les avons laissés se foutre sur la gueule.

C'est aussi la première occasion de me débarrasser de Miguel. La balade commence à me peser et j'ai hâte de passer à autre chose. Il a maintenant un passeport impeccable, il ne lui manque qu'un peu d'argent ou, à défaut, quelqu'un qui puisse prendre soin de lui quelque temps pour que je puisse le quitter l'esprit tranquille.

Justement, à N'Djamena, un couple d'Espagnols tient un commerce prospère. C'est l'occasion rêvée.

« Miguel, tu vas les voir, tu leur dis qu'il faut s'aider entre compatriotes, bouffe-leur la tête ! C'est bien le diable si tu n'arrives pas à te caser !

— Tu crois ? Je ne sais pas, je n'ai pas l'habitude. Ce serait mieux si tu leur parlais.

— Mais non, ça n'aurait pas le même impact. Et puis il faut que tu t'entraînes. Vas-y, confiance ! »

Il fait quelques pas, s'arrête, revient.

« Je ne le sens pas, vas-y toi.

— Mais bordel, c'est toi l'Espagnol ! »

Il repart, reste quelques minutes indécis, puis se retourne vers moi en faisant un grand geste d'impuissance.

Et merde ! il me gonfle, il pourrait faire un effort, ce nul.

C'est à cause de lui que je suis dans ce pays à la con à me faire chier pour des broutilles. Je l'engueule, puis, au comble de l'énervement, je tourne les talons et me casse sans me retourner. Qu'il se démerde, j'en ai assez fait pour lui. Je passe à autre chose.

Je marche comme ça un bon kilomètre avant qu'un stupide remords me fasse rebrousser chemin ; Miguel n'a pas bougé, hébété, il fixe le magasin. Je lui fais un signe et il m'emboîte le pas, sans un mot.

Direction : le Congo, au sud. J'ai pensé que, puisque j'étais en plein dedans, je pouvais achever cette balade africaine par un tour au centre, histoire de voir quelques bébêtes et, si possible, d'honorer quelques femmes pygmées. Plus un centime à nouveau, et aucune envie de se faire chier. A la sortie de N'Djamena, nous avons pris la route du sud, le Congo est à six cents bornes, et nous sommes à pied.

Depuis quelques semaines, nous marchons sur cette longue route de terre rouge, toute droite, bordée jusqu'à l'horizon de petits arbres tordus, épineux, d'énormes baobabs pelés. Les manguiers, de temps en temps recouverts de gros fruits, nous permettent de nous nourrir. Les mangues sont bouillantes, liquides à l'intérieur, et nous donnent des diarrhées terribles, mais c'est pratiquement la seule chose qu'on trouve. Les quelques villages traversés ou les cases isolées que nous avons trouvées nous ont à peine donné l'occasion de varier le menu. Un riz à la sauce, une bouillie de mil accompagnée de feuilles. Rien de gastronomique.

On s'en fout. On marche, tranquille, vingt, trente kilomètres par jour. La notion de temps commence à nous échapper. Il fait nuit: on s'arrête pour dormir. On est fatigué: on s'assoit. Le reste du temps, on avance défoncés, en discutant.

Miguel boitille derrière moi. Il s'est rasé la tête, et il a perdu une dent dans un geste de mauvaise humeur de ma part, alors qu'il essayait encore une fois de tirer trois notes de son clairon. Il l'a toujours à la main et en balance un coup de temps à autre, sans raison apparente. Sous son bras, il tient la Bible serrée et une petite boîte ronde de Nescafé qui contient notre réserve d'herbe. Comme dernier bagage, il a roulé dans sa poche arrière le petit échiquier de papier recouvert de plastique et le sachet de pièces que nous avons fabriqués au Tchad.

Depuis longtemps déjà, nos bottes ont rendu l'âme, et nous avons tous deux coupé les jambes de nos jeans. Miguel a enroulé sa chemise comme un turban autour de sa tête. A chaque occasion, c'est-à-dire pas souvent, il la mouille avec l'eau d'un puits, une eau boueuse et au mauvais goût de terre. Aux pieds, nous arborons de magnifiques sandales africaines en pneu. On est noirs, cramés de soleil, depuis le temps que nous marchons sur cette route sans abri, et nous sommes en parfaite condition physique. Seul problème sérieux, le pied de Miguel. Il a attrapé des vers de cochon sous la plante des pieds. Ce sont des petits vers d'un ou deux millimètres qui se réfugient sous la peau. Les trous que ces bestioles creusent, ajoutés à notre marche incessante, le font vraiment souffrir. Depuis quelques jours, je m'arrête un peu plus souvent pour jouer aux échecs. Ça lui permet de se reposer un peu.

C'est au cours de cette descente de cinglés que j'ai connu deux des épisodes féminins exceptionnels de ma vie.

Depuis plusieurs kilomètres, nous avons repéré une case isolée au bord de la route, et nous marchons sans nous presser vers elle, espérant y trouver à manger.

Plus j'approche, plus un détail me frappe. Face à la hutte, une petite tache bleu turquoise s'agite, bien visible sur la terre rouge. Quelques centaines de mètres encore et le doute n'est plus possible : c'est bien un cul qui va et vient, de bas en haut, une croupe qui semble magnifique.

Il est majestueux, ce derrière cambré recouvert d'un pagne bleu. Tout à sa tâche, la femme en train de piler le mil dans un gigantesque mortier face à la case ne nous entend pas arriver.

« Bonjour ! »

Sans s'arrêter de piler, elle tourne la tête vers nous, nous regarde et nous répond en dialecte. Je touche à pleines mains les fesses en mouvement n'obtenant qu'un grand rire indifférent de la pileuse et l'absolue certitude qu'il me faut cette croupe.

« Eh ! ma belle ! »

Avec un geste significatif et international, je lui propose :

« Tchoukou-tchoukou, toi et moi ? »

Cette fois, elle s'arrête, me contemple et me répond par un signe international : de l'argent.

« Pas d'argent, ma belle. »

Elle nous détaille, son regard tombe sur le bracelet d'argent au poignet de Miguel, le dernier. Elle me le montre du doigt.

« Non, Charlie, pas question ! »

Miguel a compris et recule, la main sur son poignet pour protéger sa saloperie en argent.

« Miguel !

— Charlie, écoute...

— Passe-moi ce bracelet.

— Non, Charlie, c'est un souvenir. C'est le dernier qui me reste de Virtudes, ma fiancée... »

Virtudes ? Fiancée ? Qu'est-ce que ça veut dire ?

« Donne-moi ça, Miguel.

— Non ! »

Il s'est reculé de trois pas, le torse gonflé, sourcils froncés, prêt à défendre sa babiole. Tout de suite, je le calme d'un geste de la main. Il me faut absolument cette croupe bleue et il va falloir que je lui bouffe la tête.

« Calme-toi ! Tranquille ! Viens voir. Viens là, je te dis. Je veux te parler. »

Je l'entraîne un peu à l'écart et le fais asseoir. La main sur son épaule, les yeux dans les siens, je lui explique.

« J'ai beaucoup fait pour toi, non ?

— Mais, Charlie, respecte au moins...

— J'ai fait quelque chose pour toi, oui ou non ?

— Oui, Charlie, tu as fait beaucoup, je ne sais pas comment te remercier, mais...

— Tu peux me remercier. Je ne te demande pas de me donner ton bracelet. Tu y tiens, c'est un souvenir, c'est normal. Mais on peut le jouer aux échecs. »

Il se relève, pas d'accord du tout.

« C'est inégal, tu es beaucoup plus fort que moi.

— Tournoi en quinze parties, je t'en donne douze d'avance, c'est régulier, non ? »

Il grimace, réfléchit et cède enfin.

Dès le lendemain matin, le tournoi commence sur une minuscule souche d'arbre. La femme a repris son travail à quelques mètres de nous. Elle nous regarde jouer, indifférente et ne s'arrête que pour épouiller un de ses négrillons qui vient parfois se réfugier entre ses jambes. Quant au mari, il est arrivé tard hier soir, et il est reparti ce matin en brousse, un arc et des flèches en bandoulière.

Je gagne toutes les parties de cette première journée, la terminant sur le score de 6 à 12 lorsque le mari revient le soir, visiblement bredouille. Je me couche confiant. J'ai déjà réduit mon handicap de moitié. Demain, après-demain au plus tard, les fesses et le pagne bleu qui hantent mes rêves seront à moi.

Le lendemain soir, je suis moins sûr de moi. Miguel a gagné une partie aujourd'hui. Non seulement ma marge s'est rétrécie, mais la tactique qu'il a employée m'a surpris.

Dans la journée, l'enjeu de cette lutte, impatiente de toucher son salaire, est venue aux nouvelles. Ces morceaux de bois sur un bout de papier, ça ne lui dit rien.

Elle relève son boubou et remue sa croupe sous mon nez en montrant le bracelet de Miguel.

Cette déclaration d'amour sincère me remue les sangs, me brouille l'esprit et je perds la partie. Miguel a bien profité de mes leçons, depuis un mois que nous sommes sur cette route. 11 à 13, ce soir, alors que je comptais gagner dans la journée.

Cet enfoiré gagne la première partie, le matin du troisième jour. 11 à 14. Toute la journée, je lutte comme un fou, car il est déchaîné. Je l'ai sous-estimé. Très intelligemment, il a choisi une tactique de défense systématique qui épuise toutes mes attaques. Il profite alors de mon affaiblissement pour se payer le luxe de quelques mouvements que j'ai toutes les peines du monde à enrayer.

Quand le mari revient, toujours bredouille, nous sommes à égalité, 14 à 14.

Et la femme est de plus en plus impatiente.

D'un commun accord, nous décidons de remettre la partie finale au lendemain, après une bonne nuit de repos. On n'échange pas un mot de toute la soirée, on bouffe les galettes que nous apporte la femme, et on se couche sans un bonsoir.

Le lendemain matin, ce sont deux adversaires qui s'assoient autour de la petite souche.

J'ai révisé ma technique. J'ai fait déplacer le tronc en calculant la nouvelle position pour que Miguel se prenne toute la journée le soleil sur la nuque. Tous les coups sont permis. Six heures plus tard, alors que le mari va bientôt rentrer, je suis foutu.

Il me tient. La reine, le fou et une saleté de pion. Encore quelques mouvements et je suis mat, quoi que je fasse. Je relève la tête, je le regarde et il laisse éclater sa joie. Il se lève d'un bond, embouche son clairon, et lance au ciel une longue note de victoire.

Salopard !

Il n'y a pas dix mille solutions. Il va gagner et je vais devoir l'assommer pour lui prendre le bracelet. Il souffle de toutes ses forces dans le clairon, rigole et danse.

Excuse-moi, Miguel, je te taperai dessus sans méchanceté, mais il est hors de question que je me prive de mon plaisir.

Il finit par lâcher sa trompette, s'assoit, me gratifie d'un immense sourire édenté et avance la main pour m'achever. Juste avant de jouer, il rétablit l'équilibre d'un petit pion prêt à tomber, sur le bord de la feuille.

Je me lève d'un bond.

« Pièce touchée ! Pièce touchée !

— Quoi, mais il allait tomber !

— Pièce touchée, tu dois jouer le pion que tu viens de toucher. C'est la règle ! »

Dans ce genre de situation, ma mauvaise foi est à toute épreuve et il n'y peut rien. J'invoque les lois internationales du jeu d'échecs, il me rétorque qu'on ne les a jamais appliquées

« Eh bien il n'est que temps. Tu as assez triché comme ça. »

Moins d'une demi-heure plus tard, je m'approche triomphant de ma pileuse de mil, le bracelet à la main, après avoir envoyé Miguel faire le guet pour m'éviter de recevoir une flèche du mari jaloux.

La négresse rigole, et veut m'entraîner vers la case. Je la retiens et lui fais signe de continuer à piler son mil. C'est comme ça que je la veux. Elle reprend son va-et-vient, et enfin je soulève le bout de pagne bleu.

Plaisir extraordinaire, hors du commun, mais hélas ! trop bref.

Mais pour la première fois que je baise en Afrique, j'ai l'impression d'un plaisir partagé. Pilant le mil d'une main, elle ne quitte pas son bracelet en gazouillant de bonheur ; de temps en temps, elle se tourne vers moi qui m'active derrière, me montre le bracelet et me sourit de toutes ses dents. Ah ! l'amour !

Nous sommes partis ensuite très vite, car le mari, revenu encore bredouille, voulait à tout prix un cadeau lui aussi. Mais bien qu'il nous ait certifié savoir piler le mil, Miguel, à qui revenait l'honneur, a préféré décliner.

Le lendemain, Miguel fait toujours la gueule. Il boitille à quelques pas derrière moi, la tête obstinément baissée. Comme je ne fais aucun effort pour lui parler pendant qu'il boude, nous cheminons silencieusement. Perdus dans nos réflexions, nous traversons sans presque y faire attention un minuscule village de quatre ou cinq cases.

On en sort juste quand un coup de sifflet strident et désagréable nous fait sursauter. Je me retourne, à quelques mètres derrière, un nabot noir gesticule en s'approchant, un sifflet au cou. C'est un petit ridé en veste d'uniforme, galonné, et en short, slip ou barboteuse, qui nous crie dessus.

« Qu'est-ce que c'est ça ! alors, hein ! »

Nous nous regardons sans comprendre, l'autre crie de plus belle.

« Vous n'avez pas l'autorisation de vous promener tout nus dans l'agglomération. C'est dans le règlement. Alors ! »

Comment tout nus ? On n'a pas de chemise, c'est tout. Pour le reste, nos shorts sont bien plus corrects que le sien, alors que tout le monde est à poil sur ce continent ! Son agglomération compte trois maisons : ce qu'il veut, c'est soutirer de l'argent aux deux « pat'ons ». Je lui fais signe de se casser, et nous tournons le dos pour continuer notre chemin.

Le petit s'époumone dans son sifflet, accourt vers nous et se jette sur Miguel.

« Alors quoi ! Le règlement, quoi ! Il faut payer l'amende ! »

Miguel se débat comme il peut, tente de se dégager. Il me jette un regard interrogatif et j'acquiesce :

« Frappe. »

Et Miguel se déchaîne, à coups de poing et de clairon. Il finit à coups de pied quand le flic est par terre. Je lui balance moi-même quelques coups de sandale, sans haine particulière, mais parce que c'est toujours amusant de cogner sur l'autorité. Je suis prêt à oublier l'incident mais ce n'est pas le cas de Miguel qui continue à passer toute sa mauvaise humeur sur le petit flic. Je l'arrête alors qu'il est en train de l'étrangler avec le cordon du sifflet.

« Ça suffit, on se casse. »

Miguel enfonce rageusement le sifflet dans la bouche du flic, soupire, hausse les épaules et me suit. Longtemps derrière nous, on entendra ses coups de sifflet, rageurs d'abord, puis de plus en plus désespérés.

La journée se termine décidément bien, puisque, quelques heures après notre mauvaise action, nous sommes hébergés par une mission catholique. Une mission est toujours une halte agréable, car il faut reconnaître que les curés mangent bien. Après la douche, un boy vient nous chercher pour la messe.

Le curé ne fait pas recette. A part trois bamboulas et nous deux, il n'y a dans l'église que deux bonnes sœurs pour assister à l'office. L'une d'elles est une grosse Française à lunettes que je remarque à peine, tant je suis occupé à regarder l'autre.

Un visage de madone italienne, un peu illuminé, aux lignes très pures, tourné en adoration vers l'autel, je ne vois qu'elle. J'oublie la messe, les moments où il faut se lever et les trucs pour faire semblant de répondre. Miguel me pousse du coude, mais perdu dans ma contemplation, je n'y fais pas attention.

Elle est habillée en bleu marine, avec le minimum de féminité possible. Cela ne m'empêche pas de la détailler, d'observer son corps à travers les fringues épaisses, et les courbes que je devine me rendent fou. Elle chante, son missel à la main. Le mouvement de ses lèvres achève de rendre insupportable cette envie d'elle qui monte depuis que je l'ai aperçue.

Mon regard est trop insistant. Elle tourne la tête dans ma direction. Ses yeux accrochent les miens, et se détournent aussitôt, puis reviennent un instant. C'est une femme de trente-cinq ans, sublime.

Avant le dîner, je marche pour me calmer. J'ai rabattu ma chemise pour recouvrir mon short et dissimuler ma gêne ; bien m'en a pris car je ne sais pas comment j'aurais pu la cacher, debout, pendant le bénédicité.

Elle est assise juste en face de moi. J'ai posé mon pied sur le sien. Elle a attendu quelques secondes, juste un peu plus que le temps de la surprise, avant de replier ses jambes.

L'autre bonne sœur, une bien brave dame, me casse les couilles avec des histoires de confiture. Miguel s'est chargé de la conversation avec le curé, moitié en français, moitié en espagnol. Moi, à chaque fois qu'elle me regarde, je me retiens d'assommer tout le monde pour la prendre là, sur la table.

Bon dieu, que je l'aime! J'en ai mal partout. Le désir me fend le dos, le creux de l'estomac, et ce repas qui n'en finit pas. Heureusement, on se couche tôt ici. Je dis bonsoir à tout le monde, puis je vais me promener dans la mission. Les deux bonnes sœurs rentrent bientôt dans leur bâtiment. Quelques minutes plus tard, la dame aux confitures souffle sa bougie. Ma madone est au rez-de-chaussée. J'entends le bruit d'une douche.

J'attends, dans l'ombre, impatient. Le boy rentre se coucher à son tour. Il n'y a plus que cette petite lumière qui brille à la lucarne de la salle d'eau. Elle sort enfin, rhabillée, une lampe tempête à la main, et je fonce. C'est la première Blanche que j'approche depuis des mois, et les tchoukou-tchoukou ne sont rien comparés à ce qui me pousse vers elle.

Elle sursaute en me voyant. Je ne lui laisse pas le temps de résister et d'ailleurs elle n'en a pas envie. Nous nous entraînons tous les deux jusqu'à la chambre, dont je ferme la porte.

Elle est brûlante, inondée. On ne prononce pas un mot et on s'unit.

Dans cette chambre nue, sous un petit crucifix de bois, j'ai vécu une de mes plus belles nuits d'amour, qui me laisse épuisé, meurtri, tôt, beaucoup trop tôt, le lendemain matin. Je me réfugie dans ma chambre où Miguel dort encore. Mes épaules et mon dos sont en feu, lacérés par les coups de griffe de ma compagne d'une nuit. Quelques heures plus tard, nous échangeons notre dernier regard. Elle doit accompagner un négrillon malade chez le toubib, assez loin au nord. C'est un regard à la sauvette, entre le curé et la grosse qui l'accablent de recommandations. *Amore mio...* Elle monte dans la 2 CV de la mission et disparaît.

La grosse aux confitures soigne les pieds de Miguel, et, sitôt après, nous repartons.

Après quelques kilomètres en silence, je m'assois au bord de la route.

« *Y, entonces, que paso ?* Et alors ? »

Miguel voudrait bien que je lui raconte, mais il comprend vite qu'il ferait mieux de me foutre la paix. Je suis resté quelques heures à me souvenir de cette nuit miraculeuse, à revivre ces instants d'amour, les plus forts que j'ai connus depuis longtemps.

Et puis on est reparti vers le sud.

Bangui. Il nous a encore fallu une semaine pour arriver dans la capitale de la République centrafricaine. La ville est construite sur une courbe de l'Oubangui, le fleuve opposé à Bangui, c'est le Zaïre. Face au fleuve, le plus grand bâtiment de la ville : l'hôtel Rock, climatisé et confortable. C'est là que nous nous rendons en premier lieu, dans le bar où je laisse Miguel. Moi, je vais faire un tour en ville.

Bangui, je le sais parce que je suis tombé sur des prospectus à l'hôtel Rock, est surnommée la Coquette. En me promenant, je ne vois rien d'étonnant à ça. La capitale a des airs de petite ville provinciale française, avec toutes ces maisons coloniales, ses rues tranquilles. Bien sûr, l'Afrique commence à reprendre le dessus. Les murs sont un peu pourris, les panneaux des rues tordus, du bordel un peu partout, mais l'ambiance y persiste, bien agréable après plus d'un mois de brousse.

J'espère seulement que les blacks des villes ne vont pas trop s'attaquer à moi. J'ai déjà failli emplâtrer le douanier centrafricain qui ne voulait pas nous laisser entrer. Il a fallu qu'il regarde mon passeport cinq bonnes minutes, qu'il trouve la photo, se rende compte qu'il la tenait à l'envers, la détaille, nous fasse attendre, se gratte les couilles avant enfin de nous laisser passer.

Ici, il y a un bamboula qui semble fier de lui. Partout dans les rues de Bangui sont tendues des banderoles: «Président à vie Jean-Bedel Bokassa.» Des affiches, des photos sur les murs, dans tous les coins: «Général Jean-Bedel Bokassa, Président à vie.» En voilà un qui sait soigner sa publicité.

Je retrouve Miguel à l'hôtel, où il n'a pas perdu son temps. Il est en train de se faire draguer par une Européenne, un peu grasse et très quelconque. Il a une bonne gueule, Miguel. La peau tannée par le soleil, les cheveux délavés et très courts, il a bien changé d'allure. Il me fait rire, avec sa boîte de Nescafé pleine d'herbe et la Bible sur les genoux, en train de baragouiner timidement la fille en français, tout en plaquant sa main sur sa bouche, son nouveau tic pour dissimuler la dent qui lui manque. Mes leçons de français ont été positives, car la fille ne regarde que lui.

Elle aussi est plantée ici. Elle est arrivée en Afrique avec son coopérant de mari. Il est parti, elle est restée. Elle en a eu des malheurs, la pauvre.

Totalement anonyme en France, elle avait une vie dure, une sexualité simple et sans histoire.

Le soleil d'Afrique a réveillé ses sens et elle s'est enfin découvert un pouvoir de séduction. Ici, elle plaisait. Enfin convoitée, elle a craqué et vite cédé devant la longueur des arguments des bamboulas, avides de civilisation.

Sa maison s'est rapidement emplie de boys à tout faire et sa vie a changé. Un jour, son mari en a eu assez. Compréhensif, quoique surpris au départ, il s'est vite fatigué et ce lâche sans cœur l'a abandonnée aux gorilles. Depuis, elle tapine.

C'est un cas classique en Afrique et nombreuses sont les belles romances qui meurent sur ce continent.

A part ça, elle est gentille, l'air un peu fatigué par tout ce qui lui est arrivé... Attirée par Miguel, elle a tôt fait de nous convier chez elle, dans une maison qu'elle partage avec des copines centrafricaines. En fait de maison, je m'en doutais, c'est un bordel habité par plusieurs filles plus ou moins de la même famille. C'est une large cour en désordre, avec un grand nombre de chambres autour. Dans un coin, une dizaine de petits gamins restent tranquilles à taquiner un chien. Les huit ou dix copines de Françoise sont écroulées, en pagne, les seins nus, les yeux rouges d'avoir trop fumé, autour d'un brasero allumé. Françoise nous présente :

« Miguel et Charlie. Des copains. Ils viennent d'arriver et ils n'ont pas d'argent. »

Aussitôt dit, elle prend Miguel par la main et ils disparaissent dans une des chambres. Les filles me regardent m'asseoir avec elles, sans m'accorder d'attention particulière. Pour parfaire les présentations, je roule un gros joint que je fais tourner, initiative accueillie sans problème.

Je ne sais que faire. D'habitude, c'est moi qui baise et Miguel qui attend. Heureusement, l'ambiance est sympathique. Les filles tirent d'énormes taffes sur le joint. Une nouvelle est arrivée avec des gâteaux, une autre a fait du café qu'elle m'offre. Toutes ces demoiselles goûtent tranquillement avec de grands éclats de rire.

Il y a un chef, une grande fille qui m'a invité à boire le café et donne des ordres aux autres en engueulant les négrillons quand ça remue trop dans les coins.

Subitement, ma voisine de gauche se lève, petit bout de femme au jardin de tresses sur la tête, enlève son pagne sous lequel elle ne porte rien. Tout naturellement elle écarte les jambes. La tête penchée sur son ouvrage, elle place un petit miroir sous son sexe et commence à se gratter de l'index. Une foule de petits morpions tombe sur la glace avec des petits bruits secs. Patiemment, elle continue jusqu'à ce qu'il n'en reste plus, puis renverse le miroir sur le brasero avant de rajuster son pagne. J'ai dû rire devant la scène car Aïssa se marre en me regardant. Elle semble m'avoir à la bonne. Je roule un autre joint que je lui tends, elle vient près de moi, avale une énorme bouffée d'herbe, puis me lâche :

« Tu es coopérant ? »

La phrase qu'elle doit balancer à ses clients. Je secoue la tête.

« Non, je suis le nouveau pape ! »

Elle explose de rire, en se tapant sur les cuisses, pendant cinq bonnes minutes. Je la regarde plus attentivement. Son visage n'est pas très joli, du genre simiesque habituel, mais elle a un corps de reine, mince et souple comme une liane, rare ici. Elle s'aperçoit de mon regard qui ne semble pas la gêner beaucoup.

« Tchoukou-tchoukou, ma belle ? »

Ce coup-ci, c'est l'hilarité générale. Le mot a l'air de leur plaire, elles se le répètent, tchoukou-tchoukou, et se marrent de plus belle. Finalement, Aïssa m'entraîne dans sa chambre, où une nouvelle surprise m'attend. La pièce est totalement nue, juste occupée par un immense lit à baldaquin aux moulures fatiguées. Décidément, c'est une maison marrante ici. On va y rester un peu. Et les jours passent, tranquilles, avec les filles.

Vers sept heures du soir, toute la « famille » s'agite. Les demoiselles courent dans tous les coins, trimbalent des seaux d'eau pour la toilette, des piles de fringues propres. Elles s'échangent des trucs et remuent toute la maison. Vers huit heures, elles sont fin prêtes, déguisées en minettes européennes. C'est l'heure du travail, où il nous arrive de les accompagner.

Elles passent toutes leurs nuits à la discothèque de l'hôtel Rock, où elles n'ont aucun mal à trouver un client parmi tous les Européens venus se taper une petite négresse.

Dans la nuit, Aïssa revient pour quelques tchoukou-tchoukou en copains, jusqu'au matin. Ce sont généralement des grasses matinées pour tout le monde. L'après-midi, accroupies, en pagne, elles mangent des quantités d'excellents gâteaux de la pâtisserie d'à côté fument et déconnent. Toutes sont gentilles et très sympathiques. Elles « font leur cul boutique » sans problème et mieux encore, leurs aventures nocturnes ne sont qu'un prétexte de plus pour bien rigoler.

Leur sketch favori : imiter la bêtise de leurs séducteurs de la veille, leurs cris et leurs soupirs.

« Lors, petite, heu'euse ? »

Et elles se tapent sur les cuisses.

« Tu la sens, dis, tu la sens ? »

Accroupies, le bide en avant, les petites beautés pour toubab se marrent franchement. Petits Blancs qui comptent leur donner du plaisir ! Elles leur jouent la comédie toute la soirée et toute la nuit, pour ne pas les décevoir. L'après-midi, c'est ensemble qu'elles répètent leurs rôles, en cercle autour du brasero.

« Oui, je viens, je viens, prends-moi, c'est bon.

— Oui, je jouis, je jouis, je jouiiiiiis... »

Elles sont saisissantes de vérité dans ces répliques piquées aux films pornos, et ça leur permet de se marrer. Puis un bon joint, quelques gâteaux, café...

Il faudrait quand même penser à partir.

J'ai eu une idée un jour que je réfléchissais face au fleuve, goûtant un peu de solitude. On a pris des camions, on a marché, maintenant on pourrait continuer en pirogue. On descendrait l'Oubangui, jusqu'au Congo qui nous amènerait directement au port de Pointe-Noire. Là, un bateau pour Miguel, je remonterais moi-même en Europe et je m'occuperais sérieusement de ce Sahara qui m'attend toujours.

Miguel adopte l'idée aussitôt. Françoise et Aïssa sont prêtes à financer la construction d'un grand radeau fait de trois pirogues, reliées par des madriers. Nous avons donc engagé quelques Noirs, j'ai nommé Miguel chef de chantier et c'est en tant qu'ingénieur que je surveille le bon déroulement des opérations.

Depuis, nous passons nos journées au bord du fleuve. L'endroit est agréable, en plein soleil, avec le spectacle du Zaïre en face. Sur les berges, des femmes lavent le linge et l'étalent sur les rives en grandes taches multicolores.

C'est au cours de ces journées que j'ai pu découvrir que la République centrafricaine, qui n'a aucun accès à la mer, possède une Marine nationale. En effet, j'assiste chaque matin, en nombreuse compagnie, au lever des couleurs, sur un petit embarcadère de planches où sont attachées deux pirogues à moteur à une dizaine de mètres de notre chantier. L'effectif de la Marine nationale au grand complet est présent pour cette cérémonie d'importance : cinq bamboulas qui se partagent un seul et unique uniforme de marin français. Le plus gros, l'amiral, a pratiquement tout l'habillement sauf les chaussures, remplacées par des sandales de pneu, plus confortables. C'est son second immédiat, sûrement le quartier-maître qui a les godasses, mais en revanche le pantalon fait défaut. Deux autres se partagent le couvre-chef : l'un a la coiffe, l'autre le pompon rouge épinglé dans les cheveux. Le dernier étouffe dans un immense ciré jaune boutonné jusqu'au cou. Tout le monde est sérieux comme un pape dans un semblant de garde-à-vous. Ventre en avant, cul en arrière, les pieds en canard, le gros donne un coup de sifflet et l'homme au pompon, le moins gradé, dans un cérémonial bien rodé, s'empare du drapeau. Puis il se précipite sur le mât, l'escalade, fixe le chiffon à cinq mètres du sol et redescend. Un nouveau coup de sifflet et toute l'armée, amiral en tête, disparaît.

Chaque matin, l'espoir de le voir se casser la gueule est déçu. Je sens aussi planer cette déception sur l'assistance qui hésite à se disperser, frustrée.

Marine nationale : ce doit être encore un caprice de Jean-Bedel Bokassa, président à vie. Non seulement il a tapissé la ville avec sa photo, son nom, ou les deux à la fois, mais en plus la radio nationale ne parle que de lui. Même les chansons sont à son nom et il n'a pas encore fini de nous étonner.

En effet, un dimanche alors que nous sommes allés travailler sur le chantier à la construction du bateau, pour accélérer le départ, un troupeau de flics vient nous chercher et veut nous emmener au palais présidentiel, une baraque un peu plus grande que les autres, où nous sommes tenus, paraît-il, d'assister à une cérémonie.

Ma première réaction est de les envoyer se faire foutre mais finalement je m'incline devant la justesse de leurs arguments, car ils sont gros, nombreux et bien armés. La cérémonie, c'est la montée en grade du général Bokassa, président à vie. Tous les notables nègres sont là, ainsi que la quasi-totalité de la population blanche de Bangui, les diplomates au premier rang, l'air de s'emmerder profondément. Être nommé consul dans ces pays de guignols est sûrement plus une brimade qu'une promotion. Devant le public, une petite estrade chamarrée. A côté cinq bamboulas en uniforme d'opérette, certainement baptisés « Fanfare à vie de la République centrafricaine », jouent inlassablement *Maréchal Jean-Bedel Bokassa*, le prochain tube de Radio-Bangui.

Une demi-heure d'attente, des soldats en armes partout autour de nous. Enfin il arrive, en grand uniforme, au son de *Poum, poum, poum,* l'hymne national massacré par la fanfare.

Il se place devant le micro. A côté de lui, un zébron militaire surchargé de décorations approuve de la tête chaque parole du zébron en chef.

Et le flot d'imbécillités commence à nous éclabousser.

« C'est un grand jour aujourd'hui et pour l'histoire future, présentement, je dois remercier tous ceux qui ont bien voulu accepter d'assister physiquement à cette cérémonie ; que vous soyez citoyens de pays amis ou faisant partie communément de la population de notre beau pays. C'est un grand jour qui voit dans ma personne devenue maréchal, la garantie de l'unité, militairement et socialement parlant, dans la République centrafricaine, enfin définitivement rétablie... »

Cela dure une heure comme ça. Je ne garantis pas l'exactitude mot à mot du discours, mais c'est exactement l'effet qu'il a produit.

Miguel et moi, écroulés dans un coin, ne pouvons pas nous empêcher de rire, et je distingue plusieurs personnes dans l'assistance qui ont du mal à se retenir. De temps en temps, Miguel lance une obscénité en espagnol, sur le ton d'un compliment.

Le Bokassa continue, incompréhensible, alors que j'ai complètement cessé d'écouter. Enfin, il s'arrête, se laisse applaudir, se gratte les couilles et disparaît. On peut s'en aller.

Il est difficile de penser que ce bouffon est un chef d'État, avec ses représentants internationaux. Mais le soir même, je mesure que, comme toujours en Afrique, le comique tourne rapidement au tragique.

Comme c'est dimanche, les filles ne travaillent pas et nous sommes tous réunis autour du brasero dans la plus grande pièce, lorsqu'un sergent de l'armée vient déranger notre petite fête. C'est une grande brute de plus de deux mètres, costaud et complètement ivre. Il a décidé de baiser et jette son dévolu sur une de nos amies. Bien qu'on soit dimanche, une Africaine ne refuse jamais de gagner quelques sous. Mais monsieur, fier du prestige de l'uniforme, veut baiser à l'œil. Le ton de la discussion monte, puis les coups commencent. Le gorille, les yeux injectés de sang, a sorti sa matraque et tape comme un sourd, indifféremment sur les gamins, les vieilles et les moins vieilles. Aïssa, qui semble lui avoir tapé dans l'œil est assommée net, et ce gros porc se précipite sur elle avec l'intention évidente de consommer sur place. Tout alors se passe très vite. D'habitude, je ne me mêle jamais des histoires d'amour, mais quand il a commencé à assommer tout le monde, il a fallu agir avec beaucoup de tact. Le tact, en l'occurrence, c'est le pilon qui sert à écraser le mil.

La faculté d'encaissement des Africains me surprend toujours. Un pilon c'est lourd, ça fait mal, mais il reste toujours debout.

A cause du plafond bas, je n'ai pas pu ajuster mon tir avec toute la précision désirée. Heureusement, un coup vicieux dans les tibias le fait trébucher. Plus à ma main, je peux lui asséner un ou deux arguments qui achèvent de le convaincre.

Les filles sont contentes, lui crachent dessus et lui donnent des coups de pied. Mais que faire de cette montagne pour éviter les représailles ? Je suis d'avis de le jeter dans le fleuve, Miguel veut le noyer dans les latrines et Aïssa propose de donner son foie à manger aux enfants qui sont en pleine croissance. C'est Françoise qui le sauve en disant que, bourré comme il est, il ne se souviendra plus de rien le lendemain et nous allons subrepticement le balancer dans un terrain vague. L'idée d'Aïssa de lui manger le foie m'a amusé, mais Françoise m'assure que ce n'est pas une blague.

« Cela se fait encore beaucoup, pour prendre la force d'un ennemi.

— C'est pas vrai, il y a encore des cannibales ?

— Plus que tu ne le crois. On n'en parle pas, mais cela existe. »

Tout le monde sait ici que le président Bokassa est un grand amateur de chair humaine.

Gros con de cannibale, confondre ses électeurs avec son garde-manger ! Plus la soirée avance et plus j'en apprends de belles sur cet enfoiré. Il n'y a pas une famille ici qui n'ait eu à souffrir de son despotisme et qui n'ait eu au moins un parent proche ou éloigné, mangé ou disparu. La seule loi, c'est sa volonté. Les dictateurs sud-américains sont des débutants à côté de lui. Il a fait emprisonner ou massacrer des milliers de personnes dont le seul crime était de posséder des richesses qu'il convoitait. Hommes, femmes et enfants, tous y passent et parfois même de sa propre main. Une jeune touriste blanche qu'il convoitait a été retrouvée morte dans sa chambre de l'hôtel Rock. Parfois, c'est plus comique. Par exemple, il a fait mettre en prison toute l'équipe de foot qui avait perdu contre un pays voisin. Décidément, le personnage n'est pas clair. Qui sait, si les grands lui accordent l'importance dont il a tellement envie, jusqu'où il pourra aller...

On l'a vu, un haut fonctionnaire français lui a offert l'épée de Napoléon, c'est-à-dire l'arme d'un type qui, s'il était dictateur, était quand même autrement plus valable que cet empereur de pacotille. La France, plus tard, a offert l'asile politique à cet assassin qui ne mérite qu'une prison de droit commun. Coup de chapeau à Amnesty International qui a fait tomber ce gros con de cannibale.

Après cette bouffonnerie, je suis encore plus pressé de me tirer de ce pays et j'active le travail jusqu'à ce que, quelques jours plus tard, le radeau soit enfin prêt. Il est magnifique, trois pirogues longues de sept mètres, reliées entre elles par un immense plancher de bambous. Une cabane de palmes nous protégera du soleil.

Le soir même du baptême de notre navire, une tempête s'abat sur la région soulevant d'énormes vagues sur l'Oubangui. Je m'inquiète toute la nuit et mes craintes se confirment dès notre arrivée au chantier, le lendemain matin. Le radeau a été emporté. On nous dit qu'il a sûrement été volé par les Zaïrois qui ont mauvaise réputation, mais dans le doute, nous partons à sa recherche jusqu'à cinq kilomètres en aval, pour nous heurter encore une fois au délire africain.

Au cours de nos recherches, nous aurions, paraît-il, pénétré par mégarde dans une zone militaire où le nombre d'arbres aurait un intérêt stratégique. Et c'est une troupe en armes qui nous tombe dessus. Ceux-là sont très bien équipés, ils ont tout le barda et j'en vois même un avec un masque à gaz à la ceinture.

Arrestation, emprisonnement, pas de sévices, mais isolement pendant deux jours jusqu'au procès. Nous sommes accusés d'espionnage. C'est la maladie africaine. Ils n'ont rien à cacher mais, par exemple, il faut une autorisation pour prendre des photographies. Nous sommes en plein délire. Deux jours plus tard, procès. Nous sommes dans la cour de la caserne. Face à nous, en haut des marches d'une baraque, tous les officiers sont présents. Après un discours incohérent, on intime l'ordre aux sales espions que nous sommes, de quitter le territoire centrafricain dans les vingt-quatre heures. Sinon : prison, procès, fusillade. Ils sont capables de tout quand ils ont une crise d'espionnite aiguë.

On décide de quitter le pays. Mais il n'y a pas d'avion, pas de train...

C'est Françoise et Aïssa qui sauvent la situation en achetant une nouvelle pirogue à bord de laquelle nous embarquons le jour même, munis de quelques provisions. Le courant nous pousse, Miguel pagaie un peu. Nous sommes repartis vers le sud. J'ai balancé ma rame dès les premières minutes.

C'est une lente descente d'hallucinés pendant plusieurs semaines. Rapidement, Miguel a cessé de pagayer. Allongés au fond de la pirogue nous nous laissons porter par le courant. Nous fumons énormément une herbe zaïroise d'excellente qualité qui nous écroule toute la journée. Parfois, quand nous apercevons un village, nous allons chercher à manger et repartons. La nuit, nous nous contentons de bloquer la pirogue sur les berges. Cette descente m'a donné les images que j'attendais de l'Afrique. J'ai vu plein de bébêtes, des hippopotames, des crocodiles. J'ai eu enfin l'occasion d'honorer plusieurs femmes pygmées. Dans un village, un vieux pygmée m'a entraîné dans sa case pour me montrer, tout fier, un vieux réveil rouillé.

Je lui ai conseillé de le porter autour du cou afin d'éloigner les mauvais esprits.

Le début de cette descente était amusant, mais la fin fut pénible et fatigante.

Nous avons attrapé le palu et des amibes. Pour boire, nous devons plonger vers le fond où l'eau est moins polluée. Grelottant de fièvre, nous maigrissons rapidement. Comme par un fait exprès, la pirogue se coince souvent dans les palétuviers et les efforts fournis pour la dégager nous épuisent. Fiévreux et vidés, nous arrivons à Brazzaville où nous pensions prendre du repos. Mais le douanier nous attendait de pied ferme.

Au Congo-Brazzaville, ils sont devenus maoïstes. Le douanier, un nègre en uniforme chinois, a commencé par nous interdire d'entrer en ville et d'y séjourner. Impossible même de s'y faire soigner. Puis il a regardé les photos de nos passeports pendant dix minutes et fait semblant de lire les noms. Enfin, il m'a regardé droit dans les yeux pour me dire :

« Vous ne servez à rien dans votre vie.

— Hein ?

— Vous n'êtes pas productifs. Vous êtes des parasites. Tous les bras doivent être utilisés à la production pour que cent fleurs s'épanouissent, comme nous l'a appris le président Mao. Vous devriez avoir honte. »

Je patiente, le temps qu'il lui faut pour coller deux coups de tampon, et je lui dis d'aller se faire empapaouter chez les Grecs.

« Empapaouter les Grecs ? »

Il n'a rien compris. Je lui facilite la tâche, en lui disant que les Sénégalais feront aussi bien l'affaire. Le temps qu'il trouve la réponse dans le petit livre rouge, on est déjà sorti. Puisqu'on ne peut pas rester en ville, on prend le train de brousse jusqu'à Pointe-Noire, notre destination ultime. Car la balade africaine, y en a marre. J'ai décidé de m'arrêter là.

Sur la plage, à côté du port, on se remet du paludisme. C'est là également que nous avons terminé notre Bible. Pendant ces quelques jours, j'ai fait connaissance avec quelques Européens, devenus des Africains depuis le temps qu'ils traînent ici. Ils nous hébergent, et un peu de business avec eux me permet de récolter du cash. J'en donne la moitié à Miguel.

Je me suis trouvé un bateau. Un vieux cargo chypriote rouillé qui part demain pour Rotterdam. Moi, je remonte au nord.

Il était temps de se séparer. Cette histoire commençait à être vraiment lourde. Miguel peut se démerder maintenant. Quant à moi, affaibli par cette longue virée africaine, il est temps que je passe à la suite.

« Ciao Miguel !

— Au revoir, Charlie. Merci pour tout. »

Il me serre la main. Il est ému, et ça se voit. Je le suis également, mais je ne le montre pas.

Eh, toi, là-haut ! Tu as vu ? J'ai sauvé quelqu'un !

DEUXIÈME PARTIE

Le cargo m'a déposé à Rotterdam, après une traversée agréable, sans plus. Pendant les heures de repos, les marins chypriotes jouaient au backgammon. Comme ils avaient déjà les dés, je les ai initiés au jeu plus passionnant de la passe anglaise, ou craps. La chance était avec moi. Je n'ai pas eu besoin de tricher pour leur prendre quelques centaines de dollars. C'est l'automne en Europe. Le retour à la civilisation est toujours difficile pour moi. Il y a trop de monde, trop de bruit, trop de lois. Je suis descendu immédiatement sur Bordeaux, où je retrouve d'un coup mes souvenirs d'adolescence.

C'est là que ma famille s'est installée après l'indépendance du Maroc. C'est là que j'ai fait mes quatre cents coups.

Très en avance physiquement pour mon âge, j'ai foncé dans la seule activité valable qui s'offrait à moi à l'époque, l'aventure de la rue. Entre-temps, je suis allé un peu au lycée pour faire plaisir à ma mère. C'était ma seule concession. Je me souviens du jour de mon B.E.P.C. J'étais déjà chef de gang, je me suis présenté aux épreuves dans une voiture volée, avec un des types de ma bande comme chauffeur...

Des tas de conneries qui m'ont obligé à quitter la ville très jeune. J'ai passé ensuite un an sur la Côte d'Azur à me heurter à la frontière. J'ai tout essayé pour sortir de France.

Engagé deux fois dans la Légion, enrôlé comme volontaire pour la guerre des Six jours : que des tentatives avortées. Finalement, un juge pour enfants un peu moins con, ou plus sympa que les autres, a fait le nécessaire pour que j'obtienne un passeport. De Cannes, j'ai pris un bateau pour Buenos Aires, j'avais dix-huit ans, j'ai vécu sept années intenses d'aventures, de plaisirs, de voyages. C'est la première fois que je reviens à Bordeaux. Ce qui m'intéresserait, ce serait de revoir mes vieux copains, ceux qui restent de la bande de gamins inconscients que nous étions. Surtout, j'aimerais bien voir le gros Christian. Je suis parti à sa recherche, dans le bar qui nous servait de quartier général. Le taulier, épais et moustachu, n'en revient pas.

« Charlie, putain, ça fait longtemps. Tu étais en taule ?

— Non.

— En cavale ? »

Décidément, cela n'a pas changé, et j'en suis mal à l'aise. Dans ces quartiers populaires, les Capus, Kleber, Saint-Michel, où, adolescent, j'allais chercher l'action, vivent des familles étrangères. Dans chacune, espagnole, portugaise ou beure un des garçons est en prison ou se planque. Les clins d'œil appuyés du patron, ses attitudes de mac affranchi, son cirque est trop conforme à ce que j'ai connu.

C'est un retour sur un passé que je croyais définitivement mort. Je coupe le moustachu, déjà embringué dans une de ces histoires.

« Et le gros Christian, tu sais où il est ? »

Moins d'une heure plus tard, je l'ai localisé. Il

habite dans une de ces rues crasseuses derrière les quais. Son immeuble n'est pas reluisant, une bâtisse à trois étages, humide et sombre. Chris habite au dernier étage.

Je frappe. C'est lui qui ouvre.

« Charlie ! »

Surprise. Il a changé, loin de l'image que j'avais gardée de lui. Le gros Christian est devenu énorme. Il pèse au moins cent kilos, ses traits se sont épaissis. Il a vieilli.

Après un moment de gêne, il me fait entrer. Là, autre surprise, Christian est marié. Dans la cuisine, je découvre sa femme qui a autant de ventre que lui. Elle, elle a une excuse, elle est enceinte.

Un peu mal à l'aise, je regarde Christian, pas plus détendu que moi, s'activer pour le pastis. Tout en me balançant des sourires gênés, il fouille son petit appartement crado et finit par dénicher, dans le désordre, deux verres propres. Il a toujours la même gueule en fait, un peu empâtée, mais c'est surtout du bide qu'il a pris de l'âge. Je retrouve la tête de mon vieux pote quand il s'assoit en face de moi. Notre gêne disparaît vite, et c'est en toute tranquillité qu'on se boit pastis sur pastis en évoquant quelques souvenirs.

« Et dis-moi, où est ton frère ?

— Il est mort. »

Le petit frère de Christian était un type superbe. Malchanceux mais valable.

« Comment ?

— En cassant une bijouterie. »

Il boit une gorgée, souffle la fumée de son petit cigare.

« Le bijoutier lui a tiré dans le dos. Il a mis une semaine à mourir à l'hôpital. »

Un coup. C'est le premier. Au fur et à mesure que je demande des nouvelles des types de ma bande, le gros Christian boit une gorgée et me donne le verdict: mort en taule, ou en cavale, pour les veinards. Les filles se sont mariées ou ont disparu.

« Il y en a une qui me téléphone souvent pour avoir de tes nouvelles, c'est Suzy. Elle doit mouiller pour toi, parce que chaque fois elle insiste pour savoir où tu es. Comme si j'en savais quelque chose...

— Elle n'est plus avec le petit Peyruse ? »

Peyruse, un autre de mes meilleurs copains, était amoureux fou de la blonde Suzy qui lui en a fait voir de toutes les couleurs avant d'accepter de l'épouser, un peu avant mon départ.

« Ils ne sont plus mariés. Elle l'a laissé tomber. Depuis, Peyruse boit, elle s'est remariée, voilà. »

Il sert un verre et rallume calmement un petit cigare. Il boit beaucoup plus qu'avant, mais il a gardé cette habitude d'allumer sans cesse des petits Mecarillos. Il a toujours le même geste, la tête penchée sur l'allumette. Je me rends compte à quel point cela me fait plaisir de le voir.

Le soir, tournée en ville et la belle Suzy vient se coucher dans mon lit.

C'est une belle femme, blonde, longue et élégante, mais la nuit fut un fiasco. Sa vue me rappelle trop le souvenir de Rancho Peyruse, mon super copain, bourré de qualités, qui fut amoureux d'elle au point de se détruire... J'ai préféré ne pas le revoir pour ne pas ternir la bonne image que je voulais garder de lui.

Suzy m'explique l'intérêt qu'elle me porte par le coup de pied que je lui avais assené, un soir qu'elle faisait trop souffrir Peyruse. Qu'un homme l'humilie, alors que tous étaient à ses pieds, ça l'avait marquée.

Les jours suivants sont décevants. Christian

m'emmène voir des vieilles connaissances, devenues rangées et minables, ou qui se sont perdues dans des magouilles lamentables qui ne m'intéressent pas. Un seul d'entre eux, Claude, a surnagé et mène sa vie de manière valable.

Mais les meilleurs moments sont ceux que je passe avec mon vieux pote. Entre le pastis et le vin, dont je retrouve les saveurs, je lui raconte mes aventures. Un soir, il me demande :

« Et maintenant ? »

Je lui explique le commerce africain, voitures, désert, Afrique, fêtes.

« Et tu pars quand ?

— Ces jours-ci.

— Ça rapporte du fric ?

— À ma manière, ça rapportera.

— Je viens avec toi. »

Cette première traversée, je l'envisageais seul. Mais la réaction de Christian me fait plaisir.

On a tellement fait de coups tous les deux ! Nous avons même eu un article dans la presse, un pavé dans *Sud-Ouest*, titré « Les apprentis gangsters ». C'est un type valable, courageux et tellement calme que rien, absolument rien, ne peut le surprendre.

« Et ta femme ? »

Il balaie l'objection.

« Elle fait chier. »

Poli, j'essaie de plaider.

« Elle a l'air gentille, pourtant. »

Il me regarde. Il me sait misogyne et connaît mon opinion sur le mariage.

« Charlie, ne fais pas de baratin. Tu sais comme c'est. Au début, elle baisait bien, j'aimais bien... Mais depuis qu'elle a le gosse, là, elle me les gonfle. Je lui laisse mon argent et je viens avec toi. Des vacances me feront du bien. »

Le lendemain, on fait le tour des casses pour trouver une voiture. On en trouve une dans la troisième. Le ferrailleur, un jeune type, nous dit avoir justement une Peugeot 404 à vendre.

« Je vous préviens, elle n'est pas très belle, hein ? »

Il a un accent du Sud-Ouest à couper au couteau. Il est gitan pour une moitié, l'autre doit être voleur. S'il nous dit que son occasion n'est pas bonne, c'est qu'elle doit être pourrie.

C'est une épave de couleur sable, éraflée et couverte de points de rouille. Chris prend un air professionnel et fait le tour de la voiture.

« Charlie, viens voir. »

A l'intérieur, plus une poignée n'est en place, les sièges sont percés et le bas de la caisse laisse passer la lumière. Chris tire un peu sur la tôle. Une large bande de métal pourri lui reste dans les mains.

Il se redresse, allume un Mecarillo et conclut :

« Elle est pourrie, cette voiture. »

Je me tourne vers le Gitan :

« Elle roule ta 404 ?

— Ouais, elle roule. Je vais faire les courses avec.

— Et tu la fais à combien ?

— Je sais pas... six cents francs. »

Je regarde Christian et je décide :

« On la prend.

— D'accord. »

Le Gitan nous détaille un instant, sans bien comprendre. Il a du mal à retenir un sourire qui s'épanouit quand je lui tends deux billets de cinq cents balles.

« Pour la différence, tu me remplis le coffre de pièces de Peugeot et tu me trouves un magnéto et des cassettes si tu en as. »

Aidé de Christian qui porte le minimum, le ferrailleur remplit le coffre de pièces en vrac. Une petite demi-heure plus tard, l'autoradio est installé et le Gitan nous cède quelques-unes de ses cassettes personnelles, les Stones, les Doors et Janis Joplin.

On peut y aller. La voiture démarre au quart de tour. Penché à la portière, le Gitan nous demande :

« Vous allez loin comme ça ? »

C'est Christian qui répond calmement.

« En Afrique.

— Non ? »

Là, il se marre franchement. On le laisse à son hilarité, pour rentrer vers le centre de Bordeaux. Dans l'après-midi, Christian s'occupe des papiers, carte grise et assurance.

Vers dix-sept heures on est parti vers le sud.

« On va où exactement, Charlie ?

— A Niamey, au Niger.

— Putain !... »

On a passé la frontière espagnole ce matin. C'est moi qui conduis. Christian est obligé de lever la tête pour me parler. Côté passager, le bas de la caisse a cédé et un côté du siège est passé au travers peu après notre départ.

« Dis, Charlie, c'est où le Niger ?

— Juste en bas du désert, après l'Algérie.

— C'est des nègres là-bas ?

— Ouais.

— Ils sont cons comme ceux qui vivent en France ?

— Non. Là-bas, ils sont dans leur décor. En brousse, ils sont sympas. Ceux des villes sont tarés. Ils aiment trop l'argent. Ils imitent leurs colonisateurs. A tort. »

Il allume un Mecarillo et tend la main derrière pour attraper une bouteille. Il y a une demi-douzaine de litres de pastis, whisky, cognac, bordeaux, et du fromage. Sa descente m'étonne. Il boit et puis il pisse. Depuis qu'on est en Espagne, il se plaint qu'à l'étranger on bouffe mal. Christian n'est jamais sorti de France. Il va souffrir en Afrique, côté gastronomie.

« C'est vrai qu'ils se bouffent entre eux ?

— Ouais. Par endroits.

— Putain... »

C'est tout Christian. Il est parti avec moi sans avoir aucune idée de l'endroit où on allait. C'est le fou rire continu. Depuis le départ, nous nous sommes complètement retrouvés. L'appareil à cassettes, puissant, marche à fond. Christian a une tenue de vacancier, tout en blanc et des espadrilles. Il a rabattu sur les yeux un petit sombrero de paille qui complète son look « Mecarillo ».

« On a fait une affaire avec la voiture hein ? »

C'est vrai qu'elle se comporte bien. A part quelques cliquetis de ferraille non identifiés et les courants d'air de la carrosserie, le moteur doit être bon. Il tourne rond. Je n'y connais rien en mécanique et Christian non plus. A une halte, encore en France, il a fait le tour de la voiture et m'a dit :

« Charlie, il faut la soigner, mettre de l'eau et surveiller l'huile.

— Tu crois ?

— J'en suis sûr. Et puis il faut mettre de l'essence. »

Il a donné encore quelques coups de pied dans les pneus et m'a affirmé qu'ils étaient bons.

A un barrage routier, un flic nous a quand même conseillé de les changer. Rouler avec des pneus lisses, c'est risqué et de plus interdit. On a répondu qu'on y allait justement et on s'est cassé.

Christian a un permis de conduire. Moi, j'en ai eu plusieurs. Je les ai achetés ou j'ai triché pour les avoir. Je ne comprends rien aux panneaux.

On roule sans arrêt, sauf quand Christian veut pisser. C'est pratiquement toujours moi qui conduis. A Barcelone, une pharmacienne un peu plus con que les autres a accepté de me vendre du Bustaï et je m'enfile pilule sur pilule.

« C'est quoi, ta saloperie ?

— Des cachets pour maigrir.

— Pourquoi tu prends ça ?

— A forte dose, c'est un excitant. Un des speeds les plus forts.

— Ouais, c'est des saloperies, quoi ! »

Et il tend la main pour prendre une bouteille, au hasard.

La traversée d'un pays européen en voiture n'a rien pour me plaire. J'ai l'intention de rouler d'une traite jusqu'à Adrar, la porte de ce désert dans lequel j'ai envie de foncer. C'est à deux mille kilomètres, maintenant. Nous sommes vite à Algésiras, le port espagnol d'où on prend le ferry pour le Maroc.

Après deux heures de traversée, intégralement passées au bar, on débarque à Ceuta. C'est une enclave espagnole sur le territoire marocain. Toute la ville est en *duty free*. Christian est ravi de l'aubaine. Il en profite pour faire le plein d'alcool.

Sa joie est de courte durée. Dès la sortie de la ville, les douaniers marocains nous attendent dans un long bâtiment crasseux. Ils font attendre des heures entières des familles surchargées de bagages et de cartons. Ces messieurs ont décidé de nous emmerder. C'est un gros, impérieux, à la capote défraîchie qui déclenche ma mauvaise humeur. Supérieur, soupçonneux, on perd une heure avec lui. Il amorce un début de fouille minutieuse. Il trouve les bouteilles d'alcool et réclame sa part. Je lui lâche quelques bouteilles.

Dès la première minute, ce gros salopard a gâché mon retour au pays. Je suis né au Maroc et j'y ai passé mon enfance. J'en garde un merveilleux souvenir. La joie que je me faisais d'y passer quelques jours a disparu. J'ai décidé de traverser le pays et de foncer directement sur le sud. Christian n'a pas apprécié la perte de ses bouteilles et ronchonne dans son coin. Malgré la haine qui m'a pris, décuplée par le Bustaï, je réussis à lui donner une autre image du Maroc. Ils ne sont pas tous comme ça. Ces douaniers ne sont que des flics. Les nations du tiers monde et tous les dictateurs qui y pullulent se sont fait une spécialité de mettre un uniforme aux types les plus cons du pays. Plus le tyran est fort, plus ses chiens de garde sont des enfoirés. En bas, sous-cultivés, abrutis de propagande, les gens du peuple n'ont plus qu'à la fermer jusqu'à ce qu'un type plus fort ou plus fou vienne secouer leur passivité.

Nous traversons le massif du Kétama. Énervé, je refuse de ralentir dans les lacets de ces petites routes de montagne. Les effets secondaires du

Bustaï commencent à se faire sentir. Ma nuque est douloureuse. Tous mes muscles sont contractés. L'idée de manger me dégoûte. Christian dévore dans une auberge sur le bord de la route. J'achète une plaquette de hasch aux consommateurs qui fument sans retenue et bois sans plaisir un thé à la menthe.

J'en avais pourtant envie, de ce thé. Il faisait partie de mes souvenirs d'enfance passée à Tarroudant, dans le désert du Sud marocain. Un des derniers d'entre eux date de la déclaration d'indépendance. J'ai dix ans et je suis sous la table, avec mes frères et ma sœur. Dehors, toutes les fenêtres sont décorées du drapeau rouge marocain, sauf celles de notre appartement. Mon père, le légionnaire, a hissé les couleurs françaises. Lui, il est tête nue, chemise ouverte, et il tire au pistolet. Ma mère lui passe des chargeurs pleins et des cocktails Molotov qu'elle a préparés. Tous deux sont certains qu'on va être massacrés.

Christian se marre en écoutant mes souvenirs.

« C'était dur, dis donc, à l'époque.

— Ces derniers moments étaient un peu durs mais les types avaient eu raison de se révolter. L'époque coloniale était révolue. »

Je lui répète que les Marocains étaient des types sympathiques, chaleureux et très hospitaliers. Après les quelques exemples désastreux qu'il a eus sous les yeux, je ne le convaincs pas et il n'a pas l'occasion d'en voir d'autres.

Nous traversons le Maroc en un temps record. Christian somnole à mes côtés, ce que je serais incapable de faire, trop tendu par ce speed qui me soutient.

Je file à tombeau ouvert sur la route de Figuig,

heureusement peu fréquentée. Les quelques camions que je croise m'obligent à prendre le bas-côté de la route, bien trop étroite pour deux véhicules de front. J'arrive à Figuig au petit matin. Le temps de souscrire aux formalités de douane côté marocain, de lâcher quelques bouteilles, et nous repartons.

Côté algérien, le changement est immédiatement sensible. Les douaniers sont sympas et font leur boulot sans rien exiger. Je leur donne quand même quelques bouteilles de vodka. Je compte repasser souvent par ici et je tiens à ce qu'ils gardent le meilleur souvenir de mon passage. Les routes algériennes sont bien meilleures que les marocaines. Elles sont larges et le revêtement est parfaitement entretenu. En une heure, le pied au plancher, on parcourt la distance Figuig-Béchar.

Là, on s'arrête. Un café et le plein d'essence, un quart d'heure de pause. J'ai l'intention d'abattre tout de suite la distance jusqu'à Adrar où commence la piste. C'est le but que je me suis fixé.

Ces six cents derniers kilomètres sont les plus pénibles. Nous sommes sérieusement crevés et nous en avons marre de rouler. La route file, tout droit, toujours aussi large. Seules de temps en temps, quelques barrières de sable nous obligent à ralentir. Autour de nous, à perte de vue, de gigantesques dunes orangées, comme sur les cartes postales. Le spectacle est sûrement magnifique mais je n'ai pas le temps d'apprécier. Je veux arriver. Depuis notre départ de France, je n'ai pas dormi et j'ai absolument besoin de détente. Christian, lui non plus pas très frais, ne dit plus un mot. On roule dents serrées pendant plusieurs heures. Enfin, vers sept heures, on entre dans Adrar.

Les maisons sont carrées, sans fenêtres. Tous les murs sont rouge sang. La ville est toute petite. En quelques minutes, on déniche le seul hôtel du bled, sur la place centrale. La chambre est sale. Je fais changer la literie.

Christian est sous la douche. Serviette autour des reins, il ressort vite et s'allonge avec un immense soupir de soulagement. A mon tour. Quand j'en sors rafraîchi, quelques minutes plus tard, il s'est endormi dans la même position, sans se glisser dans les draps. Je m'étends, mais je suis trop contracté pour dormir. Il me faut quelques joints de hasch marocain pour faire descendre le speed, décontracter mon corps et enfin pouvoir sombrer dans le sommeil.

C'est Christian qui me réveille le lendemain matin. J'ai dormi quinze heures. Il s'est déjà remis à neuf, rasé de près, un foulard noué autour du cou et coiffé de son sombrero. La salle de bar est déserte. Seul le garçon, assis derrière le comptoir, est plongé dans la lecture d'*El Moudjahidine*, le journal local. Il hoche la tête affirmativement à notre commande mais il lui faut dix bonnes minutes pour replier son canard et nous amener deux cafés tièdes et dégueulasses.

La maison ne semble pas faire recette. L'endroit a dû être acceptable, sinon luxueux, mais manque cruellement d'entretien depuis longtemps. Nous ne sommes pourtant pas les deux seuls clients. Christian, ce matin, a repéré deux Européens. Leur voiture, une Méhari garée sur la grande place, devant l'hôtel, est immatriculée en France.

Il fait déjà très chaud. Adrar est une ville morte, au moins à cette heure-ci. Les deux ou trois bistrots sont vides. Quelques boutiques possèdent bien un comptoir, mais il n'y a rien à vendre. Les ruelles de sable sont désertes. Un peu d'animation règne aux stations-service situées aux extrémités de la seule voie goudronnée. Au-delà, rien. Le désert.

Lorsque nous revenons à l'hôtel, les deux Européens sont là, assis à l'une des tables du bar. Nous faisons rapidement connaissance. René et Patricio viennent tous deux de l'Est de la France, et veulent traverser le Sahara pour le sport. A son habitude, Christian alimente la conversation. Il a vite fait de glisser que je suis un spécialiste de la piste. Deux minutes plus tard, j'apprends que je suis le meilleur descendeur d'Afrique, le roi du désert. Pendant qu'il leur bourre le mou, je me sens mal. Ces deux mille cinq cents kilomètres non-stop m'ont esquinté. Je bazarde ce qui me reste de Bustaï.

Il n'y a pas un souffle d'air dans la chambre. Je prends une douche et m'abats trempé, sur le lit. Il fait nuit quand je me réveille. En bas, c'est la fête. Les deux touristes sont éméchés. Christian a fourni l'alcool, introuvable ici. Il y a un convive de plus. Une fille, Monique. C'est une Luxembourgeoise en provenance directe de Luxembourg. Elle est grosse, avec de bonnes joues rouges, le cul qui tombe, gentille et bavarde. Elle a connu une brève romance avec un étudiant malien à Luxembourg, et part le rejoindre.

Christian a prétendu que je connaissais le Mali. Elle me demande :

« Tu ne connais pas Youssouf Bodialo, des fois ? »

Je lui fait répéter le nom, pour rire, puis je lui explique que le Mali compte cinq millions d'habitants, et que c'est un grand pays.

« Mais ne t'en fais pas, tu trouveras. Ils se ressemblent tous. »

Ses beaux yeux sont inexpressifs. Elle met du temps à comprendre et à sourire.

J'avale un ragoût de mouton, gras et pimenté et je les laisse.

Le lendemain matin, c'est encore Christian qui me réveille avec, miracle, un café excellent et bien chaud.

Il a un grand sourire aux lèvres.

« Charlie, ces deux types, ce sont des cakes. »

Il jubile. Il leur a raconté que je connaissais tout le marché africain, et que je pouvais les aider, s'ils voulaient vendre leur Méhari au Niger.

« Et qu'est-ce qu'ils ont dit ?

— Intéressés, surtout le gros. Ils ont posé quelques questions sur l'état de la 404, mais je les ai embrouillés. On a rendez-vous avec eux.

— Quand ?

— Ce midi. Ils nous invitent à un pique-nique. »

Je me lève pour prendre une douche et me raser. La forme est enfin revenue. Je n'aime pas les pique-niques, mais le travail de Christian est intéressant. On descend avec une seule voiture, si on peut en récolter une deuxième, les bénéfices vont grimper d'autant. Christian sifflote dans sa chambre, décidément en pleine forme ce matin.

« Et je me suis fait la Luxembourgeoise.

— Oh ! C'était bien ?

— Non. Trop passive. Mais peu importe. Tu comprends, maintenant que je passe en international, il faut que je me tape des étrangères.

— Ouais, je comprends. »

Le pique-nique a lieu en dehors d'Adrar. Nous suivons la Méhari des deux schnocks. Monique, rayonnante, est montée avec nous. En chemin, elle demande :

« Charlie, je voudrais descendre avec vous.

— C'est pas possible. »

Je lui explique gentiment que nous allons charger un bidon de deux cents litres d'essence à l'arrière et qu'il n'y aura pas de place pour elle. Elle insiste, car elle a peur de monter à bord des camions algériens, mais je reste inébranlable.

Nous arrivons dans une sorte de palmeraie clairsemée, un coin d'ombre au milieu du sable. Comme je le soupçonnais, René et Patricio sont des spécialistes du démontable. En quelques minutes, ils nous installent une petite table en formica, des chaises de toile, des bidons, des verres en plastique. S'ils avaient pu plier les assiettes, ils l'auraient fait. Ils sont visiblement fiers de leur matériel et ils nous sortent le grand jeu. René, surtout, se montre carrément obséquieux à mon égard. Ce qui me déplaît toujours.

Il est gros, petit, et il porte un short ridicule. C'est un sapeur-pompier ou quelque chose comme ça. L'autre, Patricio, est moniteur de ski. Il travaille en saison et ne fout rien le reste du temps. Il est sympa et ne croit pas utile de jouer les maîtresses de maison, comme son copain.

A la fin du repas, le pompier nettoie la table. Thermos, café, il faut reconnaître que nous sommes soignés. Puis ils déploient une immense carte du Sahara, avec leur itinéraire tracé au crayon, et commencent à poser des questions.

Je regarde avec intérêt. C'est la première fois que je vois une carte du désert. Autant profiter de l'occasion pour apprendre deux ou trois trucs, car les seuls renseignements que je possède viennent d'Alain, le Bordelais rencontré à Niamey. A chacune de mes questions, il m'a répondu : « C'est du billard. »

Christian s'est penché sur la carte. Il regarde où

il va. René suit la ligne de crayon. A chaque étape, une colle.

« Tu l'as passé souvent, le Tanezrouft, Charlie ?

— Oui.

— Ce sable, là, au point 400, c'est dur ?

— C'est du billard. »

Ils ont dû l'étudier, leur itinéraire, et se le repasser le soir.

« Et les Adrar des Iforas ?

— Du billard. »

Christian contemple la carte, rêveur. Les deux autres m'entraînent vers leur Méhari. Ils tiennent absolument à connaître mon avis sur leur voiture et leur matériel. Il y en a partout. Ils trimbalent une somme impressionnante de jerricanes, de caisses et autres choses. Leurs plaques de désensablement toutes neuves sont soigneusement accrochées sur les côtés. L'ensemble est très coquet.

« Vous êtes trop chargés, les gars. Mais la Méhari est une bonne voiture. »

Souvenir du Pâtissier : je les préviens qu'ils vont crever sans arrêt. René, très fier, me sort une caisse contenant tout le matériel de réparation des pneus. Patricio hasarde un commentaire sur ma voiture. Je le regarde et lui demande ce qui ne lui plaît pas dans ma 404, puis, comme les pique-niques me lassent vite, je fais presser le mouvement pour rentrer.

L'après-midi, Christian prend la voiture pour emmener sa dulcinée en promenade et me propose d'en profiter pour acheter les provisions du voyage.

« Prends de l'essence. Achète un bidon de deux cents litres, tu le remplis et tu le charges sur le siège arrière.

— J'achète de la bouffe ?
— Ouais, prends des boîtes de sardines.
— De l'eau ?
— Oui, trois litres d'eau.
— Ça suffira ?
— Oui ! On n'a que sept cents bornes à faire. »

Demain, c'est le départ. Christian a sorti d'autres bouteilles d'alcool pour la veillée. Les deux montagnards sont tout excités. Ce genre de soirée boy-scout et toutes les stupidités qui s'y racontent m'énervent. Monique lutte toujours pour obtenir une place dans la 404. Elle me lance des œillades langoureuses. Je ne peux m'empêcher de lui dire qu'elle a le cul qui tombe, et que je n'aime pas ça, et je vais me coucher. Une surprise désagréable m'attend au moment du départ, le lendemain. Elle est là. Elle demande encore une fois de l'emmener.

Je suis patient.

« Sois sympa, Monique, n'insiste plus. Tu as vu que je n'avais pas de place, alors pourquoi ne demandes-tu pas aux montagnards qui, eux, en ont ? »

Cette conasse pleurniche.

« Ils ne veulent pas.
— Monte sur un camion, alors.
— Je ne veux pas. »

Mademoiselle ne veut pas. Mademoiselle a décidé de faire chier. Ce sont soixante-quinze kilos de passivité qui sont plantés devant ma voiture. Christian m'adresse des signes d'impuissance. Il a tout essayé. J'accepte.

Il faut passer à la douane. C'est un petit bâtiment, rouge comme le reste, un peu en dehors de la ville. En face, un terre-plein sert de parking où deux camions stationnent. Ce sont des bahuts du désert, vieux, cabossés et recouverts de plaques de sable collées à la carrosserie. Autour d'eux, une dizaine de Tamacheks, des nomades du désert, déchargent un à un tous les sacs de marchandises. Les douaniers, sanglés dans leur uniforme gris malgré la chaleur, surveillent l'opération. Quelques sacs sont ouverts pour vérification. Ils visitent l'arrière du camion, lorsqu'il est vidé. Puis les Tamacheks rechargent les dix tonnes de sacs quand ils ont terminé.

Pour nous, les formalités sont plus rapides. René et Patricio passent juste après nous. Madame la passagère nous rejoint, son énorme sac sur le dos. Il est aussi gros qu'elle, et prend autant de place. Je le glisse comme je le peux au-dessus du bidon, à l'arrière, et on part.

Pendant les dix premiers kilomètres, je suis les camions. A quelques mètres derrière, je roule constamment dans la poussière qu'ils soulèvent. On a été obligé de fermer les vitres. Sans aération, la voiture est un four. Je n'y vois absolument rien dans ce brouillard jaune et, plusieurs fois, je dois piler sec. La tête de Monique cogne le pare-brise. Les ornières sont profondes et le bas de la caisse touche, au milieu.

« Christian, on est à combien de Reggane ?

— Cent cinquante bornes, à peu près. »

Je double les deux camions et, la route libre, je mets la gomme. Les deux touristes ne suivent pas.

« Monique, serre-toi, tu me gênes. »

La 404 est une voiture étroite et cette grosse m'empêche de passer les vitesses comme je le voudrais. Elle se colle à Christian et finit par s'installer entre ses genoux.

Comme ça, je suis à l'aise, et ce bout de conduite m'amuse. Les traces sur la piste sont évidentes. Il suffit de les suivre. En chevauchant les ornières, ça passe tout seul. Janis Joplin sur l'autoradio, les vitres ouvertes, la cabine balayée par le vent chaud, je m'en donne à cœur joie...

La piste est en mauvais état. Il m'arrive d'avoir à éviter des trous d'un mètre de profondeur, en braquant au dernier moment. Je saute les plus petits. La voiture décolle. A chaque retombée, le putain de sac à dos me tombe sur la nuque. Monique le rétablit aussitôt.

J'ai déjà fait de la piste dans plusieurs endroits du monde et celle-là ne me pose aucune difficulté particulière. J'ai juste quelques inquiétudes pour la bagnole, qui se disloque dans les zones de tôle ondulée. Heureusement, elles sont rares. On est violemment secoué deux minutes, puis le sable reprend. C'est du billard.

La piste fait parfois une centaine de mètres de large. On dépasse des petits groupes de maisons carrées, des palmiers au loin. Des chemins de sable partent de la piste et s'enfoncent vers l'intérieur, où il doit bien y avoir des villages.

Trois heures plus tard, nous dépassons un petit groupe de maisons rouges. Un peu plus loin, un fortin de la même couleur, entouré d'un muret bas : c'est Reggane.

Madame nous confectionne des sandwichs avec les boîtes de sardines que Christian a achetées à Adrar. On expédie vite ce repas, complété par les biscuits de la Luxembourgeoise.

Tranquillement installés, on profite du crépuscule. Avec le lever du soleil, c'est l'un des moments les plus fabuleux du désert. Le soleil produit une bande magnifique de tons orangés qui se fond avec le bleu sombre du ciel. Il fait plus frais et, depuis que j'ai dit à Monique d'arrêter de se plaindre de la fatigue, le silence est total.

La nuit tombe en dix minutes. La magie du moment disparaît. Le Luxembourg s'est endormi. On s'installe pour l'imiter. Les camions arrivent plus tard dans la nuit. J'entends juste quelques bribes de conversation entre Christian et les deux montagnards, des voix en arabe et je m'endors tout à fait.

Au réveil, ma première vision, c'est le désert.

C'est un océan de sable qui s'étend devant moi à l'infini, plat et sans obstacle. La luminosité est déjà forte, mais il fait encore bon. Assis sur le muret, je fume un joint face à l'immensité.

Christian me rejoint. Planté devant cette gigantesque plaine de sable doré, le sombrero sur la tête, il exprime tout haut ma pensée :

« Putain... »

Ce n'est pas de l'appréhension. Christian est un des types les plus courageux que je connaisse. C'est du respect. La première fois que j'ai traversé le Sahara, c'était avec Miguel. J'étais passager, en haut d'un camion. Cette fois, il va falloir l'affronter, ce désert.

« Tranquille, c'est du billard. »

On reste un moment à goûter le paysage et le silence. Peu à peu ça s'agite derrière. On retourne vers les autres.

Les camions et la Méhari se sont garés dans l'enceinte formée par le petit muret. Monique fait le café. Assis à côté d'elle, René et Patricio m'assomment de commentaires sur le trajet de la veille. J'entraîne ma passagère à l'écart.

« Écoute, on a six cent soixante bornes à faire aujourd'hui. Monique, ma grosse, sois gentille et monte avec les camionneurs.

— Oh ! non, Charlie, s'il te plaît, non. »

Elle est trop affolée, je n'insiste pas, mais il faut que je me débarrasse du sac. Je l'extirpe de la voiture et je me dirige vers les camions.

Les routiers sont déjà en pleine activité. Des graisseurs ont allumé des petits feux et préparent le thé. D'autres s'occupent des camions, penchés sur le moteur sans capot.

Le chauffeur du premier camion, un Berliet jaune, me reçoit amicalement. Il s'appelle Wallid. C'est un beur de Paris, la trentaine. Ses exploits à Barbès lui ont valu d'être expulsé. Depuis quelques mois, il est camionneur du désert.

Pas de problème pour le sac de Monique.

« C'est ta femme ?

— Non. Je l'ai rencontrée à Adrar.

— Elle baise ? »

Pour les Arabes, depuis que les touristes ont envahi l'Afrique du Nord, la femme européenne est une pute et rien d'autre. Elle s'accouple sans être mariée.

« Il faut lui dire qu'elle monte avec nous. »

Je lui explique que madame a peur d'eux. Il éclate de rire, il traduit à ses graisseurs, et provoque une explosion générale. Ils échangent des plaisanteries en arabe et des gestes obscènes. Je les laisse rigoler entre eux.

Le deuxième camion est un Mercedes orange. Ce modèle, le 19-24 est courant en Afrique. Il est surchargé. Les chauffeurs africains ne respectent jamais les normes de poids. Si un bahut est prévu en Europe pour porter dix tonnes, c'est qu'il peut bien en porter quinze.

Ayoudjil en est le propriétaire, c'est un gros type placide, en djellaba qui porte des lunettes. Il est assis sur une natte, à l'abri des regards, et fume le kif. Il me propose un cepsi. Son graisseur, un immense Tamachek, qui porte un imperméable sale en guise de burnous, me tend un verre de thé. Je lui offre un peu de hasch. C'est un gros commerçant entre Adrar et Gao, il me sera utile dans le futur. Il me parle commerce. Sa commande de pièces détachées est intéressante. Je la lui promets pour le prochain voyage. Il connaît les Bordelais, Alain et Fred et il m'apprend qu'ils sont en Afrique. Ils sont sur la piste à quelques journées devant nous et voyagent avec un troisième type. Les formalités de départ se déroulent avec la lenteur habituelle. Les autorités algériennes ne laissent partir personne seul de Reggane. Il faut démarrer la traversée au sein d'un convoi. Après, on fait ce qu'on veut.

Les camions partent avant nous. J'ai dit à Monique de se faire oublier et elle tente de se faire toute petite entre les deux sièges. Les deux montagnards m'ont avoué en avoir bien chié dans la poussière, la veille. Ils me demandent la permission de me suivre aujourd'hui.

« Vous suivez, mais à cent mètres. »

Je m'installe au volant. Christian en rajoute. Tourné vers la Méhari, les poings sur les hanches, il répète toutes mes instructions.

« Conservez la distance, c'est important. »

Il inspecte d'un dernier regard leur voiture et me rejoint. Je démarre. C'est le grand départ.

Cent mètres plus loin, je suis ensablé.

J'ai suivi les traces des deux camions, les ornières ont ralenti ma marche. Je sens les roues arrière patiner. Je rétrograde pour donner plus de puissance. Je fais dix mètres de plus. Je suis en première. La voiture s'arrête. Je donne de grands coups d'accélérateur. C'est une erreur, les roues patinent et s'enfoncent davantage.

Derrière, les deux touristes se sont ensablés eux aussi. Je sors de la 404, ferme la portière d'un coup de pied et je gueule.

Ce sont ces abrutis de camionneurs. Ils ont bousillé la piste avec leurs gros culs.

René et Patricio ont accouru.

« Bon, ça vous fera une leçon de désensablement. Plaques ! Pelles ! Rapide ! »

Pendant qu'ils ramènent leur matériel, je regarde en avant de la voiture. Je n'aurais jamais dû prendre les ornières. Si je les avais simplement chevauchées, je passais. Il y avait aussi un chemin plus dur, à droite. Là où nous sommes maintenant, il va falloir manier les plaques sur une bonne cinquantaine de mètres avant de rejoindre un terrain plus ferme et plat.

Je montre aux deux autres comment dégager le sable devant les roues et niveler le sol pour poser les plaques. Ce n'est pas bien compliqué. Ils regardent comme deux écoliers. Christian, que je n'ai jamais vu faire un effort physique, multiplie les conseils et répète tout ce que je dis. Pendant que les deux cons travaillent, je me mets au volant.

Ce sont les roues arrière qui s'enfoncent, parfois jusqu'à mi-hauteur, dans le sable mou. Il faut leur ménager une pente pour qu'elles sortent du trou qu'elles ont creusé. Cela veut dire pelleter. René et Patricio, à genoux dans le sable étrennent à grands gestes leurs pelles-bêches toutes neuves. Puis il faut coincer la plaque, une tôle de soixante centimètres percée de trous, en bas de la roue.

« Et maintenant, poussez... »

Je passe la première. Houspillés par Christian, les deux touristes et madame s'arc-boutent à l'arrière. Ils sont aspergés de sable que les roues font gicler en patinant. La voiture sort, parcourt deux mètres, et s'ensable à nouveau. Avec de l'élan, ça passerait mais c'est irréalisable départ arrêté. Comme on ne peut pas tourner, il n'y a qu'une solution : déterrer les plaques enfouies sous le sable à l'opération précédente et recommencer.

Le gros René, surtout, est en train de souffrir. Il fait très, très chaud. Il sue et je l'entends s'essouffler. Patricio est plus costaud. Il a relevé son col pour se protéger la nuque du cagnard. Monique en a marre.

On répète cinq ou six fois l'opération avant que la 404 ne consente à rouler quelques dizaines de mètres, libérée. Je descends, je crie aux trois autres d'aller plus vite, et je me mets au volant de la Méhari.

Ils sont tout couverts de poussière collée par la transpiration quand je range la Méhari à côté de la 404, après une petite heure de travail de terrassier.

J'ai compris maintenant. Ce n'est pas compliqué le désert, il suffit de ne pas suivre les ornières des camions. La grande piste est un large couloir sillonné de leurs traces. En roulant sur les côtés, on ne risque rien. Je me suis écarté sur la droite à deux cents mètres au moins. La musique est à fond. Monique boit beaucoup. Elle s'est de nouveau installée entre les genoux de Christian qui lui pelote les seins. C'est du billard.

Au bout de quelques kilomètres, la piste se rétrécit. Les empreintes de roues sur le sol sont moins nombreuses. Je continue.

Nous avons pris un chemin parallèle qui doit rejoindre la route à un moment ou un autre. Je commence à avoir des doutes. Devant moi, il n'y a plus que deux traces. Elles disparaissent tout à coup. Le sol a changé. Le sable est incrusté de petits cailloux. C'est lisse. Je décris un arc de cercle et louvoie sans rien trouver. Je regarde Christian. Ses yeux me demandent :

« Perdu ? »

Je lui réponds du regard.

Je m'arrête. Les deux emmerdeurs accourent. Je ne réponds pas à leurs questions, je vais en avant de la voiture pour essayer de trouver une de ces saloperies de traces. Christian, derrière, calme tout le monde.

« Laissez Charlie tranquille. Il étudie. »

Je l'entends improviser, en bon Bordelais.

« Il cherche un raccourci... Il repère... »

Je repère effectivement et je ne trouve rien.

A cent mètres, j'en trouve une, exactement perpendiculaire à notre direction. Je retourne à la voiture et fais grimper tout le monde. On repart. Moins d'un kilomètre plus tard, il n'y a plus que deux traits fins sur le sable et à nouveau plus rien. Je suis paumé. J'arrête la voiture. Cette fois, les deux autres sont paniqués. Je n'ai pas d'explication à leur fournir et je m'éloigne pour aller pisser. Pendant que je dessine des arabesques sur le sable, c'est encore Christian qui se charge de calmer mon petit monde. Il explique que je réfléchis car le problème est grave.

« Charlie voulait nous faire suivre un raccourci

qui nous aurait évité deux cents kilomètres de piste, mais il n'a pas confiance dans la météo. »

Le dos tourné, je me marre tout seul en l'écoutant. Il leur raconte que j'ai remarqué les signes avant-coureurs d'un vent de sable sur le raccourci et il improvise sur un petit nuage qui se balade loin dans le ciel. Un travail magnifique qu'il conclut en beauté par un :

« Allez, passez devant, on va rejoindre la piste. »

Excellente initiative. Je ne sais pas où on est et je n'ai aucun sens de l'orientation. J'aurais été incapable de retrouver la grande piste. René, au volant de la Méhari, s'en acquitte parfaitement.

Quelques kilomètres plus tard, le valeureux soldat du feu a retrouvé la bonne route. Là, je le dépasse, je reprends la tête de l'expédition.

C'est facile le désert.

A partir du kilomètre 50, la piste est balisée. Un bidon noir tous les dix kilomètres. Il n'y a qu'à suivre. C'est du billard.

On dépasse bientôt le Berliet de Wallid dans un concert de cris et de coups de klaxon. Au loin devant, un point noir. C'est le camion d'Ayoudjil. La Méhari nous suit. On va presque dépasser le gros Mercedes quand mon moteur se met à avoir des ratés et cale !

Merde. Qu'est-ce qu'il y a encore ?

René et Patricio font la gueule. Ensablé, perdu dans le désert et maintenant en panne, c'est trop pour eux. Je les envoie se faire voir et je leur dis de suivre le camion d'Ayoudjil. Ils choisissent aussitôt la sécurité et démarrent en trombe. Ils ont trop peur de rester ici.

Pour la forme, Christian ouvre le capot. Il s'y

connaît autant que moi, c'est-à-dire, pas du tout. J'actionne le démarreur plusieurs fois, sans résultat. Monique est abattue sur le siège. Nous sommes bloqués.

Christian boit ses dernières gouttes de whisky. Je me suis roulé un joint. Le soleil est au zénith et la tôle de la voiture est brûlante. Autour de nous, à perte de vue, de tous les côtés, du sable. Le bidon de balisage à l'horizon n'est qu'un tout petit point noir. La grosse sort de la voiture où il fait trop chaud. Elle réclame de l'eau. Elle a terminé sa provision. Pendant dix minutes, rien ne se passe, puis on entend un bruit de moteur, loin derrière. C'est le camion de Wallid. Le ronflement s'amplifie, on le voit maintenant, il arrive, mais à quatre cents mètres à droite, loin de nous sur la piste. Je fais monter Monique sur le toit de la voiture. Elle envoie ses signaux avec tant d'enthousiasme qu'elle plie définitivement la tôle. Wallid nous a vus et vient sur nous.

Il rigole quand je lui explique la panne, et me montre d'où elle vient. Avec la chaleur, la pompe qui amène l'essence au carburateur se dilate et se bloque. C'est une panne courante. Ravi de briller aux yeux de Monique, il m'arrange ça tout de suite. Il enroule un chiffon autour de la pompe, verse de l'eau dessus et actionne à la main. J'essaie le démarreur, et le moteur repart. Je remercie Wallid qui, grand prince, m'affirme que ce n'est rien et fait le beau avant de retourner à son camion.

Trente kilomètres plus loin, on cale de nouveau. Cette fois, on s'aperçoit qu'il ne nous reste plus beaucoup d'eau, à peine les trois quarts d'une bouteille. Et le chiffon est complètement sec. Wallid est loin devant. On n'a pas pensé à lui prendre de l'eau. On mouille.

J'interdis à la grosse de boire pour économiser

l'eau et le bordel commence, de trente bornes en trente bornes. Bientôt, la bouteille est vide. Je sauve encore un coup avec l'eau du lave-glace. La fois suivante, il faut pisser.

Heureusement, Christian est un spécialiste. Moi, je ne contribue que très rarement car je ne bois pas. Mais Christian a ses limites. Après trois arrêts, il ne peut plus produire. Monique a compris. Elle devient toute rouge, mais ne fait pas d'objection. C'est en ouvrant encore une fois ce capot que je me rends compte que cela ne va pas être facile. Un homme est forcément avantagé pour un exercice comme celui-ci. Christian et moi hissons madame sur le moteur. Elle crie de douleur en se cognant la tête au capot ouvert. Ça commence bien. Christian multiplie les mots gentils.

« C'est rien, c'est rien. Tiens, mets ton pied là, voilà, et tu poses l'autre là...

— Aïe ! »

Elle s'est brûlé le pied sur le moteur. J'ai envie de lui rabattre le capot sur la tête, mais Christian, tout en rassurant la grosse, me fait signe de rester calme. Je prends un chiffon dans la voiture que Christian place sous son pied. Ça peut aller ?

« Vas-y, maintenant. »

Elle nous regarde sans bouger, complètement gourde, à moitié courbée sous le capot. C'est Christian qui comprend.

« Tu veux qu'on se retourne ? »

Oui. Pour ne pas choquer la pudeur de madame, on recule de quelques pas, et on lui tourne le dos. Christian allume un Mecarillo, et on attend. Rien. On l'a entendue remuer, enlever son pantalon, cela fait bien cinq minutes, et puis rien.

« Elle pisse pas, hein ! »

Christian remue la tête.

« Non.

— Elle a bu pourtant. Tu as vu tout ce qu'elle a bu ?
— Ouais. Devrait pisser trois fois.
— Au moins ! Qu'est-ce qu'elle fait, bon dieu ?
— Elle est peut-être contractée... »
Je me retourne. Elle est accroupie, fesses en l'air, effondrée et lamentable. Je gueule.
« Mais tu vas pisser, bordel de merde ! »
Elle a sursauté et semble prête à pleurer. Christian me touche le bras.
« Pas comme ça, Charlie ! Tu ne sais pas parler aux femmes. Laisse-moi faire. »
Il se colle un grand sourire gentil sur les lèvres, et il s'approche de la voiture.
« Ma petite Monique, écoute-moi. Tu m'écoutes ? »
Elle acquiesce en reniflant.
« Il faut que tu te décontractes. Si tu n'y arrives pas, on va passer la nuit ici. Et peut-être plus, pas vrai, Charlie ?
— Ouais, plusieurs jours. »
Elle hoche la tête. Cette fois, elle paraît déterminée. Christian continue à la cajoler.
« Il faut faire vite. Imagine que quelqu'un passe... »
Elle rit, un peu nerveusement, mais c'est déjà ça, elle se détend un peu.
« Allez ma grande, fais un effort, fais-nous un grand pipi, pour nous faire plaisir. »
Cette fois, elle rigole, et, tout d'un coup, retentit la délicate musique du pipi qui gicle... à côté !
On se précipite. Le jet part dans tous les coins, sauf sur la pompe. On l'empoigne par les cuisses, on lui oriente le bassin afin de ne pas perdre une goutte du précieux liquide. Christian exulte.
« C'est bien ! C'est ça, vas-y ma belle ! Oh ! mais c'est un grand pipi, ça ! Bravo ma grande. »

On a réussi à mouiller la pompe. Le moteur est reparti. Trente kilomètres plus loin, la grosse est de nouveau en place, les poings serrés, elle pousse. La troisième fois, c'est toute seule et sans l'aide de nos mains secourables qu'elle vise directement la pompe.

La nuit est tombée, et on aperçoit les lumières du campement au loin. Les camions et les touristes se sont arrêtés pour la nuit. Je fonce, un peu trop vite. Je me prends une ornière, soudainement apparue devant la voiture. Il faut pousser. Christian sort de la voiture pour alléger, et encourage Monique de la voix. Elle ne sait pas conduire, c'est elle qui doit pousser, la pauvre. Si elle avait su...

D'ailleurs, si elle avait su, cela aurait été pareil. Heureusement, je ne me suis pas réellement ensablé, mais juste posé sur le talus au milieu de l'ornière. On s'en sort assez rapidement.

Tout le monde est installé quand nous débarquons. Les deux touristes sont avec Wallid et ses graisseurs, autour du feu. Wallid me demande si j'ai eu d'autres problèmes avec son chiffon. Je lui réponds que tout s'est bien passé, et qu'on a préféré rouler paisiblement. Il offre un thé à la dame, et c'est parti. Il se lance dans son sketch d'homme du désert, que la Luxembourgeoise écoute, admirative. Il lui parle tempête de sable, égorgement de chameaux et tout ce que gobent habituellement les touristes. Discrètement, il me fait un petit clin d'œil lorsqu'il me voit sourire. Inutile de parler de Barbès. René et Patricio font toujours la gueule, et restent persuadés que je me suis perdu tout à l'heure. Je leur dis que j'ai voulu prendre un raccourci, celui que je prends d'habitude ; un petit clin d'œil à Wallid et, donnant, donnant, il confirme mon histoire avec des détails supplémentaires bienvenus.

« Tu parles de la route des voleurs ?

— Ouais.

— Oh ! celle-là, il n'y a que les vrais professionnels qui la connaissent. »

Voilà qui cloue les protestations du sapeur-pompier.

Alors que tout le monde s'organise pour la nuit, Monique vient me parler. Elle pue l'essence depuis que nous avons fait le plein de la voiture. Avec la chaleur, l'essence est sous pression dans le bidon, et gicle dès qu'on tourne le bouchon. Chargée de l'opération, elle en a pris plein la gueule. Elle me dit qu'elle est fatiguée. Je la regarde, c'est vrai qu'elle a l'air crevée, cette petite. Elle hésite, se dandine, puis avec un grand sourire niais :

« Charlie, je vais voyager avec les camionneurs. »

La brave fille ! Par gentillesse, je lui demande :

« Tu ne veux pas qu'on te fasse une petite place ?

— Non, je veux voyager avec les camionneurs.

— Tu n'as plus peur d'eux ? »

Au regard qu'elle me lance, je comprends. Tout, plutôt que de continuer avec Christian et moi.

Alors je l'embrasse sur les deux joues et lui souhaite bon voyage.

Les graisseurs sont déjà endormis sur leurs nattes. Wallid est en train d'installer son hamac sous la remorque quand je retourne le voir. Je lui glisse un mot de recommandation pour qu'il soit gentil avec la petite. C'est tout ce que je peux faire pour elle.

Une brève visite à Ayoudjil, qui lui aussi s'apprête à se coucher. On parle commerce, pendant que Christian fait le plein d'eau auprès des touristes. Il s'arrange pour leur prendre un jerricane, et on redémarre.

On a décidé de rouler de nuit, au frais, pour éviter les problèmes de pompe.

Bidon V, à l'aube.

« Ça va mieux, Charlie ?

— Non. »

Les douleurs au ventre ont commencé pendant la nuit. J'ai d'abord cru à une vulgaire colique et j'ai dit à Christian de s'arrêter. Une dizaine de minutes plus tard, je me suis rendu compte que c'était plus grave. Je la reconnais ! Ce n'est pas une douleur intestinale, c'est interne. J'ai déjà eu des crises de ce genre plusieurs fois dans ma vie, la dernière c'était à Pointe-Noire avec Miguel. Ce sont des calculs aux reins. Deux pointes me déchirent la taille. J'ai l'impression qu'on me scie l'intérieur des hanches.

Je me suis détendu quelques minutes et, péniblement, je suis remonté dans la voiture. Seule une piqûre d'antispasmodique, ou au moins analgésique, pourrait me soulager. Il est inutile de rester ici.

Dès que Christian démarre, c'est pire. Le seul mouvement de la voiture me fait encore plus souffrir. Et la piste est devenue mauvaise...

Au point 400, le sol a commencé à se couvrir de talus de sable. Christian tentait de passer doucement ces zones mouvementées, mais on était obligatoirement secoués. Plusieurs fois, je lui ai demandé d'arrêter pour tenter de me décontracter, étalé par terre. Il fallait repartir pour arriver le plus vite possible à Bordj-Moktar où je trouverai des soins.

Je n'ai pas pu. Il y a quelques minutes, alors que le jour se levait à peine, j'ai vu les hangars de Bidon V. J'ai serré l'épaule de Christian qui s'est arrêté immédiatement.

Allongé sur le sable, bras en croix, je m'efforce de respirer régulièrement. Si j'arrive à me relaxer, la douleur ne sera pas moins forte, mais je pourrai la supporter. A côté de moi, Christian essaie de me rouler un joint et s'énerve sur le papier. Je ne peux pas bouger. C'est lui qui me fait fumer. Puis il m'aide à boire de l'eau. Elle est chaude avec un goût de métal, je dois me réhydrater car c'est le manque d'eau qui a déclenché la crise.

Putain de bordel ! Pourquoi faut-il toujours que je cherche à démystifier tous les obstacles ? Je me maudis d'être parti sans préparation. Au moins boire de l'eau ! Je me suis pris pour un surhomme et maintenant je morfle.

J'avale quelques boulettes de hasch. Cela évite à Christian de rouler des joints, et m'anesthésiera peut-être un peu. Pour l'instant, le seul résultat est de me dessécher la bouche que j'emplis d'eau chaude pour laver ce goût dégueulasse.

Dix heures du matin. Je me sens un peu mieux. J'ai pu relever la tête, en faisant gaffe au rythme de ma respiration. Les camions et la Méhari sont passés, très à gauche. Le soleil commence à cogner.

Heureusement, je me suis mis à l'ombre, sous un petit hangar de tôle demi-cylindrique posé sur le sable. Il y en a plusieurs autour d'une petite baraque rouge désaffectée. L'endroit doit servir de chiottes à l'occasion, quelques merdes séchées parsèment le sol. Il y a que le désert autour et les types viennent quand même se soulager à l'abri des regards.

Midi. L'endroit devient intenable. La merde attire les mouches. Elles vrombissent par centaines autour de nous. L'air est chaud, étouffant sous la tôle. Il faut s'en aller.

Dès que je me lève, c'est terrible, mais on ne peut pas rester ici. Christian me soutient jusqu'à la voiture, où il m'installe le mieux possible. Il démarre et fonce. Les secousses de la voiture décuplent mes tortures.

Fenêtre ouverte, j'ai mis la tête à l'air libre. En plus de la douleur, je lutte contre la nausée provoquée par le hasch. Le sol s'est durci. C'est de la tôle ondulée sur des kilomètres, mais je ne crie pas. Je me refuse à imposer ma souffrance à Christian. Ce trajet dure huit heures. Il a été un des moments les plus durs de ma vie. Bordj-Moktar, enfin. La nuit tombe.

L'infirmier militaire, alerté par Christian, me prépare une piqûre de morphine. Allongé sur une couverture, à côté du poste, à nouveau incapable du moindre geste, je regarde ce grand Algérien emplir sa seringue en verre. Ses mains sont immenses. Il me pique. Cinq minutes plus tard, la douleur disparaît de mon ventre. Un bien-être sans pareil m'envahit, juste avant de sombrer, K.O.

Dans la nuit, l'infirmier, réveillé par Christian, devra se relever et venir rapidement faire une autre piqûre.

Bordj-Moktar, c'est quelques maisons en pierres séchées de la même couleur grise que le sol. Autour du puits, quelques petits jardins rachitiques donnent un peu de couleur à l'endroit. A l'aube je me suis allongé là, à l'ombre, pour boire.

Christian est parti chercher des ampoules de morphine et une seringue pour que nous puissions repartir. La douleur s'est atténuée avec les piqûres de cette nuit, mais elle est toujours lancinante.

Je me force à avaler des litres de l'eau boueuse du puits. C'est la seule solution pour me laver des sables qui obstruent mes reins. Les Tamacheks m'approvisionnent.

J'avais entr'aperçu des Tamacheks lors de ma première traversée par Tamanrasset, mais je n'avais pas remarqué à quel point ces gens sont superbes. Les femmes sont extraordinairement belles. Leur peau est noire, très mate, elles ont des traits fins d'Européennes. Quand je les regarde, elles rient et cherchent à se cacher derrière leurs voiles bleus.

Leurs corps vieillissent très mal. Ces femmes n'ont pas plus de trente ans, mais elles sont déjà lourdes, abîmées. Les petites filles sont émouvantes. Tous les enfants, d'ailleurs, malgré leur maigreur, sont saisissants de beauté. Les petits garçons n'ont qu'une mèche sur la tête, à l'iroquoise. Souriants, éveillés, ils me parlent dans un français impeccable. Toute une petite tribu m'entoure quand Christian revient, porteur de mauvaises nouvelles. L'infirmier ne veut pas se séparer de ses ampoules de morphine. Elles sont la propriété de l'État, et exclusivement destinées à un usage militaire.

Il s'écroule à côté de moi. Il est fatigué, sale et mal rasé, épuisé par la chaleur. Ses fringues blanches sont tachées, couvertes de poussière.

« Retournes-y. Attire-le à l'écart, parle-lui seul à seul, propose-lui mille francs. Il ne refusera pas. Prends deux seringues et le maximum d'ampoules, du coton et de l'alcool. »

Une heure après, il est de retour, souriant, le matériel caché sous sa chemise.

« J'ai les seringues, dix ampoules de morphine et le reste. »

Ouf ! L'après-midi se passe tranquillement. Je ne bouge pas de mon coin. Wallid et Ayoudjil sont passés me voir avant de repartir. Monique, irradiant de bonheur, éperdue d'amour, ne quitte plus le beau Wallid.

Les Tamacheks passent l'après-midi avec nous. Nous leur donnons presque toutes les boîtes de sardines qui nous restent. On n'en a plus besoin. Tessalit n'est plus qu'à cent soixante kilomètres. J'ai fait égorger et cuire un mouton par le père des gamins. Nous mangeons et nous donnons tout ce qui reste. Nous distribuons quelques billets. Tous ces gens sont tellement dans la merde. Ils se sont réfugiés en Algérie, poussés par la famine. Chez eux, au Mali, dans le Sahel, les puits sont à sec et leur bétail est en train de crever.

Le soir, je me sens un peu mieux. On va couvrir les cent soixante bornes jusqu'à Tessalit tout de suite. On se reposera un peu là-bas.

Les formalités de douane sont terminées. Bordj-

Moktar est la dernière ville algérienne. Ensuite, il reste soixante kilomètres de territoire algérien, les cent bornes de désert qui suivent sont un *no man's land*.

Christian prend le volant. Dès les premiers kilomètres, je sens la douleur renaître. A titre préventif, je fais immédiatement stopper Christian et je me fais une intraveineuse.

La nuit tombe, l'air qui entre par la fenêtre ouverte est rafraîchissant. Je me suis roulé un chiffon en boule en guise d'oreiller. Tassé sur le siège, le vent dans la figure, je me sens bien.

C'est la voix de Christian qui me réveille. Il fait nuit.

« Charlie, c'est bizarre...

— Quoi ?

— C'est bien à cent soixante kilomètres Tessalit ? On en a déjà fait deux cents et on n'est pas arrivé...

— C'est rien. On va arriver. Les distances africaines, tu sais... »

Je suis parfaitement réveillé maintenant. La route est bonne, pratiquement sans cahots, ni tôle ondulée. On roule pendant une heure encore, jusqu'à ce que le doute m'envahisse. Brusquement, je me souviens. Parmi les rares informations que j'ai recueillies sur cette traversée, il y a celle-ci : Tessalit est une montagne, cela devrait donc monter et nous sommes sur du plat. Je demande à Christian :

« Il y avait des côtes sur la route ?

— C'était tout plat.

— Tu n'as pas vu un embranchement à un moment ?

— Non. »

On n'a pas le temps de s'inquiéter. Christian jure, rétrograde à toute vitesse. Le sol est devenu mou.

La voiture patine, il passe en première, accélère pour nous dégager, en pure perte. On est ensablé.

Nous descendons pour constater les dégâts. On est planté dans du sable fin bien mou. Je m'appuie à la voiture. Je suis trop faible pour faire quoi que ce soit, même pour donner un coup de main à Christian.

« Écoute, Christian. On n'est pas sur la bonne route. Tu as dû prendre une déviation. On va retourner sur nos traces jusqu'à ce qu'on retrouve l'endroit où tu t'es planté. Mais on fera ça demain. »

J'en ai marre et Christian également. Les problèmes attendront une nuit. Il faut se reposer un peu. On verra ça à la lumière du jour.

Christian, allongé à même le sable, s'endort aussitôt. Moi je ne peux pas m'empêcher de gamberger ! Pas de plaques, pas de pelles et surtout cet état physique qui m'empêche d'aider efficacement Christian. Je m'endors petit à petit pour me réveiller en pleine crise, cisaillé à hauteur des hanches.

« Christian ! »

Il se réveille aussitôt.

« Prépare-moi une piqûre. »

Il sort le matériel. Il n'y a pas de lumière à l'intérieur de la voiture. Il allume les phares. Je le vois penché devant le capot casser malhabilement une ampoule et remplir la seringue.

« Fais attention. Pas de bulles d'air. »

Il vérifie, reverse le liquide dans l'ampoule et recommence. Je lui indique comment faire gicler une goutte de l'aiguille pour éviter toute présence d'air. Je suis plié en deux par la souffrance, incapable du moindre geste.

« Fais la piqûre. Je ne pourrai pas.

— Mais je ne sais pas faire ça ! »

Je dois faire un effort même pour parler. Je lui explique comment ajuster un garrot. Il me noue sa ceinture autour du biceps. Le bras dans la lumière des phares, je serre le poing, cherchant à faire ressortir mes veines. Christian, la main tremblante, me charcute. J'écope de deux gros bleus emplis de sang avant qu'il ne trouve enfin la veine et m'injecte le liquide. A nouveau, le bien-être m'envahit.

On commence très tôt le matin, réveillés dès le lever du soleil. Nous avons fait le tour du matériel à notre disposition. Le tapis de sol de la voiture va remplacer les plaques de désensablement et on déblaiera le sable avec un enjoliveur. Il nous en reste qu'un, les trois autres sont tombés pendant mon gymkhana entre Adrar et Reggane. Christian me fait une nouvelle piqûre et il commence.

Je retire un peu de sable avec la main, couché à côté de la voiture mais il doit venir compléter le travail à l'enjoliveur après avoir dégagé son côté.

Nous nous sommes ensablés dans une grande nappe de mou, du sable parsemé d'acacias. Il y a une centaine de mètres à faire avant de retrouver le sol dur et nu. Là, nous pourrons faire le tour de la nappe de sable, et revenir sur nos pas. Impossible de faire demi-tour, nous sommes obligés d'aller tout droit. Les tapis de sol nous permettent à peine de parcourir un mètre à chaque opération et, sous ce cagnard, le travail est un calvaire. Mètre par mètre, pourtant, nous progressons.

Vers dix heures, déjà épuisés, nous partageons notre toute dernière boîte. Deux sardines chacun et de longues gorgées d'eau bouillante.

A une heure de l'après-midi, Christian fracasse la vitre arrière à coups d'enjoliveur et hurle pendant dix minutes contre ce bordel. Nous sommes à peine à la moitié de la nappe. Puis il se calme, fume un cigare, assis sur le sable, tassé contre la voiture. Il reprend l'enjoliveur et recommence. Les tapis de sol ne résistent pas longtemps. Au milieu de l'après-midi, ils sont tous les deux déchirés, usés par le frottement des pneus et inutilisables. Ce sont les chemises et les vestes que Christian a emportées avec lui qui les remplacent. C'est encore moins rigide et moins efficace. On fait cinquante centimètres à chaque fois. Christian est écarlate, brûlé par le soleil.

Vers six heures, nous avalons des litres d'eau, imbuvable en d'autres circonstances à force d'être chaude et nous nous endormons. Je me réveille pendant la nuit, à nouveau plié par la souffrance. Je ne veux pas réveiller Christian. Tremblant et sans force, je me fais mon shoot dans la lumière des phares. Sautillant autour de moi, une minuscule gerboise regarde le spectacle. Bien-être jusqu'au matin. Christian ne prononce pas un mot. Dès le réveil, il prend son enjoliveur et recommence à travailler. Enfin, après deux heures d'efforts, la voiture sort de la nappe. Nous n'avons plus beaucoup d'essence. Cette virée nous a rallongés de plusieurs centaines de kilomètres et ce long désensablement nous a pompé du carburant. Nos traces sont bien visibles. Christian les suit pendant une bonne heure.

« On est passé là. »

Cette fois, on est sur la bonne route.

Moins de deux heures plus tard, on arrive à un embranchement de pistes en plein dans une zone de cailloux, juste après le panneau qui marque la frontière algérienne. Là, il fallait aller sur la droite. Il doit nous rester assez d'essence. C'est une supposition car la jauge est en panne. Moins de deux heures plus tard, la piste se rétrécit. La tôle ondulée balade la voiture. Au loin, on aperçoit les montagnes. La piste monte et descend, le sable a été remplacé par des cailloux noirs et pointus, à perte de vue. C'est l'arrivée sur Tessalit.

Quelques kilomètres avant le village, nous traversons les campements tamacheks. Les gamins nous font des signes et agitent des bidons pour qu'on leur donne de l'eau. On n'en a plus. On continue.

A Tessalit, nous buvons enfin notre première bière fraîche. Le tenancier du bar nous fournit en grandes bouteilles de Flag glacées. C'est un petit Malien, clair de peau, qui s'appelle Amico. Il est très sympathique et immédiatement nos rapports sont excellents. Dans son bar, quatre murs de boue séchée, du sable par terre, on retrouve tout le monde. René et Patricio, d'abord, qui se sont inquiétés de notre retard. Christian s'est chargé de leur expliquer que nous avions fait un détour pour aller prospecter quelques clients vivant dans le désert. Monique, ensuite, qui ne quitte pas les deux beaux graisseurs de Wallid. Lui, il est abattu. Oubliant la religion, il boit bière sur bière. D'un ton morne, il m'explique que la Luxembourgeoise, une fois réveillée, l'a épuisé. Les deux graisseurs commencent à fatiguer. Pour beaucoup d'Européennes, l'homme en djellaba a un attrait irrésistible, il l'a souvent remarqué, mais à ce point-là, jamais.

Nous avons loué les deux chambres d'Amico. Les camionneurs et les deux touristes vont partir demain matin. Nous, nous avons décidé de rester ici quelques jours et de nous reposer.

Wallid m'a décrit le reste du parcours. Il y a encore un passage dur, à deux cents kilomètres d'ici, une zone de sable mou, appelé le Marcouba, en fait la seule grosse difficulté de cette piste. On va reprendre des forces avant de s'y attaquer. Nous allons nous équiper également. Dès ce soir, Christian est allé à la Méhari et a confisqué à René une de ses pelles-bêches. On trouvera bien une plaque de désensablement à vendre ici, selon Amico. Le lendemain matin, comme prévu, tout le monde part. Christian, rafraîchi par une douche, à grands seaux d'eau, derrière la maison d'Amico, a repris un aspect civilisé. Je me sens mieux aussi.

Tessalit est un tout petit village d'une trentaine d'habitations en briques de boue séchée, niché entre des collines de cailloux noirs qui ressemblent à des tas de charbon... Nous sommes en pleine montagne, ici, dans le massif des Adrar des Iforas. Le poste de douane est isolé, séparé du village d'une cinquantaine de mètres. C'est lui qui marque l'entrée au Mali. Nous sommes en Afrique noire. Si la majorité des habitants sont des Tamacheks, quelques bamboulas sont quand même au rendez-vous, en boubous multicolores, bavards et agités.

Les Tamacheks, droits, placides, sont plus calmes.

Pendant deux jours, nous nous soignons. Je fais tuer et rôtir plusieurs moutons, de ces grandes bêtes maigres qui se baladent partout dans le village et nous mangeons énormément de viande. Amico cuisine bien. Je complète le menu par une cure de tomates. On va aussi s'offrir des légumes frais chez une femme en boubou, toujours porteuse d'un vieux sac à main, qui tient une sorte de restaurant avec ses filles, dans une cour. De grandes Flag, et une herbe excellente que m'a vendue Amico, achèvent de rendre le séjour agréable, même si la chaleur lourde qui règne est exténuante. Et puis, à Tessalit, je me suis fait une copine.

Nous avons acheté une plaque de désensablement, une tôle de deux mètres pour camion qu'il a fallu faire couper en deux, chez les voisins d'Amico. C'est une famille de Tamacheks, dont la fille est magnifique. Radijah a de grands yeux noirs, des traits d'une finesse incroyable et son rire est éclatant de blancheur. Elle porte des bracelets d'argent aux poignets et aux chevilles. Toujours pieds nus, c'est un plaisir de la voir courir dans sa tunique blanche d'enfant. Longue, fine, elle paraît grande pour ses dix ans. Les moments que j'ai passés avec elle ont enchanté mon premier séjour à Tessalit.

Après l'achat de la plaque, elle est venue m'observer assis devant chez Amico, depuis la porte de sa maison, en restant à demi cachée. Je l'ai appelée, ravi par ses grands sourires timides, et je lui ai offert une boîte de jus d'orange. Depuis, elle ne me quitte pas. Elle parle très bien le français qu'elle apprend à l'école et les premiers moments de timidité passés, elle me soûle de questions sur la France et l'Europe. Sa curiosité n'a pas de bornes. Je suis étonné par la pertinence des questions qu'elle me pose.

Je l'ai surprise, un matin, en train de se coiffer interminablement, assise sur le pas de sa porte. En se voyant découverte, elle est partie d'un grand rire clair et est vite rentrée chez elle. Lorsqu'elle est revenue, pour satisfaire sa coquetterie, je lui ai offert le rétroviseur de la voiture en guise de miroir et le peigne de Christian. Depuis, nous sommes définitivement copains.

Christian et moi avons abattu un peu de travail aussi. Avant de partir, nous avons traversé le village et nous sommes allés rendre une visite de courtoisie aux douaniers. Ils sont cinq, tous des Noirs venus du Sud du pays. La plupart sont en uniforme léger kaki. Le cinquième arbore un treillis militaire, des grosses rangers et un béret vert incliné sur sa tête d'abruti. Christian avance, un large sourire aux lèvres, ce qui les fait instantanément rigoler, et leur serre la main à tous.

« Salut. Vous savez qui nous sommes ? »

Ils rigolent sans comprendre. Christian se frappe la poitrine.

« Nous sommes les nouveaux Pères Noël de la piste. »

Ils hochent tous les trois la tête comme s'ils nous avaient reconnus. Je leur explique que je suis le plus grand commerçant sur la piste de Tamanrasset, que j'ai décidé maintenant de passer par ici et que nous allons être des amis. Amis, cela veut dire cadeaux. Je leur demande ce qu'ils veulent que je leur apporte et Christian, l'air important, sort un petit calepin de sa poche pour noter les commandes. C'est le succès. Le douanier en chef voudrait bien une voiture, mais il n'a pas beaucoup d'argent. A part ça, il veut bien des jeux de cartes. C'est au choix. L'autre veut le catalogue de la Redoute, sans préciser ce qu'il veut leur commander. Le type en treillis rêve de chaussures à semelles compensées, bicolores, taille 45.

Après les commandes raisonnables, c'est le

délire. Ils ont tous envie d'un tas de choses que Christian fait scrupuleusement semblant de noter. Pour finir, je leur offre une tournée générale de bières chez Amico. Les liens d'amitié établis, je leur achète à prix d'or l'essence destinée à leur voiture de service, une Land Rover qui pourrit sur cales, près du poste frontière.

Le plein fait, Amico me donne une boîte de Nescafé emplie de son excellente herbe malienne. Les douaniers au grand complet sont venus saluer notre départ. Radijah est venue me faire la bise.

Les douleurs ne se font plus sentir. J'ai repris le volant et je roule vite. Nous avons de l'essence, de l'eau, du mouton rôti ; seul point noir, la musique ne marche plus. C'est le sable sans doute, qui a bousillé l'autoradio.

La piste traverse les montagnes des Adrars des Iforas et louvoie entre les gros massifs noirs. C'est une suite de virages, de bosses et de creux au milieu des pierres. Parfois, il faut en éviter une, à moitié enterrée au milieu de la piste. Sinon, c'est de la tôle ondulée. Il n'y a qu'une manière de rouler sur la tôle : le plus vite possible.

Avant d'arriver à la vitesse voulue, la voiture est secouée dans tous les sens par les trépidations. A fond, on roule comme sur un terrain lisse.

Je n'aime pas conduire. Rouler sur du goudron m'emmerde. Le sable ne m'a apporté aucun plaisir. Sur cette piste étroite et accidentée, enfin, la conduite est marrante. Tous mes sens sont en alerte, les obstacles défilent. Je cherche sans cesse à passer le plus vite possible ce qui se présente devant moi et je prends mon pied.

Le plaisir est seulement atténué par les dégâts matériels que cette partie du trajet impose à la voiture. C'est le pot d'échappement qui a cédé le premier. Depuis qu'il nous a lâchés, nous roulons dans un avion aux réacteurs lancés à plein régime. Les enjoliveurs de phares sont tombés l'un après l'autre, bientôt suivis par les phares eux-mêmes. Il a fallu s'arrêter et les arracher des fils auxquels ils pendaient. Le bas de la caisse part en miettes et Christian, sur le siège du passager, est de plus en plus bas. Je me demande ce qu'on va bien pouvoir vendre une fois arrivés là-bas.

La piste accidentée continue sur cent kilomètres puis le relief s'aplanit. Ce sont maintenant des longues étendues de sable fin, semées de petits épineux très secs et de hautes plantes vertes à feuilles de chou. La piste est toute droite. C'est une bande étroite sur laquelle on peut rouler à fond, une vraie route nationale.

Cinq heures après notre départ de Tessalit, on traverse Aguelock où nous nous arrêtons quelques minutes. Quelques maisons carrées de boue séchée, toutes habitées par des Tamacheks. On les regarde tirer de l'eau du puits. Ils ont pendu une poulie en terre cuite à deux branches d'arbre au-dessus du trou, un chameau tire la corde pour remonter le seau. Il parcourt une quarantaine de mètres tout droit, puis il revient et recommence.

Je me suis amusé à suivre une gazelle qui avait traversé la piste devant nous. Pendant un quart d'heure, j'ai foncé à travers les buissons, en essayant de rattraper son petit cul blanc. C'est une toute petite biche qui avance par bonds, en zigzag. Je ne l'ai pas rattrapée, trop gêné par la végétation. Je l'ai laissée disparaître et je suis revenu à la piste qui, vers trois heures de l'après-midi, s'est soudain transformée devant nous en deux énormes ornières, largement creusées dans le sable. D'après la description que Wallid m'en avait faite, c'est le Marcouba. Suivant ses conseils, j'ai quitté la piste pour aller chercher un passage plus loin sur la droite. Les zones dures se reconnaissent facilement. Elles sont plus sombres que le reste du sable gris clair. En prenant de l'élan, sur ces passages noirs, on arrive parfois à éviter l'ensablement. Pas toujours, pourtant. Mais, tout heureux d'avoir nos plaques et une pelle, les quelques désensablages que nous avons dû nous payer ont été une vraie rigolade.

Après quinze kilomètres de Marcouba, semé de petits buissons, nous sommes arrivés sur une zone totalement nue. Le sol est une espèce de terre marron-rouge, friable, qui donne l'impression de rouler dans des labours. Là-dessus, on y va à fond. C'est juste assez mou pour ne pas faire de tôle et juste assez dur pour ne pas s'ensabler. J'ai roulé à toute vitesse jusqu'à Anéfis où nous avons passé la nuit pour repartir le lendemain matin, tôt.

Dix kilomètres plus loin, un des pneus avant crève. Ravis de faire un peu d'exercice, on sort le cric, on change la roue et on s'aperçoit au dernier moment que la roue de secours, elle aussi, est crevée. On n'avait jamais pensé à vérifier ! Chacun un pneu sur la tête, on retourne à Anéfis.

Pendant le trajet. Christian se marre tout seul. Il n'y a pourtant pas de quoi rire. Il fait terriblement chaud et, au bout de quelques kilomètres, le pneu pèse des tonnes sur la tête.

« Qu'est-ce qui te fait rire ?

— Je pense à notre situation. Si des touristes

passaient avec leurs bagnoles suréquipées, ils nous prendraient pour des fous : partis dans le désert sans même vérifier la roue de secours, c'est gonflé, non ?

— Tu voudrais quand même pas qu'on commence à flipper et à se préparer comme pour un tour du monde ?

— Non, bien sûr, mais tout de même... »

Et il se remet à rigoler.

Je sais qu'il a raison. J'ai toujours fait confiance à ma chance et elle ne m'a jamais abandonné. Si un jour elle me lâche, ça va me faire un drôle de vide avec ce que j'ai pris l'habitude de lui demander !

Une sorte de mécano qui possédait quelques clefs, un tournevis et des tiges de ferraille en guise de démonte-pneus nous a réparé les deux roues. Pendant que nous attendions, sa femme nous servait thé sur thé. On est revenu à la voiture, nos pneus réparés sur la tête.

Il y a des arbres maintenant. Ils ne sont pas encore très sérieux, tout secs, tout tordus et d'à peine deux mètres de hauteur, mais ce ne sont déjà plus des buissons. Sur le sol, c'est toujours du sable, mais on arrive à la fin du désert. Nous avons traversé un village de tentes tamacheks, des globes de toile tendus sur des branches, massés autour d'une grande éolienne. Selon les renseignements de Wallid, nous ne sommes plus qu'à quatre-vingts kilomètres de Gao. La piste continue de serpenter entre les petits arbres. À part quelques passages de mou, c'est toujours du billard. Il est trois heures de l'après-midi quand on aperçoit une citerne sur pilotis, au loin, derrière une hauteur de sable. C'est le château d'eau de Gao.

Gao, c'est l'Afrique noire, c'est une toute petite ville. Nous traversons d'abord des ruelles de sable. Les maisons sont en pierre, marron pour la plupart. Il fait très chaud, et moite. Dans tous les coins d'ombre, des groupes de Noirs sont affalés, et la foule grouille aux abords du marché. A côté, le Niger, où les femmes lavent le linge. L'hôtel est juste derrière la berge.

C'est un grand bâtiment en dur, à l'africaine. Le même ciment jaune, écaillé et pourri qu'on retrouve partout. Les volets en ferraille verte sont fermés. Le parking est à l'arrière. J'y reconnais le camion de Wallid et la Méhari, garés avec d'autres voitures et camionnettes. Dès que nous descendons de la 404, un troupeau de filles accourt vers nous. C'est le repos du guerrier. De tous âges, en pagnes de toutes les couleurs, elles se bousculent et s'engueulent pour être les premières à nous vendre leurs services. Christian est surpris. J'en prends deux. La plus jeune, c'est pour le plaisir, si l'on peut dire. La plupart sont excisées, et leur passivité est à toute épreuve. La plus vieille c'est pour me frotter le dos.

Nous prenons deux chambres, sur la terrasse. Christian, sous le charme, égayé par le maigre coût des tchoukou-tchoukou, s'en est pris six.

La chambre est minable avec un lit à moustiquaire évidemment trouée et un ventilateur trop lent pour être efficace. Cependant il y a un coin toilette avec une douche. Une heure plus tard, débarrassé de la poussière, propre, je me sens mieux. Je confie mon linge à la vieille pour qu'elle aille le laver au fleuve. Quelques billets et je descends. Des cris et des éclats de rire proviennent de la chambre de Christian.

Le bar est en bas. C'est une grande salle au plafond haut. Quatre ventilateurs remuent un peu de vent. Un énorme comptoir occupe tout un côté. Peu de bouteilles sur les étagères. Quatre serveurs noirs roupillent.

C'est là que je retrouve les Bordelais. Fred et Alain sont accoudés au bar devant des pastis, en compagnie d'un troisième type. Les retrouvailles sont joyeuses. Alain, toujours exubérant, n'arrête pas de me taper sur l'épaule, et c'est lui qui me présente leur compagnon.

« Lui, c'est Francis. C'est le plus grand mac de Bordeaux. »

L'autre a l'air content du compliment. C'est une grande andouille d'un mètre quatre-vingt-dix, qui s'arrange pour me montrer successivement la grosse chevalière qu'il porte au petit doigt, et la large gourmette en or qui danse à son poignet gauche. Ensuite, il s'accoude au comptoir, cambré comme dans une boîte de nuit bordelaise, et se commande un autre pastis. C'est un vrai sketch. Alain me présente comme un professionnel de la piste, et Francis se tourne vers moi.

« Toi aussi, tu fais le commerce avec les nègres, Charlie ? »

Derrière lui, Alain me balance un clin d'œil.

« Francis descend un Tube Citroën. Il a le don pour choisir les véhicules.

— Ah ! ça, je sais choisir une bagnole, moi. Pas que je m'y connaisse en mécanique, mais j'ai la feuille. J'écoute le moteur, et je sais si elle est bonne. »

Il se penche vers moi.

« Charlie, toi qui t'y connais, ça se vend, les Citroën ? »

Derrière lui, Alain hoche la tête dans ma direction. Je pousse un sifflement.

« Si ça se vend ? Les Citroën ? Mais tu vas faire un carton ! »

Ravi, il se redresse, agite la bague, la gourmette, se passe la main dans les cheveux.

« Tu comprends, je n'aime pas qu'on me prenne pour un con. Ces deux-là... »

Il se retourne, et ces deux-là stoppent instantanément leurs mimiques derrière son dos et protestent déjà de leur innocence.

« Ces deux-là, ils viennent me chercher à Bordeaux, et ils me disent que je vais me remplir. Ça tombe bien, putain. Parce que tu sais, à Bordeaux, c'est plus possible. Les gagneuses, c'est fini, putain. C'est vrai, les filles, tu peux plus les tenir, leur indépendance comme elles disent, putain. J'avais deux tapins. Eh bien, elles sont parties. Enfin, j'ai laissé faire, tu sais, tu connais ce genre de filles, elles reviendront et elles me mangeront dans la main. Pas vrai, Charlie ? En attendant, je cherche un commerce à ma mesure. »

Coup de bague, gourmette, pastis.

« Ils me disent de descendre une 404 bâchée. Ça se vend, d'après eux. Quand j'arrive, putain, le marché vient de tomber. Les nègres ont changé d'avis, c'est des 504 qu'ils veulent maintenant. »

Dans son dos, Alain est hilare. Fred lui-même, toujours impavide derrière ses lunettes d'intellectuel, a un petit sourire en coin.

« Ils me disent, t'en fais pas, c'est un accident, on va se refaire. Je descends une 504, la berline, et leur putain de marché a encore changé, tu te rends compte, Charlie ! Je perds mon pognon. Cette fois, il faut que je le récupère. Le Tube, t'en fais pas, ils vont le payer, les négros. Faut pas me prendre pour un con. »

Pauvre nouille. Il suffit qu'une tierce personne arrive, lui confirme qu'il va bien vendre, et il est totalement rassuré. Il ne lui en faut pas plus pour flamber. Ces deux salopards d'Alain et de Fred doivent s'en donner à cœur joie avec lui. Je les approuve. Je méprise les maquereaux ; derrière tout leur cinéma, ce ne sont que des minables qui n'ont pas les couilles de faire autre chose. Ils sont au plus bas niveau de la marginalité. Les Hommes, ils s'appellent !

Je me suis heurté à eux très tôt.

« Petit, tu as fait une connerie. On va te mettre à l'amende. »

Je n'avais peut-être que seize ans à l'époque, mais j'avais beaucoup de copains. Quand les trois macs sont arrivés au rendez-vous, leurs trente ans, leurs muscles et leurs grandes gueules n'ont pas servi à grand-chose face à une quarantaine d'adolescents tous armés de barres de fer et de manches de pioches.

Sitôt sortis de l'hôpital, ils ont quitté la ville.

Christian nous rejoint, et je fais les présentations. Le reste de l'après-midi se passe en discussions, copieusement arrosées de pastis malien. L'effet de ces quatre accents bordelais dans ce décor est incongru, et plutôt marrant.

Prétextant la fatigue, je suis allé m'asseoir à l'écart dans un des fauteuils en plastique très bas qui meublent la salle. Wallid, au bout d'un moment, entre dans le bar et s'écroule à côté de moi. Le chevalier du désert est complètement abattu.

J'aime bien ce type. Dès le début, un courant de sympathie est passé entre nous. Je lui offre un verre et il choisit le pastis pour se remonter.

« Pourquoi tu m'as refilé cette gonzesse, Charlie ? »

Il est transformé. Ce n'est plus le Bédouin héroïque qui parle. C'est le beur parisien qui ressort, pour me raconter l'enfer qu'il vient de traverser.

« Elle m'a vidé, épuisé, elle n'arrêtait pas de me provoquer. Et après elle s'est tapé les graisseurs. Elle les a tués aussi. Je te jure. Ils ne pouvaient plus rien foutre. Et puis, elle s'est tapé tous les passagers. Et tout le monde s'est tapé dessus... »

Ce souvenir le fait retomber dans la déprime. Je lui offre un autre pastis, qui le retape à peine.

« J'en peux plus... Je ne la prends plus sur mon camion... J'en veux plus. »

Sacrée Monique ! Ma bonne brave Luxembourgeoise s'est enfin accomplie. Ensuite, c'est au tour de Patricio de venir se plaindre à ma table. Il n'a plus d'argent. C'est lui qui a financé l'achat du matériel de camping, et la majeure partie des frais de voyage. Maintenant qu'il n'a plus un sou, le gros pompier n'a même pas l'élégance de lui en avancer. Patricio est obligé de mendier.

« J'en ai marre. Je vais remonter en avion de Niamey. Je peux me faire envoyer de l'argent. René vendra sa voiture tout seul, je m'en fous. Ça m'est égal, si tu l'entubes. »

Il est plus psychologue que je ne le pensais. René est coincé à l'hôtel. Le sapeur a la courante africaine, il ne quitte plus les toilettes, et Patricio ne se résigne pas à lui prendre son portefeuille. Je l'invite à notre petite fête. Car ce soir il y a fête à Gao. Fred et Alain ont décidé de prendre une tribu de filles. Alain, au cours du dîner, a lancé Francis, dit la

Bagouze, sur ses exploits sexuels et l'imbécile m'a gonflé pendant le repas avec ses vantardises et sa vulgarité. C'est du sublime. Si la qualité n'y est pas, nous nous sommes payés la quantité. Une bonne vingtaine de croupes sont alignées face au mur. Devant le front de chacune des beautés, nous avons épinglé des billets. Fred, bien entendu, s'est muni de son seau et de son éponge et leur nettoie le derrière. C'est le seul moment, pendant ce rituel bizarre, où on peut voir ce type sourire et plaisanter.

Cette soirée m'a donné l'occasion de rencontrer le maquereau local, grand fournisseur de tous les Blancs. C'est un vieil aveugle noir, qui connaît Gao comme sa poche. Impossible de le voir trébucher sur quoi que ce soit, ou de le tromper. Ses dons pour se déplacer et reconnaître les gens avant même qu'ils parlent sont étonnants.

L'orgie battant son plein, j'ai attiré quelques filles dans une autre chambre, après avoir décroché leurs billets, et c'est sans enthousiasme que j'ai honoré ces dames.

Ce fut une nuit sans sommeil. Tandis que les autres se déchaînaient dans la grande salle, j'ai quitté l'hôtel pour aller chercher l'action. Dans l'un des deux bars de nuit de Gao, des endroits torrides à alcools chauds, j'ai rencontré Wallid et Ayoudjil. Ils m'ont fait découvrir des lieux plus intéressants. Nous avons terminé la nuit ensemble dans une maison de courtisanes. Ce sont des prostituées maures, d'une classe nettement supérieure aux tchoukou-tchoukou de la rue. Soigné par des pipes de kif préparées par ces filles à la peau claire, j'ai terminé la nuit par un long moment de tête-à-tête avec Aïcha. C'est une grande fille magnifique, au teint café-au-lait. Son corps est superbe. Le fait qu'elle soit amputée d'un bras a déterminé mon choix. La manchote manquait encore à mon tableau de plaisirs.

Au petit matin, je suis tombé sur Monique. Elle sortait d'une « partie » africaine, la chevelure en bataille, irradiant la joie de vivre.

C'est incroyable ce que l'amour peut transformer une personne. Elle est rayonnante, métamorphosée. Pas physiquement bien sûr, elle a toujours son cul bas, mais elle se sent bien dans sa laideur.

A l'hôtel, où nous prenons le petit déjeuner ensemble, elle m'explique à n'en plus finir que l'Afrique est un continent merveilleux.

« J'ai reçu le message, Charlie, j'ai enfin trouvé ma voie. Quand je pense à toutes ces années gâchées en Europe ! »

La Monique timide et complexée de notre première rencontre est bien loin.

« Ils m'ont baisée merveilleusement bien. Tous. Ils sont tous fantastiques, Charlie, j'ai découvert la vraie vie. »

Plus un mot sur son fiancé malien. La route sera longue jusqu'à lui. Je lui souhaite bonne chance.

« Va, ma belle, l'Afrique t'attend. »

Les autres se sont levés, avec la tête fatiguée des lendemains de fête. La Bagouze est intarissable. Il les a fait jouir ces négresses et il fallait les entendre crier... Les autres se sont abstenus de lui parler de l'excision.

Le petit déjeuner avalé, nous quittons Gao pour six cents kilomètres de piste sans intérêt : la petite Méhari, le Tube Citroën de la Bagouze, à brève échéance propriété des Bordelais, qui descendent en plus d'un petit cinq tonnes Man, une 504, Christian et moi dans notre 404 épuisée.

La route longe le Niger. De l'autre côté, c'est la terre rouge, les arbres sont plus abondants. De temps en temps, un baobab domine tout le reste. Des bamboulas à pied, en carriole tirée par des ânes gris, à vélo, avancent sans cesse vers on ne sait où. Les femmes ont la bouche peinte en bleu. Il nous faut passer la nuit à Labbézenga, le poste frontière du Niger, car ces cons de douaniers ont décidé de fermer boutique. Jusqu'au matin, les moustiques nous harcèlent. A mi-chemin de Niamey, on traverse Tillabéri sans s'arrêter. Notre voiture est morte, sans compression, lorsque le petit convoi se range devant la maison du ministre des Affaires d'occasion à Niamey.

Nous sommes restés une dizaine de jours à Niamey. Le ministre est un hôte prévenant. Il a vidé quelques pièces de leur population et nous a fourni des matelas. C'est le maximum de confort qu'il ait à nous offrir. Il fait chaud. Les journées sont longues.

Ma voiture n'est plus présentable. Une des ailes avant s'est décrochée. Le capot ne ferme plus. Les accessoires sont tombés les uns après les autres. L'essentiel, le moteur, a presque rendu l'âme. Le ministre a bien ri.

« Elle est en bon état, Charlie. Nous allons faire un bon bénéfice. Je vais t'amener chez un ami pour la carrosserie. »

Les carrossiers africains sont des faussaires de génie, récupérateurs de tous les métaux et prospères. L'ami du ministre des Affaires d'occasion est un musulman gras en boubou bleu. Il règne toute la journée sur une vingtaine d'employés qui s'agitent autour de lui.

L'atelier est vaste, installé dans une cour. Une montagne de portes, de capots et de tôles diverses occupe une bonne moitié de la surface. Dans un coin, abrité sous un toit de tôle, un vieux Noir accroupi retape des boulons, fabrique des ressorts et des lamelles avec tout ce qu'il trouve. Il martèle ses pièces par terre en les tenant avec le bout de ses orteils. Je reste toute la journée dans cet entrepôt pour activer le travail. Six employés s'occupent de ma voiture. Ils l'ont désossée pratiquement sans outils. Ils fouinent maintenant pour rassembler les bouts d'une carrosserie neuve. Un gamin est envoyé de temps en temps en expédition et ramène des bouts de ferraille pour compléter. Ils travaillent toute la journée, en bouchant les trous et les mauvais assemblages avec une sorte de pâte qui n'a jamais contenu de métal. Le bas de la portière arrière est entièrement en boîtes de conserve martelées. Il ne reste plus qu'à peindre.

Le lendemain matin, je récupère ma 404 qui a repris l'aspect d'une voiture neuve.

Elle est vite vendue. Le ministre des Affaires d'occasion a trouvé les clients. Ce sont trois hadjis locaux pour lesquels il n'a aucun respect car ce sont des mauvais musulmans... Ils ne sont pas généreux.

« Ils viendront essayer demain et ils achèteront la voiture.

— Mais ils vont se rendre compte que le moteur est pourri.

— Bien sûr. Mais ils auront payé avant. »

Le lendemain, je conduis pour le tour d'essai. Les clients sont tous les trois en boubous blancs. Ce sont des frères. Ils caquettent pendant toute la tournée. Suivant les conseils du ministre, j'évite la montée. Il n'y a qu'une seule côte à Niamey. La dénivellation n'est pas importante mais elle suffirait à immobiliser mon épave. Satisfaits, les trois hadjis paient le soir même.

Le lendemain matin, ils viennent protester. Le ministre explose. Toute la maison se tait pour écouter ses cris de colère. Il hurle aux hadjis qu'ils ne sont que des sales nègres, l'insulte habituelle d'un Noir contre un autre Noir. Les clients battent en retraite. Les pièces mécaniques sont vendues à un garagiste ami du ministre. Je réalise un bénéfice extraordinaire pour les six cents francs d'investissement de départ. Le ministre a gardé sa part.

Christian s'en va ce matin. Il a téléphoné en France pour apprendre que sa femme venait d'accoucher d'une petite fille. Il a décidé de l'appeler Argine. C'est le prénom de la dame de trèfle.

Il fallait ensuite s'occuper de René, le gros pompier. Il est volontaire pour vendre sa Méhari et il va se faire entuber par les Africains. Je préfère que l'argent arrive dans ma poche. Il n'a pas été sympathique avec Patricio lorsqu'il y a eu des questions d'argent entre eux. C'est un radin. J'ai un grief personnel contre lui. A Tessalit, je l'ai surpris en train de regarder de manière indécente la petite Radijah. Je suis amoureux de cette fille et je veux l'épouser. Le geste de René m'écœure.

Pour tout dire, il est antipathique, alors il passe à la moulinette. L'arnaque africaine repose sur deux principes. Le premier est qu'il fait chaud. Les Européens n'ont pas l'habitude et ils morflent. Si l'affaire traîne en longueur, ils s'affaiblissent. Ils sont bientôt prêts à accepter n'importe quoi pour se casser. Le deuxième est leur respect pour les papiers officiels et les uniformes. Ils réagissent face à eux comme dans leur pays. En obéissant sans discuter. En Afrique, les papiers ne correspondent à rien. Les registres existent, les coups de tampon aussi mais ce n'est que du théâtre. Ce sont des Noirs qui font comme les Blancs. La seule utilité de l'administration, c'est d'engraisser les fonctionnaires qui sont corrompus ou espèrent bien le devenir.

Le ministre s'est chargé du premier acte. Il a accepté de chercher un client pour la Méhari. Pendant trois après-midi, il a emmené avec lui le gros René pour « prospecter ». En réalité il allait voir des amis à lui et buvait du thé.

Assis dans la Méhari, en plein soleil, le sapeur-pompier attendait qu'il ait terminé. Au retour du ministre, couvert de coups de soleil, René s'entendait dire que la personne n'était pas intéressée par sa voiture. Au troisième jour de ce régime, le ministre invente une offre, huit mille francs C.F.A., la moitié de ce qu'espérait René, mais il est déjà prêt à accepter.

Depuis trois jours, Alain, le Bordelais, est extrêmement sympathique avec le sapeur-pompier. Il lui tape sur l'épaule :

« Alors, petit, tu la vends, cette Méhari ?

— Oui, il m'a proposé huit mille francs C.F.A.

— Huit mille ! Oh ! Tu te débrouilles bien. »

Une tape sur l'épaule. René est regonflé. Alain continue :

« Tu pourras même te payer l'avion quand tu te seras occupé du dédouanement. »

Le pompier est surpris. C'est la première fois qu'il entend ce mot. Alain lui explique que la loi nigérienne, comme dans tous les pays modernes, interdit la vente de véhicules étrangers de la main à la main. Il y a une taxe à payer pour dédouaner.

« Et c'est combien ? »

L'angoisse dans le ton est un petit plaisir. Le ministre lui lâche, impassible, les yeux pétillants de méchanceté :

« Six mille cinq cents francs. »

Le lendemain, le pompier part aux renseignements. Un fonctionnaire des douanes galonné sort un registre et lui confirme.

« Méha'i, Cit'oën, six mille cinq cents francs. »

C'est la claque. Écarlate, vidé par la diarrhée, fatigué de bouffer du riz et des mangues, René renonce à faire un bénéfice. La vente lui rapportera juste de quoi payer l'avion du retour et il s'en fout. Le soir, le ministre lui offre une porte de sortie immédiate. Il lui propose de lui acheter tout de suite la Méhari pour quinze cents balles. René accepte. Il n'est pas encore tout à fait ratissé.

Je m'approche de lui :

« Dis donc, pompier, et la commission du ministre ? »

Alain lui tape sur l'épaule.

« C'est vrai, petit. Il a travaillé pour toi.

— Mais je n'ai pas d'argent. »

Le ministre se lève et commence à crier.

« Tu refuses de me payer ? »

René est peureux. Affolé, il cherche comment s'en sortir. Je lui souffle de laisser son matériel de camping au ministre qui saura en faire bon usage. La colère du ministre s'apaise par enchantement. Le lendemain, le sapeur disparaît du décor. Je laisse cent balles au galonné des douanes qui donne le coup de tampon du dédouanement. Le ministre me trouve cette fois un vrai client pour la Méhari dans les jours qui suivent.

C'est une embrouille simple. Les touristes sont des proies faciles et amusantes. Pour la Bagouze, il fallait trouver plus compliqué. C'est un con, mais il a quelques notions d'arnaque et il se méfie. Suivant nos accords, comme Alain m'a aidé à nettoyer René, je lui prête main-forte pour détourner la méfiance du maquereau.

Les deux premiers actes sont du travail habituel. Le soir, le ministre revient à la maison joyeux et entouré de négrillons. Il a vendu les véhicules des Bordelais. Il a une mauvaise nouvelle pour la Bagouze. Les clients prévus pour son Tube Citroën ont déjà acheté une camionnette.

« Ah ! non, putain, ça ne va pas recommencer ? Il ne faut pas me prendre pour un con ! »

Alain a pris l'air ennuyé. Il accable la Bagouze de sympathie. Il lui assure que c'était imprévisible et que l'on va tout faire pour trouver un client. Le ministre accepte de prospecter. La deuxième partie du scénario se déroule tranquillement. Le ministre amène à la maison des amis qu'il fait passer pour des clients. Les deux Bordelais et moi profitons de tous les instants d'intimité pour rigoler. La Bagouze ne décolère pas. Les nègres qui viennent se gratter le ventre devant son Citroën, ça ne l'impressionne pas. Il veut du sérieux et il le clame. On lui fait une offre de cinq mille cinq cents francs, le huitième du prix escompté. On fait durer. Ce matin, je suis prêt, je vais le voir à l'heure du café. Il est mal rasé.

« Francis, écoute-moi. Ça a trop duré.

— Putain, oui ça dure. Je ne peux pas vendre

cinq mille cinq cents francs mon camion quand même ? »

Et c'est parti. La bague, la gourmette, les nègres, il ne faut pas le prendre pour un con.

« Francis, je peux te rendre service. Je connais un hadji, un gros commerçant, ici, à Niamey. Ton camion l'intéressera. Je peux le faire venir. »

La Bagouze est ravi. Je le préviens :

« Attention, il est riche, c'est-à-dire pourri et dur en affaire. On ne pourra pas marchander avec lui.

— Bah ! Au moins c'est du sérieux... »

L'après-midi, mon hadji arrive en large boubou bleu. Il se plante devant le Tube Citroën. C'est un Sénégalais, alcoolique et amateur de filles, avec lequel j'ai lié sympathie dans un bar. Il n'a plus d'argent. Je lui ai proposé un boulot. Il lui suffit de trouver un boubou bleu et de venir chez le ministre. Il doit observer le camion un quart d'heure avant de m'appeler d'un signe de la main pour me parler. Surtout, il ne dit rien, il se tient loin des autres. Du visuel.

Il remplit parfaitement son rôle. A son signe je vais près de lui. On parle. Il s'en va. Je reviens à la Bagouze.

« Il réfléchit. C'est bon signe. Il revient demain. »

La scène se répète les jours suivants. La Bagouze s'affaiblit. Il ne fait rien de la journée. Il ne se rase plus. Ses vêtements sont sales et froissés. De temps en temps, il explose. Il crie contre les cinq mille cinq cents francs, l'Afrique et ses habitants puis retourne s'affaler à l'ombre.

Dans notre coin, avec Fred et Alain, nous n'en perdons pas une miette. Alain s'arrange pour verser des épices et du piment dans l'assiette de Francis à tous les repas. J'ai glissé un billet au boy du ministre pour qu'il fasse brailler son poste de radio le matin sous les fenêtres de la Bagouze. Ces petites farces rendent l'attente moins ennuyeuse. Fred se charge d'inquiéter le pigeon.

« Ça a assez duré. J'ai des trucs à faire en France. On va partir Alain et moi.

— Putain, tu ne vas pas me laisser chez les nègres !

— Si tu n'es pas capable de vendre un camion, c'est ton problème. On n'a aucune raison de t'attendre. »

Tous les matins, à onze heures, mon Sénégalais traverse la cour. Il observe. Il m'appelle. Nous parlons à voix basse.

« Charlie, tu me donnes mon argent ?

— Non. Quand le boulot sera terminé. »

De retour au groupe des spectateurs, j'annonce invariablement à la Bagouze :

« C'est bon, il se décide. »

Il est bientôt à point. J'ai prévenu le Sénégalais que c'était le jour du dernier acte.

Depuis le début de la comédie, il a amélioré son personnage. C'est d'un pas majestueux qu'il entre maintenant dans la cour. Planté devant le Citroën, il est l'image même de la sévérité. Comme tous les matins, la Bagouze est là, une bière à la main.

« Il va se décider aujourd'hui, Francis, c'est sûr. »

Le Sénégalais lève les bras.

« Ça y est, il parle. »

Au milieu de la cour, l'autre laisse planer son regard sur l'assemblée. Toute l'assistance s'est tue. Les négrillons ont arrêté de jouer. Le Sénégalais baisse le bras. Il crie :

« Deux mille francs ! »

Le soir même, la Bagouze a accepté la première offre du ministre et bradé son Citroën pour cinq mille cinq cents francs.

Et de deux.

C'est aussi facile que ça.

En Afrique, le Blanc est une victime toute désignée pour l'arnaque. D'emblée, cette sensation de ne pas pouvoir se gratter le cul sans être observé le met en état d'infériorité. Mais surtout, il arrive ici avec tous ses réflexes conditionnés d'Européen. S'il ne doute pas qu'un fonctionnaire n'est pas toujours intègre, il ne réalise pas que ceux-là sont *toujours* pourris jusqu'à la moelle. De plus, il a le respect de l'autorité. Il n'a pas compris que, dans tous les pays sous-développés, l'uniforme est le meilleur moyen de voler en toute impunité et que de tous les chacals qui l'entourent, celui chargé de le protéger est le plus gourmand.

En fait, il ne peut pas imaginer à quel point tout le monde autour de lui en veut à son pognon. Lié à cela, le cagnard qui l'incommode le met en condition idéale pour être entubé.

PLUSIEURS mois ont passé.

Le gros Christian a doucement réintégré la vie familiale.

J'ai parcouru le désert dans tous les sens, du nord au sud, d'est en ouest. J'ai fait les trois pistes, Mauritanie, Gao et Tam. De Nouakchott à Tombouctou et d'autres encore. A force de le sillonner, j'ai fini par le démystifier, ce Sahara.

En fait, je cherchais les difficultés là où elles n'existaient pas. Seules quelques courses de fou à travers le désert m'ont apporté les frissons nécessaires à ma soif d'action. Alors, je me suis tourné vers le côté lucratif de cette aventure.

Installé à Niamey, Niger, d'où je contrôlais le commerce de véhicules sur toute la région, j'ai participé cette année-là au jeu national : le safari aux touristes. A ce moment commençait la démocratisation des voyages, le rush touristique, au grand plaisir des autochtones.

Les rescapés de la descente qui arrivaient en voiture, les petits et moyens pirates qui trafiquaient entre l'Europe et ici, tous terminaient leur route chez moi. Une horde de rabatteurs à mon service s'occupaient d'orienter mes futures victimes.

Quel plaisir, le matin au réveil, de découvrir sous mes fenêtres un ou deux véhicules dont les propriétaires rôtissaient au soleil en attendant mon bon vouloir.

Ma méthode était simple. Sans mon accord, aucune vente ne pouvait se conclure sur mon territoire. Celui qui, prévenu, s'y risquait, perdait tout ce qu'il avait. Mes tarifs étaient honnêtes et chacun gardait la liberté de tenter sa chance dans les pays voisins, à quelques centaines de kilomètres au plus.

Mais une petite pression, suivie d'une offre raisonnable, suffisaient généralement pour les touristes qui, fatigués par la descente étaient finalement heureux de s'en tirer à si bon compte. Un scénario élaboré, quelques arnaques, bouffages de tête et le grand jeu, si besoin était, m'assuraient la clientèle des vilains trafiquants à l'âme plus vénale encore que leur valeur. Parfois, il m'arrivait, pour le plaisir, de monter une arnaque plus compliquée. J'avais une petite équipe de Noirs, à laquelle je distribuais les rôles chaque matin.

« Toi tu seras douanier, toi commerçant, toi mécanicien... »

Et chacun s'habillait en conséquence. Parfois, l'un d'eux démontait complètement un moteur, sous prétexte de vérification, puis annonçait un prix ridicule. D'autres fois, quand j'étais de mauvaise humeur, je confisquais purement et simplement leur marchandise aux plus salopards. Je me suis ainsi amusé quelque temps, tout en me heurtant à une nouvelle règle de vie. Il est difficile de se remplir les poches quand tous les gens autour de vous crèvent de faim.

Ce commerce m'a fait découvrir le Sahel et la

misère totale qui y règne. Des tribus entières, chassées par la sécheresse, émigraient vers le Niger. Je n'ai pas pu supporter longtemps la vue de ces enfants aux ventres gonflés et aux yeux graves.

J'ai commencé à répartir mes énormes bénéfices sous forme d'aide alimentaire. J'ai pris en charge des cohortes de négrillons, fait distribuer des vivres et des médicaments dans les camps de réfugiés. J'ai découvert que c'était bon de faire du bien. Pas que je sois devenu un saint, mais l'argent facile à gagner est facile à donner.

J'ai fait un cauchemar terrible pendant cette période.

J'ai rêvé que je comparaissais devant une cour céleste, pour le Jugement dernier. Et là, terreur. D'un côté, les témoins à charge. De l'autre, ceux dont j'avais changé la vie. Une foule immense de visages convulsés de haine, sur lesquels je ne mettais pas de noms. Les protestations énergiques de mes quelques supporters étaient couvertes par le hurlement de cette horde qui réclamait ma peau, mes oreilles et plus encore. Au milieu, sceptiques devant tant de passions déchaînées, les juges commençaient à me regarder d'un sale œil.

Alors, afin de protéger mes arrières, j'ai décidé, pour rattraper mon retard, d'aider tous ces gens. S'il y a un quelconque responsable divin à qui rendre des comptes, j'espère avoir le temps d'équilibrer les miens.

Heureusement, cette bonne Afrique m'offre assez d'occasions.

Mais si ces petits commerces m'apportaient beaucoup de satisfactions, ils me causaient aussi pas mal d'ennuis. A ne pas être un salaud intégral, j'ai fini par être mal vu de ceux qui ne se posaient pas tant de questions. Après des problèmes répétés avec les autorités locales, j'ai dû partir avant qu'il ne soit trop tard.

Pendant quelques mois, j'ai pris des vacances, traînant du côté de l'Afrique de l'Ouest, puis dans le Sahara espagnol et la Mauritanie où les gens, pour changer, se foutaient sur la gueule. Après avoir échappé à leur habituelle accusation d'espionnage, je suis arrivé aux Canaries. Et là, j'ai trouvé un ami, un frère : Jacky.

En rupture de ban d'une famille honorable, gonflé, méprisant l'argent, aussi avide que moi de déconnades, c'était le compagnon idéal. Ensemble nous avons écumé les Canaries.

Têtu, j'avais décidé de revenir. Je n'avais pas tout tiré de l'Afrique et j'avais découvert le plaisir d'aider. Il n'était pas question de continuer à descendre des voitures sur la piste, activité dont j'avais tiré toutes les excitations. De plus, je ne refais jamais deux fois la même chose.

Le désert commençait à être envahi d'une foule de touristes en mal de sensations. Alors, j'ai trouvé un nouveau jeu. Je suis devenu contrebandier. J'ai perfectionné l'image du trafiquant, passant en tremblant une petite valise en fraude. Ma valise à moi pèse plusieurs centaines de tonnes. Ce sont des convois de dix à quinze camions, chargés jusqu'à la gueule de pièces détachées, que je fais transiter au grand jour à travers toutes les douanes africaines, jusqu'au Mali.

Aucun bahut n'a de papiers en règle, aucun chauffeur ne possède son permis de conduire et je serais bien incapable de dresser la liste de mon chargement. C'est la règle du jeu. Rien de légal et le plus de gens possible. Plus l'action est osée, plus l'excitation est grande, et plus j'y prends plaisir.

L'intéressant dans cette aventure, ce n'est pas la vente en Afrique noire, bien que les bénéfices réalisés soient énormes. Ce qui me plaît, c'est cette partie de cache-cache avec les autorités dont je bafoue les lois les plus élémentaires. Et puis je prends mon pied dans ce pari de fou qui consiste à faire traverser, à grands coups de gueule le Sahara à des camions pourris, dont les moteurs réformés sont en Europe bons pour la casse.

Là, dans ce désert que j'aime, entouré de toute une fourmilière humaine à mes ordres, je suis bien.

Ainsi, tout en continuant à distribuer une part de mes bénéfices, j'aide d'une autre manière. Car dans ces pays sous-développés, qu'est-ce qu'un contrebandier, si ce n'est un bienfaiteur ?

Il est impossible en Afrique de trouver des véhicules à des prix honnêtes. Les taxes d'importation sont aberrantes, et cet argent ne revient pas aux populations. Il tombe directement dans les poches des dirigeants. Grâce à moi, il est possible à un commerçant local de se monter une petite boîte de transport, à des prix abordables, et de développer l'économie.

En ne dédouanant pas mes camions, je volais le gouvernement, certes, mais en Afrique, qu'est-ce que l'État, si ce n'est un tas de gros corrompus qui se font du beurre sur le dos du pays ? L'argent que j'aurais dû payer aurait servi à engraisser ces profiteurs. Alors qu'ainsi, sur ma route, du chef des flics au petit douanier, chacun touchait sa part de bénéfices. De la frontière marocaine jusqu'au Mali, ils ont tous vécu de mes largesses.

Et voilà pourquoi je me retrouve une fois de plus dans un hôtel de cette putain de ville. Le mince filet d'eau de la douche, qui fait vibrer toute la canalisation, ne suffit pas à me réveiller. Je suis encore abruti par les somnifères de la veille, la moiteur de l'air et le manque de sommeil.

Mopti est de loin l'étape la plus pénible du voyage. Par une aberration coutumière en Afrique, cette ville a été construite sur des marécages, repaire de milliards de moustiques. A peine la chaleur humide de la journée fait-elle place à celle de la nuit qu'ils arrivent en formations serrées, parés pour le festin. Ils s'immiscent partout et ni l'herbe ni les barbituriques ne me permettent de fermer l'œil.

L'hôtel, qui a dû être luxueux durant les quelques semaines suivant sa construction, est maintenant aussi pourri que le reste. Cet inconfort est supportable quand il fait partie de l'aventure. Mais quand celle-ci est terminée, j'aimerais avoir un peu de luxe. Or, c'est impossible. Les Africains, pour le moins négligents, ont le don de tout laisser se délabrer. Même dans les hôtels les plus chers, il n'y a que rarement de l'eau dans les douches, le café est froid et les lits sont effondrés.

Je regarde Chotard, le comptable, additionner la montagne de billets dont la moitié ne pourraient même pas m'offrir une bière fraîche, denrée inconnue à Mopti. Chotard recompte une fois de plus le produit du dernier convoi. Un boulot de fou ; mes clients paient pratiquement toujours en petites coupures, presque exclusivement des billets de cinq francs maliens, amassés pendant toute une vie d'économie. En plus du paquet que cela représente, Chotard est obligé de réparer les plus vieux, abîmés par leur séjour dans la cache où ils sont restés plusieurs années avant de tomber dans ma poche.

Ce boulot l'exaspère. Déjà nerveux de nature, il ne peut pas retenir des gestes d'impatience. C'est un petit type maigre, brun, aux yeux légèrement bridés, qui lui donnent un air de Chinois de bandes dessinées. Quand tout va bien, il est décontracté, bien dans sa peau et il grossit. Aux premières difficultés, il s'angoisse, sa nervosité revient et il maigrit à toute vitesse. Chotard, c'est en quelque sorte le baromètre du convoi. Il a moins de trente ans mais paraît déjà assez vieux. Il est avec moi depuis quelques mois. Comme c'était un copain de Jacky, je lui ai offert cette place de comptable. Complexe et pas ennuyeux, ce boulot lui va comme un gant. Je lui ai payé un attaché-case, une calculatrice et tous les attributs de la profession. Il est ravi de se balader en Afrique avec ce look de cadre. La seule chose qui l'ennuie, en fait, c'est cette vérification des fortunes en petits billets maliens, à laquelle il ne coupe jamais.

« Putain, alors, il n'y a rien qui marche, merde ! »

C'est Peyruse, le mécano, qui s'escrime sous la douche. Il n'est pas de bonne humeur. C'est un copain d'enfance que j'ai retrouvé à Bordeaux, le premier mari de Suzy. Du petit branlo de bande plein de qualités qu'il était, il devenait manard, alcoolo sans ambition, juste à cause de cette histoire d'amour déçu. Pendant toute cette traversée, je lui ai interdit de boire et cette cure lui fait du bien. Mais hier, il s'est pris une cuite avec les négresses du coin et en paie aujourd'hui les conséquences.

« Putain de bordel, Charlie, je vais crever, moi. »

Il sort de la douche et donne une tape amicale à Chotard, qui en laisse tomber la liasse qu'il vérifiait.

« Merde, arrête ! Je ne peux pas travailler dans ces conditions. »

Peyruse ne répond pas et se laisse tomber sur le lit, mettant en grand péril l'équilibre des piles de billets. Chotard ne dit rien, la mauvaise humeur de Peyruse est trop évidente.

Moi aussi je suis de mauvais poil. Il est temps de quitter Mopti. Sorti du désert, le voyage n'offre plus d'intérêt, et il n'y a plus de raison de morfler. Demain on sera à Ségou, où j'ai une maison, et cela ira mieux.

« Bon, ils arrivent ces deux cakes ? Ils en mettent du temps, putain !

— Jacky nous prévient dès qu'ils sont là, t'inquiète pas.

— C'est plutôt à eux de s'inquiéter, hein ? » dit-il avec un grand sourire.

« Eux », ce sont deux Européens que l'on m'a signalés descendant sur Mopti au volant de deux camions. On attend ces gugusses qui osent venir vendre sur mon territoire.

A ce moment-là, j'entends le claquement des bottes de Jacky, mon copain et associé, sur le parquet. Il passe la tête par la porte pour m'annoncer :

« Charlie, ils sont là. »

En deux minutes, tout le monde est habillé. Je m'occupe de ce genre de cas tout seul, mais chacun tient à être présent, au cas où il y aurait de l'action, ou au moins un moment amusant. Mes manières font toujours rire Jacky et, à mes côtés, Chotard peut rouler des épaules sans grand risque.

Avant d'entrer dans le bar, je jette un coup d'œil de propriétaire sur les deux véhicules, un petit citerne rouge Berliet et une bétaillère, qui n'ont pas l'air en mauvais état. S'ils ont roulé jusqu'ici, c'est qu'ils sont solides. De toute façon, je ne vends moi-même que des saloperies.

Nous pénétrons dans le bar pendant que Peyruse soulève les capots pour un examen plus détaillé. Je me dirige vers la table des Européens en les évaluant. Deux types, la quarantaine, bien habillés, accompagnés de leurs dames respectives. Bonnes gueules d'aventuriers de salon.

« Bonjour, vous permettez ? »

Je m'assois sans attendre la réponse. J'ai choisi d'être poli. Jacky et Chotard sont assis à une autre table. Ils ont l'air de ne pas s'intéresser à nous mais je sais qu'ils sont tout à l'écoute de la discussion qu'ils espèrent amusante.

Ils ne rigoleront pas cette fois-ci. J'ai trop attendu à Mopti et je veux faire une affaire rapide. Si je parle durement à ces messieurs, la présence de leurs femmes les obligera à résister pour ne pas perdre la face. Ce ne serait guère profitable pour eux et constituerait pour moi une perte de temps. Souhaitons donc qu'ils ne me donnent pas de fil à retordre.

« Je m'appelle Charlie. Je vous attendais. »

Intriguées, quatre paires d'yeux me fixent. Je continue :

« Je viens de voir vos camions dehors. Si vous avez l'intention de les vendre au Mali, ce ne peut être qu'à moi, parce qu'ici, je suis chez moi. Si vous les vendez seuls, vous allez casser mes tarifs, et ça, c'est pas bien, pas bien du tout. »

Les types sont sur le qui-vive. Les femmes sont inquiètes. Peyruse vient d'entrer dans la salle en s'essuyant les mains. Il me fait signe que la marchandise est bonne.

« Si vous voulez les vendre plus bas, au Togo, au Dahomey ou en Haute-Volta, pas de problèmes. Je sais le prix que vous avez payé en France. Je connais les frais de route. Vous avez souffert, il est normal que vous fassiez des bénéfices. Je vous offre cinquante mille francs français pour les deux. Maintenant, voilà, c'est à vous de choisir. »

Un grand silence, puis le plus vieux des deux prend la parole.

« On a entendu parler de toi. Tu nous laisses un peu de temps pour réfléchir ? »

J'acquiesce de la tête, me lève et vais rejoindre Jacky, Chotard et Peyruse. Ils sont sérieux, mais leurs yeux pétillent de gaieté. Pendant que le serveur, un grand Noir en pantalon pattes d'éléphants et chaussures à semelles compensées, nous apporte notre habituelle bouteille de whisky, ça discute ferme à la table des gentlemen.

J'espère que ces deux cons vont accepter. Je reconnais volontiers que les autres méthodes sont plus amusantes et offrent l'avantage de faire rire tout le monde, mais ce que j'aime dans la puissance, c'est qu'elle donne la possibilité d'être magnanime. Je laisse toujours une porte de sortie très honorable : il n'est pas dit qu'ils trouvent meilleur prix, et ils devront se dépenser pour ça. Là, je leur laisse, comme à tout le monde, une solution honnête. S'ils ne la saisissent pas, tant pis pour eux.

Et tant mieux pour nous.

Moins d'une demi-heure plus tard, l'accord est scellé. J'offre une tournée générale. L'ambiance est plus détendue. Le vieux, grand et blond, sourit. Les deux ont l'air content du deal.

« Chotard. Paie ces messieurs. »

Mon comptable ouvre son attaché-case et commence le décompte des billets. Les deux types sont estomaqués par la quantité d'argent que nous trimbalons. Encore quelques verres et nous sortons admirer nos nouveaux camions. Peyruse fait un tour d'essai. Ils sont bons.

Ce n'est pas un coup de bluff que j'ai utilisé contre ces deux types. Dans toutes les zones que je traverse depuis dix-huit mois, de l'Algérie jusqu'à Ségou, et à une exception près, j'ai acheté tous les officiels importants, douane et police. J'ai tout pouvoir pour bloquer ces deux camions. Cependant, c'est une arme que je n'utilise qu'avec modération, quand il n'y a plus rien d'autre à faire. Je trouve que c'est trop facile, et pas très reluisant.

Le petit citerne est une excellente affaire. C'est un vieux modèle, à museau, et au pare-brise séparé en deux. Ce genre de bahut est parfait pour la piste, et plaît beaucoup aux Africains. J'ai, de toute façon, un client en vue pour lui. L'autre, par contre, est un tout petit Renault de cinq tonnes, une bétaillère proche de la camionnette, loin d'être assez solide pour les routes défoncées d'ici.

« Chotard, monte avec Jacky. Vous nous suivez. »

Mopti-Ségou, deux cents kilomètres. La route est droite, et en assez bon état. Depuis les trente derniers kilomètres avant Mopti, le goudron a remplacé la piste. Nous roulons au milieu d'une plaine semée d'arbres touffus, à part les énormes baobabs. La nuit est claire, égayée par une immense lune pleine et blanche. L'air qui nous arrive dans la figure est frais. Il fait bon rouler. Avant de partir, Peyruse s'est acheté une pleine caisse de Solibra, des bières de soixante-quinze centilitres, au bar de l'hôtel. J'en bois une. Il en est à sa deuxième.

« Tu t'es remis à boire ?

— Heu... Non, c'est juste pour la chaleur. »

Je n'insiste pas. Comment refuser à un adulte, un copain qui plus est, ces petits plaisirs ? Et puis je n'ai pas envie de gâcher ce premier moment d'intimité depuis longtemps avec Peyruse.

Il faisait partie de ma bande à Bordeaux. Il était le seul à disposer d'un appartement, qui est vite devenu le repaire de tout le monde, et notamment le mien. Dans la France des années 60, prude et rigide, il n'était pas question pour un mineur en vadrouille de louer une chambre d'hôtel. Majorité à vingt et un ans et ces salopards de tauliers qui exigeaient la carte d'identité ! On a passé du bon temps chez lui, il était un des types les plus valables de la bande d'adolescents fous que nous étions.

Revenu à Bordeaux, de passage, alors que je cherchais un mécanicien pour s'occuper du convoi, j'ai pensé à lui.

Déception. Je m'attendais à retrouver le copain de mon enfance, un type superbe. Je me suis retrouvé en face d'un manard alcoolique, complètement coulé après sa séparation d'avec Suzy. Il végétait dans un garage dont il n'était même pas le patron. Voûté, les cheveux trop longs, vaguement crado, un type à qui je n'avais rien à dire. Sorti du bar, où il avait beaucoup bu en me parlant du passé, il s'est mis à vomir de la bile verte dans le caniveau.

Je ne sais pas pourquoi, sans doute par amitié, ou parce qu'il m'avait paru perdu, je lui ai quand même proposé le boulot.

« Tu sais, pour mes convois, j'ai besoin d'un mécano, ça t'intéresse ? »

Il n'est même pas rentré chez lui. Sa nouvelle femme, celle qu'il avait prise après Suzy, son gosse, il a tout laissé et il est parti. Il a juste envoyé un coup de fil depuis Barcelone, et une petite somme d'argent que je lui avais donnée.

« Tu restes avec nous pour les prochains convois ?

— Bien entendu. »

Il envoie la bouteille par la fenêtre et en ouvre une autre.

« Tu m'as sauvé la vie, tu sais, Charlie. Si j'avais su, je serais parti plus tôt. Quand je pense au temps que j'ai perdu...

— Et ta nouvelle femme ?

— Ouais, ça c'est un problème. Je ne peux pas la laisser comme ça avec le gamin. Je vais les mettre en sécurité. Il faudra que je lui donne du pognon.

— Pour ça, ne t'en fais pas. Pas de problèmes. Et comment elle est ?

— Oh ! elle est pas belle.

— Et tu l'aimes ?

— Non... Non.

— Pourquoi tu es avec, alors ?

— Je ne sais pas. C'est après Suzy, tu sais... Je n'allais pas bien. Je sais pas. »

Il finit la bouteille et hop ! par la fenêtre. Il s'en reprend une autre.

On se remet à parler des copains de Bordeaux, puis il reste silencieux un moment. Il a retrouvé un peu sa tête d'avant. Arrêter la boisson lui a fait du bien. L'aventure du convoi et le soleil ont fait le reste. De temps en temps, il me lance un regard et il me sourit. Tout à coup, il redevient grave, soucieux.

« Dis, Charlie...

— Ouais ?

— Tu l'as baisée, Suzy, hein ? »

Suzy, la belle blonde. Elle s'est jetée dans mon lit le soir même de mon premier retour à Bordeaux, quand je suis allé chercher le gros Christian. Je lui raconte.

Il s'ouvre une bière et finit par soupirer :

« Je m'en fous, tu sais. Elle était déjà partie, alors... »

Pauvre vieux. Dès qu'il parle d'elle, la tristesse le reprend.

« Tu l'aimes toujours ?

— Ouais.

— Mais il faut l'oublier, vieux. »

Il rigole, et il secoue la tête. J'insiste :

« Pourquoi tu te gâches la vie pour un vagin, hein ? Il y en a tellement d'autres. Tu vas voir : en Europe, je te présenterai les meilleurs baiseuses du monde...

— Charlie. Il n'y a pas que ça... Il y a autre chose... »

Je renonce à lui expliquer mon point de vue sur la question. Il n'y a rien de plus bouché qu'un type amoureux. Puisqu'il reste avec moi, j'espère bien lui faire comprendre à la longue quelques vérités élémentaires.

La caisse de bière se vide lentement, pendant qu'on continue à discuter en copains. Au milieu de la nuit, on entre dans Ségou. Je guide Peyruse jusqu'à une immense bâtisse blanche, juste à côté du fleuve.

« Là, c'est ma maison. »

C'est dans cette petite ville que j'ai installé mon quartier général.

Quelques coups de klaxon et Ahmed, mon gardien, vient ouvrir le portail. L'entrée des bahuts dans le jardin réveille des corps affalés çà et là. Nous sommes vite entourés d'une vingtaine de personnes.

« Labés, pat'on Cha'lie ?

— Labés. Labés. »

Chez moi, c'est porte ouverte. Des vieux, des gamins et des infirmes y vivent en permanence, veillés par Ahmed à qui je laisse un budget en conséquence.

Je m'écroule rapidement sur l'immense lit rond qui, avec la chaîne stéréo, forme l'unique mobilier de ma chambre, une grande pièce ventilée au premier étage.

Le matin, je me sens déjà mieux. Sous mes fenêtres, c'est l'Afrique des cartes postales. Des pirogues traversent le fleuve Niger, dont les berges rougeâtres sont recouvertes d'une foule grouillante et multicolore. Ça crie, ça s'agite, ça vend, ça achète. Les femmes, torse nu, lavent dans l'eau boueuse des pièces d'étoffe aux couleurs vives.

En Afrique, je me lève toujours très tôt. Les deux premières heures de la journée sont les plus agréables. Je les passe généralement avec Ahmed qui me prépare mon premier petit déjeuner. C'est un vieux Tamachek ridé à qui on ne peut plus donner d'âge. Il m'a accompagné pendant mes premiers convois. Devenu trop vieux, il prend maintenant soin de ma maison.

Accroupi devant un feu de braises où cuisent des morceaux de mouton, il me questionne sur le voyage.

« Et Kara, mon cousin, il va bien ?

— Il va bien, Ahmed, il est toujours avec moi.

— Et Radijah ? Ça y est, tu es marié ? »

Je vais faire partie de la famille d'Ahmed. C'est un oncle de Radijah, la petite Tamachek que je vais bientôt épouser.

« Au prochain voyage. »

Puis il me donne des nouvelles du coin. Lorsque le reste de l'équipe nous rejoint, une heure après, je suis parfaitement détendu. Je les emmène à cent cinquante mètres, prendre un vrai petit déjeuner chez un copain libanais.

Les quelques commerces prospères de Ségou sont tenus par deux frères, des Libanais installés ici depuis plusieurs années. Dans toutes les petites villes d'Afrique, on trouve des Libanais. Doués pour le commerce, travailleurs et intelligents, ils se fabriquent rapidement une vie aisée. A Ségou, l'un des deux frères, Étienne, tient la station-service et le cinéma. C'est devenu un copain, et c'est à lui que je compte proposer le petit citerne. Je n'entretiens pas de rapports spéciaux avec François, le deuxième, sinon qu'il possède l'auberge et le bar-hôtel de la ville et que je vais traditionnellement y prendre mon premier repas de la journée. Il vient me saluer à mon arrivée et nous échangeons des politesses. Il me demande :

« Comme d'habitude ?
— Oui. »
Comme d'habitude, pour moi, c'est douze œufs et un steack le plus proche possible du kilo. Quand je veux plus, je demande « deux fois d'habitude ». Ce genre de repas fait partie de mon régime africain. Ici, il faut être pesant et large pour inspirer le respect. En seigneur du commerce, je dois soigner mon image. C'est la première raison. La seconde, c'est que mon corps est sans cesse en train de lutter contre les fièvres et le paludisme qui me rongent, et m'immobiliseraient à la première faiblesse.

Le seul qui mange autant que moi, c'est Jacky. Issu d'une famille française riche, son éducation en a fait un gourmet et il sait manger. Lentement, posément, il avale par kilos. Chotard se goinfre tant qu'il peut. Peyruse, miné par la gueule de bois, chipote un bout de viande et cherche à se retaper à coups de café.

L'endroit est agréable et, ce qui est rare, très propre. La salle de restaurant est séparée de la rue par des grilles. Beaucoup de types qui passent dans la rue jettent un coup d'œil, curiosité africaine oblige, et me saluent d'un joyeux « Bonjou' pat'on Cha'lie ». Je réponds à tout le monde. Les petits cireurs de bottes attendent que je les appelle. Et bien sûr les filles sont là. C'est une troupe haute en couleur de culs imposants et de sourires engageants qui nous attend devant les grilles. Peyruse, encore nouveau en Afrique, est le seul à regarder.

« Vous êtes connus, les gars. Vous avez tant de succès que ça ?
— Mais non. Elles ont vu les camions, c'est tout. Au lieu de filer cinq balles pour un coup, comme tout le monde, je donne vingt, cinquante francs. Ça les intéresse forcément. De toute façon, c'est la seule chose qui les attire, sois tranquille. »

Je fais signe aux femmes de se casser. Je préfère manger, pour l'instant. La viande est excellente, bien rouge.

« De toute façon, elles n'ont pas de clitoris. »

Peyruse, qui mâchonnait, avale difficilement. Jacky se marre et lui raconte en détail l'excision, pratiquée par la maman avec le couteau de cuisine. Peyruse, lorgnant son bout de viande rougeâtre, en délaisse définitivement son assiette.

Quoi qu'il en soit, on n'a pas le temps de penser à l'amour ce matin, car on a du travail.

Le petit déjeuner terminé, on se rend à la station-service. La chaleur a déjà commencé, étouffante, nous sommes rapidement en sueur. Les cinq employés de la station, qui glandent à côté des pompes, me saluent et me préviennent que le pat'on est là.

Étienne travaille, comme d'habitude, dans son petit bureau climatisé. La quarantaine, des cheveux blancs et un début de ventre, c'est un type très sympathique. Comme tous les chrétiens libanais, il est parfaitement francophone. Il m'a déjà parlé à plusieurs reprises de son intention d'acheter un camion citerne, pas trop gros, pour assurer lui-même une partie de son approvisionnement, plutôt problématique par ici. Avant de parler affaires, autour d'une bière fraîche, nous échangeons des vues sur ce beau pays.

Profitant de mon physique méditerranéen, je lui ai raconté que ma mère était de Beyrouth. Ça facilite les rapports et j'ai déjà été turc, corse, italien, suivant les besoins du moment. Je le laisse soupirer une dernière fois sur le sort de notre patrie déchirée par la guerre, et je lui expose les raisons de ma visite :

« J'ai une occasion qui t'intéressera : un petit citerne.

— Ah ! oui ? Quelle marque ?

— Un Berliet. Je te l'ai amené. Si tu veux le voir... »

A nouveau la chaleur. Étienne fait le tour du camion, remarque qu'il est vieux, mais en bon état. Il s'adresse à un de ses Noirs.

« Touré, va essayer le camion. »

Touré n'est pas n'importe quel Noir. C'est le contremaître d'Étienne, poste de haute importance. La différence de salaire lui a permis d'afficher sa position sociale. Sept magnifiques dents en or embellissent son perpétuel sourire. Dommage que cette petite originalité ne lui ait pas permis de compléter sa garde-robe, et c'est en retenant à la main son short, trois fois trop grand pour lui, qu'il grimpe dans la cabine.

Un coup de démarreur, un grincement d'embrayage et sept dents éclatantes disparaissent dans un nuage de poussière. Le test est positif.

« Tu me le fais à combien ?

— Quatre-vingts mille francs. »

Ce n'est pas le premier deal que nous faisons ensemble. Je ne cherche pas à faire un trop grand bénéfice et lui ne marchande pas. Il se chargera du dédouanement et me réglera en francs français.

« Tu as vu l'autre, le petit Renault bleu ?

— Oui, je l'ai remarqué. Il est étonnant. »

Il réfléchit un moment.

« Tu sais, j'ai peut-être un client pour lui. Un Français qui s'est installé dans une ferme, sur la route de Zinzana. Il y a un mois, il cherchait un véhicule.

— Tu as un moyen de le joindre ?

— Ça peut se faire. Je vais envoyer un gars chez lui. On mange ensemble ? »

A l'heure du café, une bonne surprise. Le fermier blanc qu'Étienne a envoyé prévenir est accouru, très intéressé. C'est un barbu épais en short, fumeur de pipe à l'air imbécile, ingénieur agronome ou une connerie de ce genre.

Il inspecte le camion. Il n'y connaît rien. Il serait d'accord pour le prendre. Je lui en demande quarante mille francs.

« C'est intéressant. Mais en ce qui concerne le dédouanement, vous savez que la législation...

— Ce n'est pas un problème. Je m'en charge. Repasse me voir vers six heures ce soir. J'aurai tous les papiers nécessaires. »

Puis je retourne chez moi. La ville est torride. La poussière rouge qui recouvre tout est encore plus désagréable pendant ces heures chaudes. La seule chose à faire c'est profiter de la fraîcheur de ma maison pour une sieste en compagnie de quelques culs noirs ramassés au passage.

Vers cinq heures, je repars. J'ai une corvée à accomplir. Je rends visite à monsieur l'Enfoiré, chef des douanes de Ségou.

C'est un tas de graisse noire, corrompu et adipeux. Au Mali, chef des douanes signifie beaucoup d'argent, c'est-à-dire encore : opulence et tour de taille florissant. Je ne peux pas le sentir et il me déteste. J'ai besoin de lui pour dédouaner mes marchandises, car cela me coûterait plusieurs millions par voie légale. Il a besoin de moi pour alimenter son train de vie.

Je vais le voir dans son bureau, une pièce nue et sale, depuis laquelle il règne en tyran sur ses subalternes. Il est répandu dans son fauteuil, suant malgré le ventilateur, en boubou bleu. Je m'assois en face de lui.

« Alors, mon gros, ça va ? »

Il déteste que je l'appelle comme ça. Il est vénéré

ici, et mon manque de respect manifeste l'indispose. Il porte tout un tas de ferraille en or au poignet. Montres, gourmettes, le tout le plus gros possible.

« Je me porte très bien. Qu'est-ce que tu veux ? »

Pour me recevoir, il a congédié son secrétaire. Pour le genre d'affaires que nous traitons ensemble, il n'y a jamais de témoins.

« Il faut que tu me dédouanes un camion, gros.

— Tu as la carte grise ? »

Il agite ses petits doigts boudinés, serrés dans des chevalières. Il sent le pognon. Je jette la carte grise sur le bureau.

« Bien. Ça fera quatre mille francs.

— Qu'est-ce qui se passe ? Tu doubles tes prix, maintenant ? »

Il a un sourire immonde.

« C'est un plaisir de te tirer de l'argent, Charlie. Tu peux toujours passer par la voie normale. Ça te coûtera soixante mille francs. »

Le pire, c'est que ce gros tas a raison.

« Bon, et bien vas-y, remplis tes papiers, je n'aime pas rester dans ton bureau trop longtemps.

— Et qu'a-t-il, mon bureau ?

— Je trouve que ça pue. »

Cette fois, il s'offusque.

« N'oublie pas que tu parles à un fonctionnaire malien. Ça pourrait te coûter cher.

— Ça me coûte déjà cher. Et dis-toi bien que c'est par égard pour ta haute fonction que je ne te tape pas dessus. Le jour où tu seras renvoyé, tu peux t'attendre à un coup de pied au cul de ma part. Allez, colle tes tampons sur le papier, c'est assez bien payé pour que tu ne me fasses pas perdre mon temps. »

Ne trouvant pas de réplique, et de peur que mes cris ne soient entendus par ses employés, il finit par aligner devant lui les formulaires de dédouanement et tamponne à tour de bras. Ça ne l'empêche pas de continuer ses commentaires.

« Ce sont des gens comme toi qui ruinent l'économie nationale.

— Ferme ta gueule, gros.

— Les trafiquants et les contrebandiers dans ton genre.

— Ferme ta gueule et tamponne. »

Je fais plus pour le pays que ce gros véreux. Il n'est pas question qu'il me donne des leçons. Je paie en me demandant pourquoi je suis obligé de supporter ce genre de type. La corruption des fonctionnaires africains, qui m'amusait au départ, commence à sérieusement me peser. Je lui jette les billets en travers du bureau et je me casse.

Arrivé chez moi, énervé par l'énorme, je tombe nez à nez avec un autre gros. Ahmed a laissé entrer le chef des flics. Il est un peu plus mince que l'autre, car sa position sociale ne lui permet pas de voler autant.

Il m'affirme qu'il est content de me voir. Je coupe court à ses effusions en lui sortant un billet. Il s'offusque mais je n'ai pas envie de perdre mon temps avec lui. Ce grand nègre joue la jovialité avec moi mais c'est un vrai fils de pute dans son commissariat. Les battoirs impressionnants qui lui servent de mains ont mauvaise réputation dans le petit peuple de Ségou. Ahmed a eu une fois l'occasion de soigner deux mendiants qui étaient passés dans son bureau et j'ai pu mesurer l'ampleur des dégâts. Seul un Noir peut survivre à ce genre de traitement. L'Afrique serait si belle s'il n'y avait pas ces salopards de fonctionnaires.

Celui-là est un ancien maréchal des logis-chef de l'armée française. Si je le laisse parler, il va encore me gonfler avec son défilé du 14 Juillet. Il se dandine, comprenant que l'heure n'est pas aux bavardages.

« Monsieur Charlie, mon frère va se marier incessamment.

— Encore ! Tu me racontes toujours la même histoire.

— Non. C'est, présentement, cette fois, mon frère-même-père-même-mère. »

Ah ! c'est du sérieux. Les Africains baisent dans tous les coins, et tout le monde se retrouve avec un tas de frères. Un « même-père-même-mère », c'est un vrai, beaucoup plus important qu'un simple « même-mère ». Je lui tends cinq cents balles. Un Africain empoche toujours le billet qui se présente devant lui, mais visiblement, il est déçu.

« Monsieur Charlie...

— Non, c'est tout. Tu n'as qu'à te trouver des putes moins chères. »

Le chef des flics de Ségou, c'est notoire, baise comme un saligaud. Je sais bien que *no money no fuck*, mais qu'il se débrouille.

« Allez, casse-toi. »

Il comprend. Il se retire avec mille courbettes et sourires mielleux. Lui non plus ne doit pas beaucoup m'aimer. En Afrique, il n'y a pas de secret, pour grimper vite et surtout ne pas avoir de problèmes, il faut donner de l'argent à tous les fonctionnaires de son terrain d'action. Une fois qu'on a payé, il faut toujours payer. Cela je le savais. Là où j'ai fait une erreur, c'est, dans mon désir immédiat de puissance, de trop payer dès le début. Ils n'attendent qu'une faute de ma part et je sais que, si j'ai des problèmes un jour, ça viendra d'eux.

Il était dit que je ne serai pas tranquille aujourd'hui. Aussitôt après le Français pour la bétaillère.

Je l'invite à s'asseoir. Il sort son chéquier.

« Pas de chèque. »

Il en reste le stylo en l'air. Jacky, me voyant énervé, arrondit les angles, et suggère qu'on fasse encaisser le papelard par Étienne. L'accord conclu, le fermier, qui n'a pas compris que ce n'est pas le jour, me demande quelles garanties je lui offre.

« Des garanties, Arthur...

— Je m'appelle Jean-Pierre.

— Des garanties, mon cul ! Je te le dédouane et tu me demandes des garanties ! »

Je me suis mis à crier. Je suis très mauvais vendeur. Mon boulot à moi c'est la traversée du désert, pas la diplomatie. Le barbu est effrayé. Je laisse Jacky arranger les choses. Il expose calmement nos arguments, et l'autre ne sait plus que répéter qu'il comprend. Une fois que c'est réglé, il se dépêche de mettre les voiles. Chotard et Peyruse qui nous ont rejoints, s'amusent bien. Moi, j'en ai marre de l'Afrique.

« Allez, les gars, on se casse.

— Maintenant ?

— Ouais, on va prendre l'avion demain à Bamako.

— Bonjou' pat'on Cha'lie.

— Bonjou' pat'on Cha'lie. »

Deux bouilles noires, juste éclairées par de grands yeux tout ronds, passent timidement la porte. Ce sont mes deux carrossiers maliens qui viennent me dire bonjour. Je leur souris, alors leurs visages s'éclairent et ils se décident à entrer.

Ils ont passé une bonne partie de leur vie au Ghāna. Je les ai ramassés chez un tôlier malien qui les exploitait, et depuis ils bossent pour moi, dans le garage de la maison. Ils sont frères et c'est presque impossible de faire la différence entre l'un et l'autre. Un des deux est un peu plus gros, c'est tout. Ils ont des noms imprononçables, Bobobabido, plus les prénoms, alors je les ai appelés One et Two. Ces surnoms leur plaisent beaucoup.

Ils sont les bienvenus. Je les aime bien, ces deux-là. Leur naïve candeur est rafraîchissante. Comme ils m'ont demandé plusieurs fois d'aller en France et de faire du voyage, je leur dis :

« On va s'en aller, les gars. On retourne en Europe. Vous voulez venir avec nous ? »

C'est presque une plaisanterie de ma part. Je n'ai pas vraiment pensé à emmener ces deux gamins qui, certes, travaillent bien, mais n'ont jamais quitté la brousse pour un convoi. Leurs deux immenses sourires, la joie spontanée et simple qui se peint sur leurs visages m'empêchent de revenir en arrière.

« Bon. Vous avez vos permis de conduire ?... C'est pas grave. Vous avez vos passeports ?

— Non, pat'on.

— On va arranger ça. Bon, Chotard, tu fonces encaisser le chèque du bouseux chez Étienne, et fais la tournée des commandes. Peyruse, tu t'occupes de One et Two, qu'ils se préparent vite. Jacky, s'il te plaît, tu nous prends deux taxis. On va en Europe, les gars. »

Je n'aime pas Bamako. On est loin, dans cette capitale grouillante, de la tranquillité de ma retraite de Ségou. C'est une ville désordonnée, étouffante, où strictement rien ne marche comme il faudrait. Les bâtiments datent de la colonisation. Aucun d'entre eux n'a été entretenu depuis l'Indépendance. Les avenues et les rues sont sans cesse envahies par une foule bruyante de Noirs. Les Peugeot déglinguées, surchargées de passagers et de marchandises foncent dans le tas. Les Blancs sont immanquablement agressés par une série de vendeurs et de mendiants, sans compter les infirmes, les lépreux et tous ceux qui meurent de faim. J'y réduis mes séjours au maximum, et je ne sors de l'hôtel que pour prendre l'avion.

Nous sommes arrivés hier soir, après un rapide trajet en taxi-brousse, des 540 breaks qui transportent d'habitude seize personnes, mais que nous réservons pour nous. Demain matin, nous prendrons le vol pour Paris.

Face au Niger, l'hôtel de l'Amitié est un de ces palaces africains modernes à dix étages, au décor acceptable et aux chambres en voie de dégradation. C'est à la piscine, cet après-midi, que j'ai reçu One et Two pour les dernières recommandations. Il faut qu'on leur trouve des passeports, et qu'ils se débrouillent pour retirer leurs billets d'avion. Et surtout, je ne veux pas qu'ils amènent une provision d'herbe en France. Je leur ai expliqué que c'était interdit là-bas, et qu'ils risquaient la prison.

« La prison en France, c'est très grave. Là-bas, je

ne pourrai pas vous en sortir. Alors pas d'herbe, compris ?

— Oui, pat'on.

— Pas d'herbe. Compris ?

— Oui, pat'on. Pas d'he'be. »

J'ai chargé Albana de les chaperonner pour leurs diverses formalités. Il m'a été recommandé par des relations d'ici, des clients qui comptent sur lui pour veiller sur leurs marchandises. C'est un Noir, toujours en djellaba, car il est musulman. Ce n'est d'ailleurs pas la religion qui l'étouffe. Il suit, bien sûr, les préceptes du Coran qui dit de cracher sur la première goutte de vin. En bon musulman, il verse une goutte sur la table, crache dessus, l'injurie copieusement. Les autres gouttes, c'est différent...

Les formalités accomplies, se sentant en règle avec la religion, il se bourre la gueule consciencieusement. Les rares fois où je l'ai vu, il était toujours soûl à la fin de nos rencontres.

Je lui ai recommandé de veiller sur One et Two, et je l'ai remis à sa place. Albana habite la capitale, et il se sent supérieur aux deux autres, arrivés de la brousse. Il m'a prévenu, en aparté, que One et Two étaient des Bellahs, des anciens esclaves, alors qu'il est, lui, un Bambara, ou quelque chose comme ça.

« Albana, tous les trois, vous faites partie de la même équipe, compris ? Je ne veux pas de racisme ou autres conneries de ce genre entre vous, et en tout cas je ne veux pas en entendre parler. »

Leurs haines respectives datent de plusieurs siècles et je m'en balance. Accessoirement, j'aime bien One et Two, et je n'aime pas Albana. J'ai donné un peu d'argent aux deux bamboulas pour qu'ils s'organisent pendant que se régleront leurs problèmes.

Ce soir, Peyruse fait la fête au bar de l'hôtel. Jacky m'a rejoint dans la chambre pour fumer quelques joints et j'ai convoqué Chotard.

Jacky a les plus grandes qualités, celles que je respecte. Il veut vivre, prendre tous les plaisirs. Il est courageux, généreux et il n'a aucun respect pour l'argent. Nous nous sommes tout de suite entendus. Après un mois de rigolade, il est venu avec moi pour mon retour en Afrique. Nous nous sommes distribué le boulot. Si je suis le leader, le grand chef des convois en Afrique, lui, plus à l'aise que moi en Europe, se charge de toute l'organisation là-bas, des convois comme de nos plaisirs. Les bénéfices que nous réalisons sont pour nous deux. Jacky est plus que mon associé, c'est mon copain.

Chotard est plus âgé, la trentaine. Lui aussi a des qualités, mais la principale à mes yeux est d'être un vieux copain de Jacky. Il est devenu un employé. Qualifié, mais employé quand même.

« Alors, Chotard, elle est finie, cette comptabilité ? »

Jacky est allongé sur le lit. Il se marre doucement. Il ne donne jamais d'ordre à Chotard, mais la séance de vérification des comptes est toujours pour lui l'occasion d'une petite blague. Chotard est déjà naturellement nerveux pendant l'inspection. Jacky me pousse alors à exagérer la comédie du petit chef. Il multiplie les petits signes, « vas-y, embête-le » et, pour faire rire mon copain, je lui offre à chaque fois ce petit plaisir.

Chotard est assis à la table, son attaché-case ouvert devant lui, et il déballe les petits papiers qu'il a accumulés pendant le trajet. Jacky a pris le cahier principal et c'est lui qui me fait le premier résumé. La comptabilité m'emmerde. Avec Jacky, au moins, c'est clair et bref.

« Bon alors, cette fois-ci, on a rentré cent trente mille dollars, plus ce qu'on a gagné à Ségou. »

Je ne fais confiance qu'au billet vert. C'est en dollars que je veux que mes bénéfices soient calculés, et Chotard doit s'arranger pour se mettre au courant des cours de la bourse. Car je veux un compte exact.

« Pas mal. Et les sorties ?

— En caisse, il nous reste... »

Jacky me désigne Chotard penché sur ses amas de papelards, en rigolant en douce.

« Il nous reste, au cours du jour, calculé par Chotard, très exactement quatre-vingts mille dollars. »

Chotard a sursauté et, inquiet, attend ma réaction. Je ne le fais pas attendre.

« Cinquante mille dollars dépensés ! Chotard, qu'est-ce que c'est que ce bordel ? »

Jacky et moi nous foutons pas mal de l'argent. On s'en soucie d'autant moins que nos bénéfices sont énormes. C'est une chose que Chotard n'a jamais compris. Il ne sait pas où commence la plaisanterie. Très sérieux, il me rétorque :

« Mais j'ai noté toutes les sorties. Tu peux vérifier.

— Voyons. »

Il prend son inspiration et commence :

« J'ai compté cent huit moutons...

— On a mangé tout ça ?

— Oh ! Vous avez invité tout le monde sur la route. Au bout du compte... »

Jacky explose de rire. Il a allumé un énorme joint, et il commence à bien s'amuser.

« Bon, mais ce n'est quand même pas ça qui a bouffé tant de fric. Quoi d'autre ?

— Il y a les putes.
— Combien ?
— Au cours du jour... douze mille dollars.
— Comment, douze mille ? Chotard, arrête un peu. On n'a pas pu baiser autant, camarade ! »

Plus on avance dans les comptes et plus il se raidit. Ce petit type brun, nerveux, aux yeux en amande, est parfait dans le rôle derrière lequel il se retranche, le comptable consciencieux et au fait de son boulot.

« J'ai déjà essayé d'attirer votre attention sur cette catégorie de dépenses, à mon avis exagérées...
— Ah ! ouais ?
— Et à chaque fois, vous avez rigolé.
— Ah ? Tu as dû te tromper dans tes comptes, ce n'est pas possible. »

Triomphant, il me brandit un paquet de fiches.

« Ça commence par Gao. Soixante-douze filles à quatre-vingts balles de moyenne. » Puis il m'énumère les étapes du voyage :

« Gossi, trois. Hombori, douze. Boni, cinq. Douentza, huit... Et certaines atteignent des records. À Sofara, une de ces demoiselles a été rémunérée cent cinquante francs. »

Je lui prends le papier des mains. Effectivement, il y a inscrit : « Sofara, une pipe, Charlie. »

Je vois ce que c'est. Si l'on baise énormément en Afrique, il est difficile d'obtenir autre chose que le tchoukou-tchoukou habituel. « Pour une ca'esse buccale, c'est pas p'op'e, pat'on, ou une int'oduction anale, ça fait mal pat'on », il faut faire monter les enchères. Les filles refusent jusqu'à ce que le prix soit irrésistible. Chotard continue :

« Je tiens à vous signaler que vous êtes loin en tête, suivi directement par Jacky et par... »

Là, il ne peut s'empêcher de sourire. Un petit raclement de gorge :

« ... par moi-même.

— C'est ça ! C'est toi ! Chotard, tu baises trop. »

Cette fois, il panique un peu dans ses fiches. Ce type est fin, cultivé, il a énormément d'humour. C'est un boute-en-train de première. Il utilise souvent son physique de mandarin pour jouer les Chinois fourbes, avec un rire sarcastique, un numéro très au point. Avec moi, ce n'est plus le même. Il a toujours peur.

« Mais Charlie, je t'assure...

— Bon, ça va. Ensuite ?

— Les fêtes, les repas, l'herbe. En résumé, les plaisirs nous sont revenus à un peu moins de trente mille dollars.

— Ensuite ?

— Achat de fonctionnaires. Un peu plus de dix mille. Chiffre en progression.

— Bien. Et les bonnes actions ?

— Neuf mille sept cent cinquante et... dix mille, quoi ! »

Les bonnes actions, ce sont toutes les denrées que nous distribuons sur la piste, dans ces zones où les gens manquent de tout. Tous mes convois sont chargés de cartons de boîtes de lait, de sacs de riz et de boîtes d'aspirine. A chaque fois que nous traversons le Sahel, on s'arrête à chaque campement pour une distribution. Là, ça ne va pas. Les dépenses d'agrément sont plus importantes que celles des bonnes actions. Ce n'est pas normal. Pour rééquilibrer, la prochaine fois, on augmentera la part de ces dernières.

« Ça va pour les comptes, Chotard. Il faudra que tu mettes tout ça dans un petit classeur. C'est trop confus. »

Je dis juste cela pour le faire marcher, mais il ne

comprend pas et range son petit matériel en faisant la tête. Il nous salue à peine en partant, refusant le joint que Jacky lui propose. Je lui demande de passer voir Peyruse, s'il descend au bar, et de le surveiller un peu. Il me ronchonne « qu'il va voir » et il nous laisse.

Depuis Gao, Peyruse m'inquiète. Ce serait trop bête qu'il se remette à boire. Bientôt, je n'y pense plus. Les draps sont grisâtres mais frais, et je m'endors aussitôt.

TROISIÈME PARTIE

L'EUROPE est en plein hiver. Je n'aime ni le froid européen ni les grandes villes, mais Paris fait exception. C'est un endroit magique, et d'autant plus agréable que j'ai deux guides avertis pour me faire profiter des plaisirs qu'on y trouve : Jacky et Koka.

Koka nous adresse de grands signes, à l'arrivée de Charlie-Airport. Les autres passagers se retournent sur cette grande fille brune et expansive, qui hurle nos noms.

Elle nous couvre, Jacky et moi, de nos deux fourrures, qu'elle n'a pas oublié d'emporter et m'embrasse avec fougue en me mettant la main au panier. Un coup de poing dans le ventre de Chotard, un autre dans celui de Peyruse.

« Il est nouveau, celui-là. Il est mignon. Dépêchez-vous, les hommes, je suis mal garée. »

J'ai juste le temps de donner mes instructions à Chotard, et de dire au revoir à Peyruse.

« Ciao Peyruse. Rendez-vous dans une semaine, pour le prochain départ.

— Ciao Charlie. À bientôt. »

Et Koka nous entraîne dans son tourbillon. La Rolls, que nous louons pour nos séjours en Europe, est rangée en travers, au milieu de la route circulaire qui dessert l'aéroport. Un petit flic hésite à la verbaliser. Koka se coiffe d'une casquette de chauffeur.

« Montez. »

A l'arrière, une surprise nous attend. Sur les petites tables de bois vernis, Koka a dessiné un grand *Welcome* à la coke. A côté, un billet roulé de sa main nous attend, et nous n'avons plus qu'à sniffer ce cadeau de bienvenue. Un magnum de champagne repose dans le frigo. Comme ce retour à la civilisation est agréable !

Koka roule à fond sur le périphérique, renversant la tête pour boire à même la bouteille de champagne que nous lui passons. Elle me regarde dans le rétroviseur pour me dire des cochonneries, et double toutes les voitures. En moins de vingt minutes, nous sommes en bas de chez elle, avenue Foch.

La vieille bonne sud-américaine, la nounou de Koka, nous ouvre la porte. Elle m'adore, et nous échangeons quelques phrases en espagnol. Le living est une immense pièce blanche, décorée de sculptures modernes. Une fortune en toiles de maîtres complète le décor. Autour d'une table basse en marbre, la cour des inévitables parasites de Koka lève à peine les yeux à notre arrivée. Il y a là en permanence deux ou trois jeunes cakes à lunettes et une tribu de ravissantes jeunes filles blondes. Elle en prend une par le bras et l'amène devant Jacky.

« Elle est pour toi. Défonce-toi, je lui ai promis que tu allais l'honorer comme un sauvage. »

Et elle les dirige tous les deux vers une des portes qui mènent aux chambres, avant de m'entraîner jusqu'à une des salles de bain, où un bain chaud m'attend.

Je suis une exception dans la vie de la sublime Koka. Ce soudard au féminin n'aime que les filles. Les blondes du living constituent sa réserve personnelle. J'ai cependant droit, dans cette salle de bain confortable, au traitement de faveur, car en plus d'être une bonne copine, Koka est une partenaire exceptionnelle. C'est une splendide fille. Seules ses hanches un peu larges sortent des canons habituels de la beauté, tout en ajoutant un petit plus à son charme un peu particulier. Fille de diplomates d'une république bananière d'Amérique latine, elle se sert de la valise diplomatique pour alimenter son commerce de cocaïne. Hyper énergique, cette activité lucrative ne l'empêche pas d'être, en plus, peintre, et journaliste à l'occasion.

Elle s'apprête d'ailleurs à nous entraîner dans plusieurs fêtes cette nuit. Pour nous soutenir, nous avons sa coke personnelle, d'une exceptionnelle pureté. Rien à voir avec les produits frelatés qu'on trouve habituellement en Europe. Cette coke est aphrodisiaque et ne coupe pas l'appétit. Autre réconfort, Koka nous a fait préparer une petite collation sur la table basse. Foie gras, caviar, fromages et champagne. Nous dégustons le tout, ravis du plaisir de ces saveurs sur nos palais fatigués par l'Afrique.

Pendant cinq jours, tous les plaisirs nous sont offerts. C'est un festival de repas, de soirées, de lignes de coke et de rires à n'en plus finir.

J'ai besoin de ce luxe et de ce confort. Se glisser dans des draps blancs et frais en agréable compagnie, une coupe de champagne à la main, des mots doux susurrés à l'oreille d'une voix chaude, des attentions, des soins, des plaisirs partagés, c'est tout ce que je demande.

La nuit, je tâte, dans un demi-sommeil, les culs propres et rassurants qui m'entourent et me rendors heureux.

Après les boubous odorants de l'Afrique, j'ai des émotions d'adolescent devant les petits calbars en coton blanc et nets de mes compagnes. Chacun de mes sens se gorge de pureté.

Je passe des moments merveilleux en tête-à-tête avec Koka. Ma compagne parisienne n'est pas jalouse, ce qui ne veut pas dire qu'elle manque de fierté. C'est elle-même qui m'indique, parmi toutes ses copines, celles que j'ai le droit d'honorer, quand elle ne me partage pas, tout simplement, en me poussant dans les bras d'une de ses amies.

Jacky, lui, profite de toutes celles qui passent dans cet appartement de rêve.

Un soir, pourtant, le rêve s'arrête brutalement.

La Gorda, la nounou de Koka, nous apprend que Chotard a téléphoné plusieurs fois. Ce n'est pas dans ses habitudes. Il appelle toujours à heures fixes et débite un rapport soigneusement préparé. Je suis sûr qu'il se passe quelque chose.

Après une nuit d'inquiétude, Chotard, le matin, m'apprend que Peyruse est mort à Bordeaux d'une crise de malaria que son foie, rongé par l'alcool, n'a pas supporté.

C'est un coup dur.

Nous prenons l'avion immédiatement. A Bordeaux-Mérignac, Claude, un autre copain d'adolescence, nous attend dans sa Mercedes. Le temps de passer prendre Suzy, l'ex-femme de

Peyruse, et Claude nous conduit tous à la morgue de l'hôpital des enfants où Peyruse est mort.

Claude et Jacky, devant, ne disent rien. Il fait gris et froid. Le trajet est long, dans Bordeaux bloqué par des embouteillages. Je réfléchis, installé à l'arrière avec Suzy.

Excuse-moi, Peyruse, mais en plus d'être un salopard, et rien d'autre qu'un salopard, j'ai besoin de comprendre. Je ne me marierai jamais. Peyruse en est mort. Il s'est laissé détruire par cette fille blonde, belle, dont l'accent du Sud-Ouest fait frémir dès qu'elle ouvre la bouche, pour parler.

Vous n'êtes guère charitables, mesdames.

Peyruse est allongé dans son tiroir. Il a morflé, le copain. Son visage est bouffi par la mort, et il est jaune. Entre la fixité du cadavre et les dégâts de la maladie, j'ai du mal à le reconnaître, et en tout cas à retrouver cet ami d'enfance que j'avais pu retaper en lui offrant l'aventure.

Putain de bordel. Il s'en était presque sorti. Suzy chiale et renifle sans arrêt. Pleure ma belle, tu pisseras moins.

Dehors, il fait toujours aussi gris et il pleut.

La fête est terminée. Jacky s'était vite pris d'amitié pour Peyruse, mais comme moi il n'a pas l'intention de s'apitoyer. Ce n'est pas notre genre. Pourtant, ni l'un ni l'autre n'a encore envie de s'amuser. De Bordeaux, nous partons directement pour la ville industrielle où nous avons installé notre bureau et notre entrepôt. Mon intention est de préparer le plus vite possible le prochain convoi, le plus énorme qui soit jamais descendu en Afrique. Je veux me lancer tout de suite dans l'aventure, ramasser un paquet de pognon et passer à autre chose.

Le sort en décidera autrement.

Deux jours plus tard, nous profitons de l'ouverture de la chasse pour faire une orgie de gibier, quand des nausées m'envahissent. J'ai vite identifié la fièvre qui m'attaque. C'est la malaria. Il semble que l'Afrique veuille régler ses comptes.

Jacky, inquiet, insiste pour m'emmener à l'hôpital, pour au moins se procurer de la quinine. Ça arrêtera la fièvre.

C'est un grand bâtiment ancien aussi accueillant qu'une prison et qui pue l'éther. On suit les panneaux « Urgences » et on se retrouve devant trois jeunes types en blouse blanche qui viennent de prendre leur service. On les dérange en plein café. Un petit barbu à lunettes me toise en finissant sa tasse.

Il n'a pas l'air d'apprécier notre look. Nous avons le même âge que lui, mais, visiblement riches et bronzés, quand lui est condamné à verdir sous les néons, il nous fait bien sentir que nous sommes de trop.

« C'est pour quoi ?

— J'ai la malaria. Je connais les symptômes et je sais qu'une crise se prépare. Auriez-vous de la quinine pour l'enrayer ?

— La malaria ?

— Oui. Je reviens d'Afrique. J'ai au moins 43 de fièvre. »

Un des deux autres se met à ricaner.

« Ce n'est pas possible. Avec 43, vous ne pourriez

pas vous tenir debout, ni parler. Vous seriez en plein délire.»

Le barbu acquiesce.

Comment expliquer à ces apprentis bouchers ? Je me force à rester calme, et, gentiment, j'explique au barbu :

«Je prends énormément de drogues et j'ai l'habitude d'être dans un état second. J'ai déjà eu des crises. Tout ce que je veux, c'est de la quinine pour arrêter ça.

— Mais on ne peut pas vous délivrer un médicament comme ça !»

Cette fois, il m'énerve. Je vais me casser et les envoyer gentiment se faire foutre, mais le barbu me retient par le bras.

«On va vérifier votre température. Vous allez voir que mon collègue a raison.»

Quelques minutes plus tard, il regarde le thermomètre et change de ton.

«Mais il faut vous hospitaliser !»

La discussion a aggravé mon état. J'ai une brusque montée de chaleur, un voile devant les yeux... Mon copain Jacky me retient, aidé des internes, puis je me rends compte qu'on me couche sur une civière.

«Non. Je veux seulement un peu de quinine et c'est tout.»

Jacky me parle pendant qu'on me trimbale dans des couloirs. Mais je n'ai pas le temps de rester à l'hôpital, moi ! Il faut s'occuper du convoi.

Quelques minutes plus tard, je tombe dans les pommes.

Je flotte. Je me réveille, tout est lointain. Des bruits, on me touche. Je retombe dans les vapes, pour revenir à moi sous une lumière électrique qui me fait mal aux yeux. Une infirmière me parle. Le jour, de nouveau, puis, peu à peu, mes moments de conscience s'allongent. Je suis conscient, mais dans un sale état. J'ai toujours de la fièvre, et impossible de voir ce qui se passe. Il y a une rangée de lits à ma droite, mon voisin est un petit vieux qui n'a pas bougé depuis mon arrivée.

L'infirmière est une vieille à la voix criarde, qui ne fait que gueuler. Lorsqu'elle entre dans la salle, c'est pour houspiller un malade, à deux ou trois lits du mien, toujours le même. Cette jamais ou mal baisée s'acharne sur le pauvre type pendant plusieurs minutes. C'est insupportable de l'entendre.

J'ai froid intérieurement, puis je me mets à brûler. Je demande qu'on change les draps, trempés après chaque poussée de fièvre, mais la vieille ne veut rien savoir. On change les draps le matin et ce n'est plus l'heure.

Seul moment supportable dans cette ambiance, les visites de Jacky. Plusieurs fois par jour, j'entends sa voix faussement enjouée: « Hermano, ça va », et je me réveille. Il me parle et ça me fait du bien.

Le pire, c'est qu'on ne me soigne pas. Un toubib est passé, m'a ausculté sans me dire un mot, puis il a disparu. Depuis, je n'ai pas eu un seul médicament, et on fait semblant de ne pas entendre quand je demande de la quinine.

Un jour, je n'y tiens plus, la vieille paie pour tout le monde. Je lui hurle des obscénités comme elle n'en a jamais entendues.

« Hermano. Calme-toi, tranquille. »

Je m'accroche aux épaules de Jacky. L'infirmière sort en courant.

« Tire-moi de là, Hermano, je n'en peux plus.

— O.K., ne t'inquiète pas, je vais m'en occuper. J'arrange les papiers et on s'en va. »

Il m'a trouvé une chambre chez une copine. Je me débats contre la fièvre quelques jours. La crise s'éternise. Une nuit, je me réveille en sursaut, fendu en deux par une douleur que je connais bien. Mes reins se réveillent à nouveau. Toute la nuit, des couteaux me fouillent l'aine. Les jours suivants, la douleur ne me lâche pas, elle a rarement été aussi forte et je sens toute cette mécanique en train de flancher.

Ma pisse est marron et elle pue. C'est une véritable horreur de voir ça sortir de moi. Cela me dégoûte tellement que je ne me supporte plus. J'ai l'impression que tout mon corps s'est mis à puer. Un soir, en rentrant, la copine de Jacky vient me dire quelques mots gentils, comme d'habitude, et ouvre la fenêtre, laissant entrer l'air glacial. C'est là que je comprends que je sens réellement le moisi. Ma sueur charrie je ne sais quelle pourriture intérieure.

Je comprends. Je suis foutu.

Je ne peux pas imposer ça à la copine. Je demande à Jacky de m'emmener dans un autre hôpital. Peut-être seront-ils plus efficaces que dans le premier ?

Mais c'est le même bordel qui recommence. Les médecins ne connaissent pas la malaria, et encore moins ce truc qui m'attaque les reins. Je leur dis que j'étais à l'hôpital quelques jours plus tôt, et ils ont fait venir mon dossier sur lequel il y a quelques lignes sur ma maladie. Le reste, c'est la vieille infirmière qui s'est défoulée. Après en avoir fait la lecture, les toubibs m'ont à l'œil. J'ai même droit au sermon.

Tremblant, vidé de tout ce que je peux avoir de sain, je suis absolument sans force. Sinon, j'attraperais ce guignol en blouse blanche qui m'explique qu'on ne doit pas agresser le personnel soignant, et je l'obligerais à se pencher sur mon cas. Au moins à *essayer* de me guérir !

Jacky vient tous les jours. Il sourit et me donne des nouvelles du convoi, mais, putain, je vois bien qu'il est triste.

« Jacky, ce sont des cakes ici. Ils vont me laisser mourir.

— Pas de problème, Hermano. On s'en va. »

Mon camarade se charge de tout, et trouve en une journée une clinique privée.

Au moins, j'y suis confortable. C'est le top de la ville, propre, calme et très cher. J'ai la télévision, une grande salle de bain, et on change les draps à chaque fois qu'ils sont mouillés.

Mais dans mon corps la pourriture progresse.

Je n'arrive pas à manger. Je choisis pourtant mes menus mais j'ai envie d'envoyer le plateau par la fenêtre quand il arrive. Même la viande me dégoûte. J'essaie de la mâcher pour avaler le jus, et ça ne marche pas. J'ai maigri, complètement fondu, et maintenant mes poumons me brûlent. Jacky m'a apporté des joints que je n'arrive pas à fumer. Une taffe et je m'étrangle. Au moins, ma tête va-t-elle un peu mieux pendant quelques minutes.

De la fenêtre, j'aperçois les toits de la ville où je suis planté. Le ciel, les ardoises, tout est gris, humide, et il y a des fumées d'usine en quantité, à quelques kilomètres. Une ville d'Europe pendant l'hiver.

Ce n'est pas dans cette grisaille que je veux mourir. Je veux crever au soleil. Je vais demander à Jacky de m'emmener quelque part où il fait chaud.

Pour la première fois, la force mentale qui m'a toujours soutenu et lancé en avant décline. J'ai abandonné la lutte et accepté le fait. Tu vois, Peyruse, chacun son tour. C'est à moi, aujourd'hui, d'être tué par l'Afrique.

Les seules forces qui me restent, après une taffe d'herbe, me permettent mon seul bien-être, une douche après chaque montée de fièvre, pour me laver de toute cette saloperie qui sort de moi. Ensuite, je m'écroule sur mon lit pour des heures de sommeil noir qui ne me reposent pas.

Un matin, vers dix heures, je me redresse en entendant dans le couloir un pas rapide qui ne peut appartenir qu'à une seule personne, des pas presque aussi décidés et claquants que ceux de Jacky. La porte s'ouvre à la volée, c'est elle.

Koka apparaît dans l'encadrement, les bras écartés.

« Charlie, c'est moi. Jacky m'a dit au téléphone que tu étais très mal, alors j'ai pris l'avion ce matin pour venir te voir. Content ? »

Elle s'approche et me regarde.

« C'est vrai. Tu es mal en point. Attends. »

Et elle me prend, me traîne à la salle de bain où elle fait couler un bain chaud sur moi, sans pouvoir se retenir de froncer le nez. Elle me frotte doucement, me lave et me rase, sans cesser de parler.

« Voilà, tu es beau comme ça. »

Elle appelle l'infirmière pour faire changer la literie, me retraîne jusqu'au pieu, tire de son sac un vaporisateur de parfum pour m'asperger le cou et les épaules.

« Voilà. Tu es beau et tu sens bon. »

Elle s'étend à côté de moi, me caresse la poitrine et, ne doutant de rien, me pelote le sexe. Au bout de quelques minutes, elle cesse sa caresse inutile.

« Eh bien, tu es vraiment mal en point, *hombre.* »

Elle sort de son sac son petit matériel et me prépare une ligne de coke. Au point où j'en suis, ça ne peut pas me faire de mal. Je sniffe avec difficulté et je retombe sur mon oreiller. Koka reprend son matériel et retrousse sa jupe. Toujours prête, elle ne porte rien en dessous, sinon un porte-jarretelles. J'ai l'impression que je vais exploser. La brusque flambée de speed dans mon corps sans énergie me donne une grande claque. Elle s'aperçoit de mon changement d'état et revient s'allonger près de moi. Toujours retroussée, impudique, elle se caresse, son visage tout près du mien.

« Tu ne vas pas mourir sans m'avoir honorée une dernière fois. Charlie, salopard, prends-moi avant de crever, salaud. »

Le miracle se produit. Elle s'en rend compte et me sourit. Elle a réussi. Elle se retourne et, le visage face au miroir au-dessus du lit, elle m'offre son cul.

L'effort m'anéantit mais je m'applique à trouver l'énergie nécessaire. C'est la dernière fois que je présente les hommages à une femme. Je ne peux pas manquer ça, je n'en ai pas le droit.

Tout à coup, dans le miroir, apparaît la tête de Jacky, et je devine celle du docteur derrière lui. Koka leur crie d'aller voir ailleurs ce qui s'y passe.

Plus tard, tremblant de tous mes membres, complètement vidé, j'écoute le docteur et son assistant raconter leurs histoires habituelles, et je regarde Koka rajuster sa toque de fourrure. Elle me fait un clin d'œil. C'est à ce moment-là que je sens, je ne sais pas où dans mon corps ou dans ma tête, qu'elle vient de me sauver.

Je ne vais pas mourir, non.

Merci Koka. Tu m'as redonné la seule force capable de lutter contre la maladie. L'envie de vivre.

Mesdames, sans vous, quels seraient les plaisirs de la vie ? Vous êtes irremplaçables. Je vous adore, toutes, avec vos jolis corps, vos seins, vos bouches, vos pièges pour nous avoir.

Mais comment faites-vous pour être aussi attirantes ?

Argent ? Gloire ? A quoi bon si vous n'êtes pas là. Je veux bien lutter et souffrir, risquer tout si, au bout du combat, il y a l'une d'entre vous, avec ce don que vous avez de nous faire tout oublier.

On a tellement besoin de vous. Vous êtes douces, vous êtes belles, vous êtes merveilleuses. Et puis c'est tellement bon, vos jolis culs, mesdames.

Koka reste deux jours avec moi, et s'applique à me redonner goût à la vie. Ayant totalement retrouvé ma vitalité, je lui suggère gentiment de rentrer à Paris, avant que ses soins intensifs n'aboutissent à l'effet contraire de celui escompté, et n'achève mon début de guérison.

Si le moral est retrouvé, la maladie n'est pas disparue pour autant. La fièvre m'écroule sur mon lit plusieurs heures par jour. La nuit, le soudain réveil de mes reins m'arrache au sommeil et me plie en deux. Je passe de longues heures pénibles à lutter dans le noir.

Pour la première fois depuis longtemps, je me suis observé dans la glace, et j'ai pu mesurer l'ampleur des dégâts. J'ai complètement fondu. Vingt kilos sont partis pendant l'épreuve, mes joues sont creusées et j'ai pâli. Bien que persuadé que la machine à vivre est repartie, c'est avec inquiétude que je me contemple, le teint presque clair, amoindri et les yeux brillants de fièvre. Mon corps n'a pas tout à fait encaissé le coup.

Du soleil. De la chaleur. Voilà ce qui me remettra complètement. Il faut rassembler assez de forces pour sortir d'ici, mettre le convoi en branle, partir avec lui et me retaper au chaud soleil d'Afrique.

Malheureusement, ce n'est pas aussi simple que ça.

Pour reprendre un peu d'énergie, de quoi sortir de cet hôpital, il faudrait que je mange, et mon estomac refuse tout aliment. C'est le cœur au bord des lèvres que je mâchonne les aliments que je commande, et que je n'arrive jamais à avaler.

Jacky me parle tous les jours de fruits et de cure de vitamines naturelles. Un matin, il arrive avec quelques sachets de fruits exotiques. Ça passe mieux, mais je n'arrive tout de même pas à en avaler plus d'un à la fois. Agréables sur le moment, la saveur, l'odeur du fruit que je suis en train de manger me deviennent vite insupportables. Je m'alimente simplement de quelques verres d'eau. Le liquide se fraie un chemin sans trop de problèmes.

Pourtant, puisant dans mes dernières réserves, mon état physique s'améliore. Je me force maintenant à marcher le long du couloir qui passe devant ma chambre, et je fais même quelques pompes, sous le regard étonné de madame mon infirmière.

Un matin, alors que je viens de faire une longueur de couloir, en saluant amicalement et bruyamment les voisins, la porte de l'ascenseur s'ouvre sur Jacky, qui porte un immense carton. Derrière lui, dans l'ordre, emmitouflés et chargés de cageots de fruits, arrivent One et Two, les deux bamboulas, Albana et, fermant la marche, attaché-case toujours prêt, Chotard, souriant et contracté.

Toute la procession passe devant moi et transforme ma chambre en marché de primeurs. Jacky, toujours excessif, a acheté des fruits par kilos. Oranges, bananes, trucs exotiques, carottes... Il y a même un chou et un quartier de citrouille. Mon copain déballe son cadeau. C'est un énorme mixeur à fruits qu'il s'acharne à assembler et mettre en marche, la notice à la main.

« Regarde, Charlie, c'est spécial pour les jus de fruits. La voilà, la solution. »

Les deux bamboulas et Albana sont arrivés deux jours plus tôt à l'aéroport où Chotard les a receptionnés. Jacky leur a fait acheter des fringues d'hiver, et ils sont couverts de plusieurs couches de pulls, manteaux, pantalons et chaussettes. Albana surtout est méconnaissable. On ne voit de lui que ses yeux, le reste de sa figure étant recouvert d'un passe-montagne de laine.

One et Two, eux, arborent de magnifiques casquettes fourrées aux rebords rabattus sur les oreilles. Jacky leur a acheté à chacun un gros chiffre en cuivre, qui brille sur le devant de leur chapeau. 1 et 2. Ça me fait plaisir de les voir, ces deux types simples et sympathiques. Sitôt arrivés, ils se sont mis au boulot sur les camions, au hangar, où on les a installés. J'invite tout le monde à s'asseoir et à se mettre à l'aise, mais les Africains crèvent de froid dans ce climat et consentent simplement à enlever leurs gants. Ils veulent garder leurs nouveaux habits, dont ils sont d'ailleurs très fiers.

Enfin, Jacky branche son appareil, jette des fruits dans le bol et envoie la sauce. L'engin fait un bruit d'enfer, qui doit réveiller toute la clinique. Tout fier, il me tend un jus d'orange, qui s'avère excellent. Ensuite, il s'en prépare un, puis un pour Chotard. Il commence déjà à y avoir des épluchures partout autour de l'appareil, et des taches sur le mur. Jacky, trop pressé, n'attend pas que le mixeur s'arrête complètement pour soulever le couvercle, et ça gicle partout.

« Tiens, One, goûte-moi ça. »

Il a à peine tendu le verre au premier des bamboulas qu'il entasse de nouveaux fruits dans l'appareil et broie le tout.

« A toi, Two. Bois ça. C'est bon, c'est bon. »

Il sert tout le monde et il repart pour une tournée générale au milieu des gouttes de jus et des peaux. Il rigole comme un gamin. C'est un vrai souk. Je rigole aussi, et les bamboulas, me voyant content, rient eux aussi de toutes leurs dents.

Une qui n'est pas contente, c'est l'infirmière quand elle entre dans la chambre.

« Cet appareil fait beaucoup trop de bruit. Vous dérangez tout le monde. Et voyez cette saleté. »

Jacky lui explique que ça fait partie de mon traitement. Une bonne cure de vitamines naturelles. Elle hausse les épaules et renonce. C'est une vieille dame sèche, au propre comme au figuré. Elle me croit fou depuis que je lui ai caressé les fesses il y a deux jours et le spectacle qu'elle a sous les yeux lui confirme son diagnostic.

Cette femme a quand même raison sur un point :

ça a assez duré. Je fais signe à Jacky d'arrêter le mixeur, et le silence revient.

« Bon, les gars. Il ne faut plus perdre de temps. Finissez vos jus de truc. Chotard, prends un taxi pour tout le monde. Albana, One et Two, vous retournez au hangar. Chotard, tu reviens cet après-midi, on a du travail. »

Chotard emmène les Africains et je reste seul avec Jacky.

« Ça marche au hangar ?

— Les bamboulas, super ! Hier, ils se sont tout de suite mis au boulot et ils n'ont pas arrêté de la journée, malgré le froid. Albana, par contre...

— Quoi ?

— Il me gonfle sérieusement. Il râle dès qu'on lui donne un ordre. Il reste assis sur son gros cul, toute la journée.

— Qu'est-ce qu'il veut, celui-là ?

— Des conneries. Il dit qu'il est venu conduire un camion et pas servir de graisseur. En plus, il est raciste avec les deux autres. Il leur a piqué pratiquement tout l'argent que tu leur avais filé à Bamako. One et Two n'osent rien dire. »

Jacky s'est assis sur le lit et, tout en parlant, roule un joint. J'arrive un peu à fumer maintenant, ce qui contribue à me relancer le moral.

« Pour les bahuts, rien de spécial. Trois des semis sont complètement pourris, question tôles. Mais avec les bamboulas, on doit pouvoir les rendre présentables. J'ai acheté la peinture. On peut commencer à peindre dans quelques jours. Reste le chargement...

— Parfait, Hermano, je te réglerai le problème Albana demain. J'irai faire un tour au hangar. J'ai besoin de prendre un peu l'air. »

J'en profiterai pour rencontrer les nouveaux chauffeurs. Pour compléter l'équipe, Jacky a trouvé trois types, par nos voies habituelles de recrutement. Le simple bouche à oreille bien dirigé nous amène toujours les candidats souhaités pour ce genre de travail. Je ne prends pas de professionnels. Les chauffeurs routiers, leurs règlements horaires, syndicats et autres conneries ne me conviennent absolument pas. Il me faut des hommes tentés par l'aventure, des gens qui ont du temps et pas grand-chose à perdre. Aux dires de Jacky, les trois candidats qu'il a trouvés sont encore pires que d'habitude, à tel point qu'il n'a rien voulu leur dire, me laissant la décision.

Dans l'après-midi, Chotard repasse, accompagné de Wallid, l'Algérien, qui est un habitué de mes convois. Depuis que je l'ai rencontré lors de ma première descente, il s'est fait renvoyer de son poste de chauffeur. Complètement ivre, il a cassé le camion de son employeur en plein Gao, en faisant pas mal de dégâts. Depuis, il bosse pour moi.

D'habitude, il m'attend à Béchar, mais il est remonté en Europe cette fois-ci, en trafiquant une carte de séjour. Il vient aux nouvelles habillé à l'européenne, large pantalon et chaussures à talons et bouts pointus, l'air fatigué par toutes les fiestas qu'il mène depuis Marseille. Il s'est arrêté chez tous ses cousins sur la route.

Je lui confirme notre prochain départ, et je lui demande d'aller tout de suite au hangar pour commencer le boulot. Il est habitué à mon rythme. Chotard lui donne un peu d'argent et il y court aussitôt.

Je m'occupe ensuite avec Chotard de la partie la moins intéressante de toute cette préparation :

étudier les commandes prises au cours du voyage.

Il y a de tout, depuis le moteur complet jusqu'à la paire de chaussures à semelles compensées. Pour les objets importants, Chotard court les magasins et les casses de voitures. Les petites commandes comme les habits, Chotard les note scrupuleusement, mais on ne les honore jamais. On dit qu'il n'y en a plus.

Par contre, je prévois toujours un stock de cadeaux pour entretenir de bonnes relations. Des transistors, les plus gros possible, comme ils les aiment, et les calculatrices qui ont bouleversé l'ethnologie africaine. Ils sont passés directement des petits cailloux à l'électronique...

Ensuite viennent des choses non moins importantes à mes yeux. Les stocks de médicaments et de lait condensé pour les enfants. Chotard achète par dizaines des caisses de vitamines, d'aspirine et autres médecines, que je fais distribuer au cours de la traversée. Je veille très personnellement à ce que la quantité soit énorme.

Avant de me quitter, Jacky m'annonce la visite probable dans la soirée de Samuel Grapowitz, un copain à lui qui veut absolument me voir.

Une fois qu'ils sont sortis, je prends une douche avant de me coucher, car la fatigue m'envahit. Madame l'infirmière vient me border dans mon lit. Elle échappe juste à la caresse que je lui destinais et me gronde:

« Monsieur, allons, ça suffit! »

Elle fronce le sourcil, mais le petit sourire qui lui relève les lèvres me prouve qu'elle sera bientôt mienne. Je m'endors heureux.

Je me réveille en début de soirée. Après avoir

essayé vainement de faire marcher la machine à fruits, je la balance par terre.

J'entends un rire dans le couloir. C'est Samuel Grapowitz qui arrive. Le rire cesse. Samuel Grapowitz passe la tête par l'entrebâillement de la porte, me regarde un instant et explose de rire. Il entre, fait le tour de la pièce, regarde le mixeur à terre, et encore une fois son hilarité secoue les murs.

Samuel Grapowitz, juif et arnaqueur.

Ce type est un vrai fou, à vrai dire, l'être le plus fou, le plus sympathique et le plus obsédé sexuel que j'aie jamais rencontré. Son sexe est tout pour lui. On ne peut pas passer plus d'une heure en sa compagnie sans qu'il vous en touche un mot.

Sa blague favorite consiste à s'approcher d'une demoiselle dans une soirée et à s'exhiber en lui demandant :

« Mademoiselle... Vous avez vu mon gland ? »

Depuis le temps qu'il la pratique, il n'a jamais pris une claque. C'est un prince !

A part ça, excellent compagnon et incroyable *show-man*. C'est un cinéma permanent, dans sa tête d'abord, et pour les autres ensuite. Il n'arrête pas. Poses, tirades, excès en tout genre, c'est une tornade qui arrive quand il entre dans une pièce. Son métier, il le pratique avec génie. C'est un monteur de scénarios à toute épreuve. Il soutire du pognon à toutes les municipalités en les mettant sur de fausses affaires de promotion. Il est parfait dans ce rôle d'arnaqueur de ville, mondain et raffiné. Amoureux des plaisirs de luxe, il a énormément de qualités.

Jacky entre à sa suite, le sourire aux lèvres et presque des larmes dans les yeux. Samuel Grapowitz a déjà dû lui en raconter plusieurs dans l'ascenseur. Il s'assoit et commence à rouler les joints. Samuel Grapowitz le regarde faire, se tape le front et éclate de rire.

« Ça va Samuel Grapowitz ? »

Tout son visage s'effondre d'un coup. Il vire en quelques secondes au tragique.

« Non. »

Il crie.

« Non, ça ne va pas du tout. »

Un problème primordial lui occupe l'esprit, celui des vibromasseurs. Cet appareil est en passe, selon lui, de détrôner l'homme. Et c'est un drame. Jacky et moi, écroulés de rire, tentons de le consoler.

« Allons, tu es un grand garçon, maintenant, tu devrais être au courant. »

Et nous lui expliquons que de tout temps, les dames ont aimé user pour leur plaisir d'ustensiles et de végétaux les plus divers.

« En ce siècle de technologie, il est normal que la banane soit détrônée par quelque chose de plus moderne.

— De plus performant. »

Il nous regarde en secouant la tête, découragé.

« Excusez-moi de vous le dire, messieurs, mais vous êtes des brutes. La banane, c'est normal, c'est... c'est naturel. C'est é-co-lo-gi-que. Moi, j'en ai assez, je vais partir. Je vais chercher un endroit où l'on aime toujours d'une manière naturelle. C'est décidé. Je pars.

— Et tu pars où ?

— En Afrique, Charlie. Il faut que tu m'emmènes en Afrique.

— Mais ce n'est pas possible, c'est trop dur. »

Je crois que sa demande fait partie du show, mais il paraît déçu par ma réponse, et insiste :

« Je parle sérieusement, Charlie, je t'assure. Tu n'as pas une place dans ton convoi ? »

Jacky, derrière lui, me fait signe que c'est effectivement sérieux. Je regarde ce grand type mince, habillé avec classe, ses cheveux bruns à la coupe étudiée. S'il est parfait pour les salons, le luxe et les réceptions, j'ai du mal à l'imaginer dans la peau d'un aventurier du désert. Je le lui explique.

« C'est complètement différent de ce que tu connais. C'est dur, et même dangereux. Ça demande des efforts physiques. Tu penses tenir le coup ?

— Oui. Je n'ai pas l'air très fort, mais je suis résistant. J'ai fait du sport, tu sais. »

J'hésite. Il s'en rend compte et arrache le morceau :

« Je n'ai plus rien à faire par ici. C'est fini. Il faut que j'aille montrer mon gland sous d'autres latitudes. »

Cela me paraît une argumentation convaincante. J'accepte.

« O.K. Tu pars avec nous comme chauffeur. Tu sais conduire un camion ?

— Non.

— C'est pas grave. Permis ?

— Voiture.

— Prends-toi des photos. On t'arrangera ça. »

Samuel Grapowitz, heureux, est déchaîné pour le reste de la soirée. Ses explosions de rire, absolument incontrôlables et sans retenue, doublées des nôtres, finissent par attirer l'infirmier de nuit. Il entre, furibard, et s'arrête dès qu'il a passé la porte, clignant des yeux dans la fumée épaisse qui envahit ma chambre.

« Mais qu'est-ce que ça veut dire ? C'est un hôpital, ici. »

Samuel se dresse sur ses pieds, complètement défoncé et heureux de vivre.

« Monsieur, vous tombez bien. »

L'autre, un vieux bougon à tête de concierge, en reste tout surpris.

« En tant que professionnel de la médecine, vous allez pouvoir me donner votre avis sur un problème de sexualité qui me préoccupe gravement, monsieur, gravement. »

Mais l'infirmier ne veut rien savoir des problèmes de libido de Samuel Grapowitz. Il recule, inquiet, jusqu'à la porte et s'adresse à moi par-dessus l'épaule de Samuel.

« Il faut arrêter ça tout de suite, vous empêchez tout le monde de dormir.

— Ça va, mon gros, on va s'en aller. Samuel Grapowitz, laisse-le tranquille. »

Le lendemain, au réveil, ma décision est prise. Je suis en bonne voie de guérison. Ce dont j'ai besoin maintenant, c'est de soleil et d'action. L'hôpital, c'est fini. J'explique ça à Jacky, venu me chercher pour aller voir les candidats chauffeurs. Il m'approuve, et c'est ainsi que je sors de la clinique. En guise de paiement, je leur laisse mon peignoir en soie. A un demi-cachet de nivaquine par jour, ils sont gagnants.

Mon seul regret est de n'avoir pas eu le temps d'honorer ma vieille infirmière, qui ce matin enfin conquise n'a pas cherché à échapper à ma caresse. La pauvre, je me sens un peu coupable de l'avoir fait rêver une dernière fois.

Notre local commercial fait très sérieux. Bureau directorial, armoires métalliques de classement, téléphone. Il y a même un télex ultra-moderne.

L'esthétisme est sa seule fonction car il n'est branché nulle part. J'ai toujours aimé le visuel. Les pieds sur le bureau, en bon P.-D.G., j'attends les candidats chauffeurs, entouré de mon équipe.

Tous les trois entrent, en file indienne et s'alignent devant moi, très impressionnés. Impassibles, nous les regardons en silence, puis Jacky se tourne vers moi pour me les présenter :

« Jos, Capone, l'Indien. »

Il me lance un regard entendu :

« Je t'avais prévenu. »

Les types que nous recrutons pour les convois ne font jamais partie de la crème de la société. Ce genre de boulot n'attire pas les petits saints. Mais ces trois-là sont gratinés.

Jos est à peu près potable. Grand, presque chauve, habillé avec un semblant de recherche. Il fait dans l'élégance britannique, petit pull et tweed. L'Indien, par contre, est le plus crade des trois. Il est le seul à ne pas s'être habillé pour l'occasion, mise à part une large cravate turquoise toute neuve, mal nouée sur sa chemise noire. Il n'a pas été chercher loin son surnom. C'est un manouche aux cheveux noirs, longs et graisseux. A la main, il tient un chapeau noir aux bords rabattus qui, lui non plus, n'a pas l'air très propre. Il a vraiment une sale gueule.

Le plus mal à l'aise, en vieux costume des dimanches, petit, râblé, Capone m'est tout de suite sympathique. Je le catalogue immédiatement : costaud, naïf, bon cœur. Il ne peut pas s'empêcher de se dandiner, la tête rentrée dans les épaules.

« Bon. »

Ils se redressent tous les trois.

« Jacky vous a expliqué. Vous êtes volontaires. Racontez-moi un peu d'où vous venez. »

Jos ouvre la bouche. Je l'arrête tout de suite.

« On va bosser et vivre en équipe deux mois, au moins. Alors je veux la vraie histoire, pas celle que vous avez préparée. »

Je connais ce genre de types, petits pirates pas vraiment méchants. Ils ne demandent qu'à se placer sous la protection de quelqu'un qui leur permettra de grandir sans retomber dans la médiocrité.

Jos est un gigolo. Il vit depuis plusieurs années aux crochets de dames un peu usées, de veuves en mal d'affection et aux sacs à main bien garnis. La quarantaine bien sonnée, son charme commence à fatiguer, et la vieille qui se paie ses services depuis deux ans lui soulève le cœur. Ce boulot lui donnerait l'occasion de s'échapper.

L'Indien, petit et fourbe, est receleur. Il a été chauffeur livreur un moment mais on lui a retiré son permis après qu'il a tué deux personnes, ivre mort au volant.

Capone, petit voyou jamais devenu grand, la quarantaine dépassée lui aussi. Cambriolages, coups minables et collection de petites peines de prison. Trois mois, six mois...

Tous les trois copains du même comptoir, où ils n'en finissent pas de boire l'apéro. Bouffis, les yeux mouillés, bien abîmés, pas besoin d'être un grand toubib pour établir le diagnostic : alcool, et en quantité.

Jos a envie de bosser. On n'aura aucun problème avec lui. Sous son air bouffi, il a des qualités. Capone ne demande qu'à se placer sous l'aile d'un chef, et a toujours rêvé de l'aventure qu'on vient lui proposer, comme le grand gamin qu'il est. Pas de problème avec lui non plus.

L'Indien, je ne sais pas. Il n'est pas sympathique et il a une tête de salopard. Il est vil, il peut être traître, mais j'en suis sûr, il n'est pas lâche. Bien dirigé, et au milieu de ses copains, ça pourrait aller.

« O.K., vous êtes engagés. »

Ils sourient tous les trois, soulagés, heureux. Je ne leur laisse pas le temps pour des effusions.

« Vous nous donnez votre nom, et des photos si vous en avez, et vous nous laissez un numéro de téléphone. On va fêter ça. Chotard, sors une bouteille de champagne. »

Le frigo est le seul appareil qui marche dans cette pièce. Il suffit de regarder les rasades que s'envoient les trois nouveaux pour mesurer leur degré d'alcoolisme.

Prenant son courage à deux mains, Capone s'approche du bureau et me demande :

« Chef, on vient chargé ? »

Et il me désigne son aisselle, où il aimerait bien placer un holster.

« Pour qui tu nous prends ? On est des commerçants, pas des gangsters. »

Jacky confirme :

« Vente de véhicules d'occasion à l'étranger.

— Rien d'autre. Compris, Capone ? »

Il a compris et se rassoit, penaud.

« Bon, maintenant au boulot. On va au hangar. Il faut préparer les camions. »

L'Indien a le mauvais goût de protester.

« Mais on n'est pas habillé pour.

— Vous voulez bosser, oui ou non ?

— Oui, oui.

— Alors, on y va. »

Les bahuts sont entreposés dans un grand hangar, séparé de la zone industrielle par une suite de terrains vagues. C'est un grand toit de tôle soutenu par des piliers. Sur plus de la moitié des bâtiments, des cloisons de zinc dissimulent ce qui se passe à l'intérieur. Seuls sont visibles quelques tas de pneus qu'on a dû laisser dehors. L'endroit est isolé. Quelques paquets de neige et le ciel gris achèvent de le rendre sinistre.

A l'intérieur, c'est éclairé comme en plein jour. Des baladeuses sont accrochées un peu partout. One et Two sont en plein travail de soudure. L'un tient la pièce pendant que l'autre fait marcher les étincelles. Dans le seul coin dégagé, un bidon fait office de brasero. De longues flammes s'en échappent. Albana se lève pour me saluer à notre arrivée.

« Tu ne travailles pas, Albana ? »

Il sent la menace et me débite aussitôt des excuses que je n'écoute pas.

« Casse-toi. Prends tes affaires et casse-toi. »

Il me regarde, immobile et atterré. Je lui arracherais bien les oreilles, mais il a son passe-montagne qui les cache et il m'a été recommandé par des clients. En bon Africain, il ne renonce pas à discuter.

« Mais patron je prenais quelques minutes de repos. Professionnellement, il faut que je reprenne des forces pour...

— Albana.

— Oui, patron.

— Approche-toi. »

Il vient se mettre devant moi, presque au garde-à-vous.

« Enlève ton passe-montagne. »

Il hésite. Tout le monde s'est rapproché et regarde la scène dans le silence le plus total. Albana enlève sa cagoule, et je lui fais signe d'approcher.

« Tu as les oreilles bien dégagées maintenant ?

— Oui, patron.

— Tu écoutes bien ?

— Oui, patron.
— Alors je vais t'expliquer. »
Il est totalement immobile, me regardant de ses gros yeux pleins de trouille, devenu soudain gris. Les trois nouveaux, sur le côté, observent en silence.
« Albana, Jacky m'a dit que tu ne foutais rien. Tu considères One et Two, qui sont mes employés, comme de la merde et tu leur as volé de l'argent. Ça te fait trois fautes. C'est mon dernier avertissement. A la prochaine erreur, je te largue, où que nous soyons. Compris ?
— Oui.
— Tu as compris ?
— Oui, patron.
— Alors maintenant tu bouges ton cul et tu travailles. »
Il bouge. Son passe-montagne à la main, il se dirige vers les camions, la tête basse.
« Albana. »
Il sursaute en m'entendant. Il se retourne.
« Répète-moi que tu as compris.
— Oui, j'ai compris.
— Alors bouge-toi le cul, enculé ! »
Cette fois, il part plus rapidement, et disparaît derrière un camion. Bientôt, des coups de marteau retentissent qui prouvent que je me suis bien fait comprendre.
Il a eu de la chance. Quelques années auparavant, je ne prévenais pas les gens avant de leur taper dessus. C'était une méthode plus rapide. Les trois Français n'ont rien perdu de la scène, et elle a produit sur eux son petit effet. Wallid, plus aguerri à mes méthodes vient me dire bonjour comme si de rien n'était. C'est à ce moment-là que Jos se décide.
« On commence par quoi, patron ? »

Un bon point pour lui. Je lui désigne la montagne de pièces qui encombre la moitié du hangar. Il faut charger tout ça sur les camions. Il contemple l'étendue du boulot et me demande calmement.

« Il y a un ordre particulier ? »

Deux bons points.

« Non. Tu entasses tout avec le maximum de désordre. C'est un truc pour passer les douanes. Plus il y a du bordel, moins ils regardent. »

Il se marre et il entraîne les deux autres. Le travail commence.

Les camions sont rangés le long d'un des murs du hangar. C'est un alignement de tôles aux couleurs passées. La rouille et les bosses complètent le tableau.

Ce sont de vieux bahuts, des modèles périmés et qui ont déjà bien roulé. Je ne les paie pas cher et je ne suis pas regardant, ni sur leur provenance, ni sur l'état de leur carrosserie. La seule chose qui m'importe, c'est que les moteurs gardent encore assez de force pour aller jusqu'au Mali. Même fatigué, un moteur peut tenir encore longtemps si on lui verse à profusion de l'huile, et de l'eau dans le radiateur.

J'ai appris ça en Afrique.

De l'autre côté, couvrant une bonne partie du hangar, ce sont nos marchandises. Il y a des centaines de pneus, empilés par cinq ou six, de tous modèles, voitures et camions, et dans tous les états. Cela va du presque neuf au lisse en passant par le déchiré. Les trois quarts d'entre eux sont des pneus rechapés, usés, auxquels on a collé une nouvelle bande de roulage. En Afrique, sur les pistes, ça ne tient pas, mais ça se vend quand même. Et puis il y a les pièces, une multitude de tas de ferraille que Chotard achète par lots dans les casses, par marque ou par modèle. Enfin, derrière, sont empilées quelques caisses de marchandises diverses.

Chotard m'a soumis la liste de tout ce que nous allons descendre. C'est presque aussi impressionnant sur le papier qu'en réalité. Il a tout répertorié, et le résultat est un vrai dossier d'une trentaine de pages.

Il y a même un fusil à éléphant, une carabine Weatherby 458 toute neuve. C'est un cadeau pour un ami malien qui veut aller à la chasse au papillon.

J'ai fait installer une sorte de coin salon dans l'endroit dégagé, près d'une paroi. Une demi-douzaine de braseros sont allumés autour des banquettes de voiture tirées de notre stock. C'est là que j'ai convié mon état-major pour un briefing.

Jacky et Chotard s'assoient avec moi. Samuel Grapowitz reste avec nous. Il fait déjà sombre. Le hangar résonne de toute l'activité que je viens de déclencher. Samuel Grapowitz ouvre la bouche pour délirer. Je le coupe.

« Sérieux, les gars. Combien de temps pour tout préparer ? »

Chotard répond douze jours, le temps de tout charger, de finir les carrosseries et les révisions sur les camions, et régler les problèmes de papiers. Un des traits de caractère de Chotard est d'être toujours pessimiste. Ce défaitisme dans l'action m'énerve. Plus positif, Jacky compte dix jours.

« Bon. On part dans cinq jours. »

Jacky est O.K. Chotard un peu moins, mais il commence à être habitué. Tout de suite, on répertorie les problèmes et on répartit les tâches. Chotard doit s'occuper des permis de conduire pour tout le monde.

« Ça veut dire des photos d'identité pour les nouveaux. Tu t'en occupes dès ce soir. Ensuite tu les envoies dire au revoir à bobonne et au chien, etc. Demain, tout le monde ici à sept heures. »

Pour les jours qui viennent, il doit encore nous trouver deux chauffeurs supplémentaires, des professionnels, s'il ne trouve rien d'autre, pas trop cons si possible. On va faire le maximum pour décoller rapidement et je ne veux pas rester coincé ici par manque de personnel. Enfin, il s'arrange pour l'intendance. Il nous faut deux repas par jour dans le hangar, du copieux et du consistant. Je veux que les hommes mangent bien. Il réserve pour nous des chambres au motel habituel sur la nationale, à deux kilomètres d'ici. Les hommes, eux, dormiront sur place. Et enfin, il jette un œil au chargement, aidé par Jacky.

« Toi, Hermano, il faut surtout que tu t'occupes des leçons de conduite.

— Pas de problème.

— Sois dur, on n'a pas le temps.

— D'accord.

— Prends les Européens d'abord. Je m'occuperai moi-même de One et Two, sinon ils vont paniquer. Bien, autre problème ? »

Jacky et Chotard secouent la tête.

« On y va. »

C'était un pari de tout préparer en cinq jours. Ce

genre d'exagération est ce qu'il y a de mieux pour décoincer les choses.

Dès le lendemain, Chotard m'a amené deux jeunes types. Ce sont des chauffeurs routiers professionnels. Ce qui les sauve, c'est qu'ils ont parcouru pas mal de routes marrantes, vers l'Iran, la Syrie et tout le bordel. Ce sont deux frères bâtis sur le même modèle. Grands, minces, les cheveux mi-longs, en jeans et baskets. Ils sont là pour l'argent. Ils se sont présentés, Jean-Paul et Olivier, et se sont tout de suite mis au travail. Ils ne sont pas sympathiques, mais je n'ai pas le choix.

Les hommes se sont installés dans le hangar, avec leurs duvets et leurs couvertures. Le boulot commence très tôt le matin, et continue tard dans la nuit. J'ai nommé Jos chef d'équipe, et Wallid l'assiste un peu. C'est lui qui s'est occupé de répartir les tâches. Toute la journée, ses cris activent le travail, et ça avance vite. Les Européens sont au chargement. C'est un va-et-vient incessant de porteurs, et tout, petit à petit, s'empile sur les remorques. Parfois, il y a mobilisation générale quand il s'agit de transporter une pièce lourde. Les moteurs de camion, notamment, sont un calvaire pour eux. Il y en a cinq. Ce sont de gros blocs de métal, d'où pendent des tuyaux et des pièces de ferraille. Ils sont à la fois très lourds et difficiles à manier. Jos a récupéré des planches pour improviser des plans inclinés et toute l'équipe s'y est mise, tirant et poussant dans les coups de gueule, jusqu'à ce que les moteurs atterrissent sur les remorques.

Les deux postes à soudure marchent en permanence. Ce sont surtout One et Two et Wallid qui s'en chargent, et la tôlerie avance elle aussi très rapidement.

Dehors, sur le terrain vague, Jacky s'occupe de

donner quelques notions de conduite poids lourd à ceux qui ne savent pas piloter. Il applique la méthode que nous nous sommes imposée à nous-mêmes. Il met les types au volant et les fait rouler. Ce n'est pas difficile. Pour faire arriver un trente tonnes à bon port, il suffit de mettre un con au volant et de lui indiquer la route. Les types sont un peu crispés au départ, puis ils se rendent compte qu'ils sont aux commandes d'un camion, qu'ils roulent et qu'ils ne sont ni morts, ni dans le fossé.

Ils ont compris. Jacky a pris un dix tonnes Man pour les leçons. Le moteur souffre un peu au départ. Les vitesses craquent. Le seul secret de conduite, c'est le double débrayage. On ne passe pas les vitesses sur un bahut comme sur une voiture. Il faut débrayer, redonner un coup d'accélérateur pour relancer le régime moteur et débrayer encore une fois. Avant d'avoir compris ce simple mouvement, tout le monde s'énerve sur le levier de vitesses. Pour Jacky et pour moi, ça a été pareil. Une fois que c'est pigé, ça roule tout seul. De mon siège, c'est au bruit que je contrôle les progrès. Je suis content. Le concert de craquements du premier jour se fait de plus en plus rare.

Je suis pourtant loin d'être guéri, mon corps a été terriblement affaibli par la maladie et j'ai beaucoup de kilos à regagner. Mes muscles ont fondu et je flotte dans mes fringues. Jacky m'a installé un véritable buffet où je pioche régulièrement : charcuteries, plusieurs kilos de viande crue, fruits. Il m'a procuré de l'herbe et je fume pour m'ouvrir l'appétit.

Je garde mieux la nourriture mais j'ai encore de fortes poussées de fièvre qui m'écroulent pendant des heures. La fourrure et les braseros me protègent du froid et Jacky passe souvent déconner cinq minutes. Entre deux sommes, je contemple mon équipe au travail. Je joue machinalement avec la carabine que m'a amenée Chotard. Je l'ai démontée, graissée et j'y ai adapté une lunette Zeiss. Je me ferais bien un carton sur les piles de pneus mais, dans l'état de faiblesse où je suis, je ne suis pas sûr de résister au recul du Magnum. Et puis ça risque d'effrayer mon équipe.

Ils sont contents d'être ici. Ces types sont des résidus. Ils sont condamnés par les règles normales de la société, selon des critères que je ne respecte pas. Tous les trois ont des qualités. Comme la majorité des types mis à l'écart dans les pays dits civilisés, ils ont simplement voulu vivre d'une autre manière, tenter l'aventure, et ça a mal tourné pour eux. Les prisons sont pleines de ces rêveurs. Les délinquants ne sont pas autre chose que des gamins qui n'ont pas voulu grandir.

Capone, surtout, est de ceux-là, prêt à devenir copain et capable de fidélité. C'est un gentil.

Plusieurs fois déjà, alors que je me réveillais d'une crise, je l'ai trouvé devant moi, une cafetière fumante à la main.

« Café, Charlie ? »

Ce n'est pas du lèche-bottes, une attitude que je reconnais facilement. Ça lui fait plaisir et il en profite pour s'asseoir quelques minutes et discuter un peu. J'aime bien sa façon de chercher à parler avec moi et il m'amuse, ce type trapu, aux avant-bras puissants, déjà vieux avec ses cheveux poivre et sel, et ses tics de jeune voyou.

Un jour, après le repas, il s'est assis à côté de moi, en louchant sur mon joint.

« C'est pas une tige, ça. C'est de la came que tu fumes ?

— C'est pas de la drogue, c'est de l'herbe.

— C'est pas pareil ?

— Non. »

Il hoche la tête. C'est un geste qui lui est familier. Il secoue sa grosse bouille, la bouche légèrement en cul de poule, comme un truand dans un vieux film. On discute tranquillement. Il me parle de ses copains. Ça fait plusieurs années qu'ils se connaissent tous les trois, et qu'ils boivent dans le même bistrot. Ils se sont donné leurs surnoms eux-mêmes, comme des gamins.

« Le premier, c'était l'Indien. Il voulait s'appeler l'Indien. Moi, c'est parce que j'aurais voulu être Al Capone. »

Il hésite, un peu gêné de sa franchise.

« C'est ça que j'aurais voulu être, quoi. Et puis Jos, il s'appelle Joseph, alors c'est Jos, quoi. »

Il regarde encore mon joint, et me demande timidement s'il peut essayer, pour voir, quoi. Je le lui tends et il tire de longues taffes, à la voyou, entre le pouce et l'index, tout en hochant la tête.

« C'est pas mauvais. »

Tu parles. Pour son premier joint, il est tombé sur une herbe zaïroise que Jacky a trouvée, une africaine des plus fortes. Il me rend le joint, et continue à hocher la tête en silence.

Tout à coup, il s'arrête, il me regarde, regarde le hangar autour de lui, ses copains, en marmonnant un truc incompréhensible, et tout son visage remonte.

Il rigole, les yeux brillants, et il a vingt ans de moins.

« Ah ! ben ça alors, ça alors ! »

C'est une saine réaction, celle des gens qui ne flippent pas. Il m'est de plus en plus sympathique, ce bonhomme. Tout de suite, il pense aux copains.

« Eh l'Indien, l'Indien, amène-toi, tu vas te bidonner. »

Les deux autres rappliquent, et je fais signe à Jacky de rouler un autre joint. Un quart d'heure plus tard, ils sont tous raides, assis autour de moi et éclatés de rire. C'est le premier moment de détente, et je laisse se prolonger la pause.

Ils nous posent des questions, à Jacky et à moi, sur l'Afrique, sur les coins où on va et sur le désert. Ils n'y connaissent rien. Ils sont partis sans savoir où ils allaient. C'est encore un bon point pour eux.

Albana s'est remis à travailler. Ma mise au point, ainsi que ma présence constante, lui ont fait comprendre la marche à suivre.

Il ne quitte plus les Européens et bosse plutôt au chargement avec eux, qu'aux carrosseries avec les autres Africains.

Wallid travaille à son rythme habituel, plutôt lentement mais sans arrêt. De toute l'équipe, c'est lui qui connaît le mieux les bahuts. Il bosse sur la carrosserie, s'occupe des révisions, vérifications des roues et tous les petits boulons qu'il faut serrer. Il travaille généralement seul, et depuis la dispute d'hier, il fait la gueule.

Ce matin-là, tout le monde était réquisitionné pour le chargement et l'arrimage d'une des 504.

Le travail se déroulait dans les coups de gueule et bruits de ferraille habituels, lorsque brusquement le ton change. Les cris deviennent des insultes.

Surmontant ma faiblesse, j'arrive immédiatement sur les lieux. Wallid, un cric à la main, est en garde. En face de lui, se balançant d'un pied sur l'autre, l'Indien, l'air mauvais, pointe un couteau sur son ventre. Ce n'est pas de la frime, il va le planter.

« Fais pas le con. »

Je n'ai pas eu le temps d'intervenir, c'est Capone qui a bondi devant lui, les bras écartés.

« Arrête, je te dis. »

Jos, accouru du fond du hangar aux premiers cris, ceinture en pleine course l'Indien qui laisse tomber son couteau à terre. Deux secondes de silence, puis, déjà calmé, l'Indien se dégage de Jos sur un signe de tête, ramasse son arme et retourne à son travail sans dire un mot.

C'est un type dangereux qui sait manier son cran. Wallid, qui n'est pourtant pas un tendre, l'a bien vu et il a eu peur.

Malgré la nourriture copieuse, le travail incessant, le froid, l'inconfort et le manque d'hygiène font monter la tension et les nerfs lâchent facilement.

Jean-Paul et Olivier, les deux professionnels, ne posent pas de problèmes. Ils font leur boulot et sont durs à la tâche. Ils ne parlent pratiquement pas avec les autres, bien qu'il ne semble pas y avoir de tension. Ils ont choisi de faire bande à part. Tant qu'ils font preuve de positivité et qu'ils ne causent pas de problèmes, je n'ai rien contre eux.

Le seul qui ne fait pas grand-chose, c'est Samuel Grapowitz. J'ai indiqué à chacun le camion qu'il conduira et pendant toute la journée Samuel Grapowitz s'est occupé de la décoration de sa cabine, où il m'invite afin d'en admirer le résultat.

« Viens voir Charlie ce qu'un homme de goût peut faire. »

Il ouvre la portière et d'un ton emphatique m'annonce :

« L'antre du plaisir et de la beauté, la puissance masculine épouse la grâce féminine. »

L'intérieur n'est qu'une explosion de culs et de seins. Il a tapissé chaque espace libre de photos de filles nues. Blondes, brunes, rousses, elles y sont toutes. Le tour du pare-brise est le tour de toutes les positions du plaisir à deux. Sous le rétro, la photo de sa seigneurie, le gland à la main.

« Ainsi, tout au long des kilomètres, je me rappellerai mon devoir d'ambassadeur du charme et du romantisme français », dit-il en essuyant une larme.

Samuel Grapowitz est un grand sentimental.

Je ne peux que le féliciter de son goût certain et je retourne m'asseoir, secoué de rire.

Il s'est arrangé pour dormir avec nous à l'hôtel. Quand il ne s'occupe pas de décoration, il vient délirer avec moi sur l'Afrique et les Africaines qu'il compte honorer par villages entiers. Il en frémit d'avance et se lance dans de longues dissertations pendant que les autres travaillent. Ça ne me dérange pas. C'est parce qu'il est authentiquement dément que j'ai accepté sa candidature. J'aime bien les gens fous.

Pour le reste, d'ailleurs, il a appris à conduire en une leçon, et il lui arrive quand même de donner des coups de main quand ce n'est pas trop salissant. Il ne tient pas à tacher dès le départ l'élégante combinaison molletonnée d'aviateur qu'il porte avec un foulard artistiquement noué autour du cou. J'ai fini par l'envoyer en ville, chargé d'une mission importante. Il faut que j'achète des cadeaux de mariage pour ma petite Radijah, et je lui ai demandé d'aller faire les courses. L'idée ne lui plaisait pas tellement, jusqu'à ce que je lui précise :

« C'est pour une femme. »

Il s'est redressé, m'a regardé en coin et m'a répondu avec un air gourmand.

« Charlie, je suis ton homme. Qu'est-ce qu'il te faut ?

— Du parfum.

— Hmm... elle est brune, blonde ?
— Brune.
— Ah ! les brunes. Vives et piquantes. »

Je le stoppe tout de suite et je lui explique que ce n'est pas exactement ce genre de brune, et lui demande de prendre plusieurs parfums. Qu'il en achète beaucoup pour être sûr de tomber juste. Ensuite, des sous-vêtements.

« Ahaaaaah...
— Taille B.
— Mais elle est toute petite.
— Ouais. Tu prends des trucs blancs, très simples.
— Oh ! Charlie, tu es connaisseur. Rien ne vaut la pureté en la matière. Quoi de plus charmant qu'un petit porte-jarretelles blanc...
— Non. Cantonne-toi dans le classique, hein ! Tu ne prends que le nécessaire, et en grandes quantités. Des petits slips de coton blanc, par exemple. Ensuite, tu passes à la bijouterie. »

Je lui commande un lot de petits bracelets et autres bijoux. Il veut passer au sex-shop pour quelques gadgets et je suis encore obligé de l'arrêter. Il doit aller dans une librairie, simplement acheter tous les bouquins de voyage qu'il trouve, du genre encyclopédies, avec de grandes photos, puis du matériel d'écolier, des feuilles de papier de toutes les couleurs, des crayons et un stock de stylos.

« Mais... C'est pour la même femme ?
— Ouais. Demande à Chotard d'aller avec toi, et fais le plus vite possible. »

En une journée, il s'acquitte parfaitement de sa mission. Encore un problème de réglé.

Un jour, après le déjeuner, je demande à One et Two de rester avec moi. Ils ont bien bossé. Les carrosseries sont en état, et il ne manque plus qu'une couche de peinture pour que l'extérieur des bahuts soit comme neuf. Ils ont les yeux rouges à force d'allumer joint sur joint pour lutter contre le froid qui les a saisis depuis leur descente de l'avion.

Je leur promets qu'on sera bientôt au soleil. On va emmener les camions en Afrique, chez eux. Ils sont contents.

On va au camion-école où je les fais monter dans la cabine. Tout de suite, l'inquiétude se peint sur leurs visages.

Tranquille. Je les relaxe en discutant.

« Vous avez vu là, en bas ? »

Ils se penchent sur l'endroit que je leur désigne, sous le volant.

« Ça, là, ça s'appelle les pédales. Pé-dale. Compris ?

— Oui. Pédale.

— Il y en a trois. Vous voyez ? Trois pédales. Compris ?

— Oui. Pédale.

— One, combien il y a de pédales ? »

L'affolement se lit dans ses grands yeux. Il me regarde, regarde Two, regarde en bas et répond :

« T'ois pédales.

— Ouais. Bravo ! Super ! C'est bien. Il y a trois pédales. C'est très bien. Tu vois, c'est pas dur. »

Une tape dans le dos, je rigole et il secoue la tête, tout heureux. A côté de lui, Two se marre, aussi content que son frère. Ils ont confiance, je n'ai plus qu'à leur expliquer. Ils m'écoutent de toute leur attention. A chaque question, ils froncent les sourcils et se concentrent pour trouver la solution.

« One, la pédale du milieu ?

— C'est f'ein, pat'on.

— Bravo ! »

Au bout d'un moment, leur inquiétude disparaît tout à fait, et ils assimilent vite. Pendant l'après-midi, j'arrive à leur apprendre toutes les fonctions des pédales et les positions du levier de vitesse. Il leur reste bien un problème pour la prononciation d'accélérateur, mais, à part ce détail, ce sont des élèves très doués. Pour finir cette première série de leçons, je leur montre la plupart des petits boutons, peu nombreux, et je les renvoie à la peinture pour la soirée. On verra la conduite demain.

Le lendemain matin, nous remontons dans le camion-école.

« Les gars, on va aller faire un tour. Moi je conduis. Vous, il faut écouter.

— Oui, pat'on.

— Il faut écouter, compris ?

— Oui, pat'on. Écouter. »

Il serait impossible de leur expliquer les principes du régime moteur, que d'ailleurs je ne connais pas moi-même. Je préfère faire appel à leur oreille. Écouter le bruit, ça ils savent, et ils n'ont aucune difficulté à le reconnaître ensuite. Ce n'est pas plus compliqué que le tam-tam.

« Quand le moteur est fort, il faut débrayer. D'accord ?

— Oui, déb'ayer.

— Et comment on débraie ?

— Avec la pédale.

— Super ! Alors je roule. C'est vous qui dites quand il faut débrayer. Vous dites « Débraie » quand il faut, d'accord ? »

Et ça marche. Au bon moment, tous les deux réagissent.

« Déb'aie, déb'aie, pat'on.

— C'est bien. On continue. Le levier est à quelle vitesse ?
— Deuxième.
— Parfait.
— Déb'aie, déb'aie.
— C'est bon. Quelle vitesse ?
— C'est la t'oisième. »

On continue comme ça toute la matinée. Dans l'après-midi, One et Two conduisent quelques centaines de mètres sur les six mille kilomètres qu'il leur reste à faire pour rentrer chez eux. Je les laisse sur ces bons résultats, et je les préviens que c'est Jacky qui se chargera de leur leçon du lendemain.

Jacky travaille énormément. En plus des leçons de conduite, il passe du temps à vérifier le travail du hangar et guider Jos. Chotard, perdu dans tous ses problèmes de papiers et d'intendance, n'a pas assez de temps pour le faire.

Malgré tout, il passe souvent, pour discuter quelques minutes.

« Il est beau, ce convoi. »

Il a raison. A force de travail, notre entreprise a pris forme. Pratiquement tout est chargé. Certains des bahuts sont déjà peints, et l'ensemble a presque sa forme définitive. C'est impressionnant.

Il y a neuf semi-remorques de trente tonnes, des Berliet GLR à grand museau et trois camions compacts, deux Mercedes orange et un Man jaune. Deux des semi sont des citernes de trente mille litres dont nous ferons le plein en Algérie, trois ont des plateaux découverts et les quatre autres ont des remorques fermées.

Sur les plateaux s'entasse un stock démentiel de marchandises telles que des tracteurs, camions sans remorque, au nombre de quatre et aussi trois

504, sans parler des caisses de pièces mécaniques et tout le bordel.

Un break 504 roulera avec le convoi pour servir de voiture de liaison, conduite par Chotard.

Mon camion a été peint en bleu nuit et les chromes en doré. Celui de Jacky est aussi terminé. Il est rouge avec des baguettes blanches. Sur les portières de chacun d'eux, Samuel Grapowitz a dessiné, dans les tons appropriés, le sigle de la société. L'un et l'autre sont magnifiques.

Ce sont les semi à plateaux découverts qui sont les plus impressionnants, car on peut voir leur chargement. En plus des camions et des voitures qu'ils trimbaleront, les hommes ont rajouté des moteurs, glissé des stocks de pièces sous les roues des tracteurs et empilé des pneus au-dessus. C'est un fouillis invraisemblable hérissé de câbles, de fils de fer tordus. Des tire-forces et des treuils resserrent le tout.

Les plateaux sont couverts de cales, de madriers de bois cloués qui maintiennent les roues des véhicules chargés.

C'est un beau tableau. On n'a jamais fait plus gros.

« C'est le dernier. Il fallait qu'il soit beau. »

Jacky sourit. Il en a assez de l'Afrique, lui. C'est le début de sa vie de voyage, et il a envie d'aller ailleurs faire autre chose, et de vivre. De mon côté, je commence à en avoir sérieusement marre. Je n'aime plus trop l'Afrique même si le désert continue à me plaire, et plus encore maintenant que je le connais bien. C'est là que je trouve la puissance et la force que je recherche. Le *fun*, l'excitation, c'est de faire traverser ces énormes convois. L'Afrique noire, la vente ne sont que des accessoires qui, en fait, ne m'intéressent plus.

D'ailleurs, je commence à avoir un peu trop tiré

sur la corde, là-bas, du côté des autorités. Je suis devenu trop gros et je sens que ça va casser. Ce convoi-là passera, je pense, mais on ne me laissera plus de chances ensuite. Cela fait déjà trop longtemps que ça dure. On va en retirer quatre cent mille dollars et ça nous permettra de faire autre chose. Je passerai quelque temps avec Radijah, dans une oasis. Jacky aussi se trouvera une compagne et nous resterons à l'écart du monde le temps qu'il nous plaira.

Ensuite, avant de quitter définitivement le Sahara, on réalisera notre dernière folie, un projet qui nous tient à cœur. Une course de fous à travers le désert.

Pendant que j'agonisais à l'hôpital, Jacky a téléphoné pour recruter les candidats et, plus tard, à nos moments perdus nous en préparerons la réalisation. Vingt cinglés, arrivés de tous les bouts du monde, sont déjà inscrits pour cette compétition plus que spéciale.

C'est notre rêve à Jacky et à moi, la dernière chose que je veux réaliser avant de quitter le continent africain. Pourvu qu'on m'en laisse le temps.

Le soir du cinquième jour, le pari est gagné. Le convoi est fin prêt pour le départ. Les camions alignés sur la neige rutilent au soleil. On ne peut pas en dire autant des hommes. Je les ai rassemblés pour un dernier speech. Ils sont exténués, lessivés. Crados, pas rasés, ils tiennent à peine debout. Les trois Noirs sont passés directement de la chaleur torride de l'Afrique au froid hivernal de l'Europe. Pour les autres, le rythme imposé depuis cinq jours leur a fait pratiquement oublier qu'une semaine auparavant ils dormaient dans des lits, bien au chaud, normalement quoi.

« Messieurs, c'est très bien. Nous partirons ce soir. A partir de maintenant vous êtes responsables de vos engins. Les moteurs ont été dûment révisés, ils *doivent* tenir. Soignez-les, prenez-en soin. S'ils cassent, c'est qu'il y aura faute de votre part. Vous ne vous en séparerez qu'au moment de leur vente. Je m'explique : si un de vous s'immobilisait pour une raison ou pour une autre, il restera sur place avec son bahut, même en plein désert et même si ça doit prendre un mois. Compris ? »

Hochements de têtes unanimes.

« De plus, je ne veux plus voir une goutte d'alcool dans cette caravane, compris, Albana ?

— Compris.

— Compris, l'Indien ?

— Compris.

— Bon. Chotard, distribue les passeports et les permis. »

Ils sont heureux comme des gamins en recevant leurs nouveaux papiers. Capone, qui a le permis poids lourds et super-lourds se moque de Jos qui n'a qu'un tampon. Albana regarde avec intérêt le tampon du permis caravane tandis que One et Two s'intéressent surtout à la photo.

Quand tout le monde est calmé, je débouche le champagne, remplis les verres et baptise les camions au milieu des sourires de fierté de mes hommes.

« Bon. Plus de questions ? Alors on se casse. »

Les phares s'allument. Les douze diesels se mettent à chauffer. Je prends la tête. Dans mon rétroviseur, les lumières des phares me suivent. La radiocassette entame les premières mesures de la Cinquième de Beethoven.

Direction le sud.

L'important était de partir, même si ce premier soir nous n'avons roulé que quatre-vingts kilomètres avant de nous arrêter pour une nuit de repos. Le matin, les hommes se sont retrouvés dans un vaste parking de supermarché. Il a fallu mettre en place le café, trouver un robinet pour se laver. Après une première nuit dans leur cabine, cette ambiance les a plongés directement dans l'action. Au petit déjeuner, pour la première fois, nous avons procédé aux pleins d'huile et d'eau. Cette vérification de routine doit devenir une tradition. One et Two en sont chargés. Un bidon à la main, ils passent devant chaque bahut, dont le conducteur a déjà levé le capot et retiré les bouchons de réservoirs.

L'habitude a été vite prise. Toutes les quatre-vingts bornes, je klaxonne deux fois et la manœuvre se répète sur le bord de la route.

J'ai placé One et Two derrière moi, chacun au volant d'un semi blanc à remorque découverte. Jacky ferme la marche avec son semi rouge. Entre eux, chacun s'est installé selon un ordre qui ne doit plus changer. Chotard suit ou précède le convoi, au volant de la 504, pour nous servir de liaison, d'éclaireur, si besoin est.

Dans mon rétroviseur, je contemple souvent cette énorme machine qui roule en plein milieu de l'Europe, ne respectant aucune des règles normales et élémentaires de ce genre d'entreprises.

Il nous faut trois jours jusqu'à la frontière espagnole. Nous roulons tranquillement. Les hommes s'habituent à leurs bahuts et à la conduite pendant plusieurs heures d'affilée, ponctuée seulement par l'arrêt huile et eau, prolongé parfois par un temps de repos, ou un café sur le pouce.

C'est dans les Pyrénées, après Hendaye, que s'est présentée la seule petite émotion de cette partie du trajet.

Deux motards, sur le bord de la route, me font signe d'arrêter. Petit pincement au cœur. J'ouvre la fenêtre. Il fait très froid dehors, avec un vent glacial qui a rougi le visage du brave flic sous son casque. Il crie pour se faire entendre.

« Vous ne pouvez pas aller plus loin. Il y a du verglas. »

J'ai mis le bras à la fenêtre, dans l'attitude classique du professionnel de la route. La salopette bleue que je porte sur un tee-shirt, m'en donne tout à fait l'aspect. Je lui réponds :

« Ben oui, mais le patron il attend pas, lui. »

J'ai touché juste. Mon attitude, le ton que j'ai employé sont exacts. Les exigences d'un patron, c'est une notion qu'il comprend. Il me regarde droit dans les yeux. Je sens son réflexe professionnel : le soupçon s'installe dans sa tête. Ça défile dans la mienne.

Flic, petit flicaillon, si jamais tu fais preuve d'un peu de zèle, c'en est fini pour toi des attentes, gelé sur le bord d'une nationale. Ce soir, tu peux être nommé maréchal de flics. Les cartes grises des bahuts ne résisteront pas à un examen approfondi. Et puis il me faudra t'expliquer la provenance de nos pièces, sans compter que toutes nos marchandises ne vont pas te plaire.

Derrière, crispés au volant, il y a One et Two, sujets maliens sans permis de conduire, Capone, sans permis également. L'Indien, criminel du volant, sans permis. Wallid, avec sa carte de séjour trafiquée, expulsé de France. Samuel Grapowitz, recherché en Europe, sans permis. Jacky, sans permis.

C'est la une des journaux pour toi et pour moi. Petit motard, me fais pas ça. Tu vois bien que je ne suis qu'un brave routier.

« Bon, allez-y, mais faites attention.

— Z'en faites pas. On sera prudents. »

Je démarre. Ma seule crainte maintenant, c'est que les gueules de One et Two et des autres ne le confirment dans ses soupçons. Que la taille du convoi l'étonne, et il va siffler. Deux cents mètres, cinq cents, rien. Tous les camions sont passés devant lui. Pendant quelques kilomètres, je surveille mon rétroviseur, guettant les deux motos. Rien ne se passe. Il est resté sur son bord de route. Et il y restera toute sa vie.

Ce sont des moments comme ça qui font le charme de ce commerce qui, s'il était fait suivant les règles, ne m'intéresserait pas.

On a traversé la frontière espagnole de nuit. Il n'y a pas eu de problème. Le seul douanier à s'être dérangé de la chaleur du bureau a ouvert ma remorque et s'est reculé précipitamment. Un pneu, soigneusement placé en équilibre contre la porte par Jos a atterri à deux centimètres de ses pieds. Il a accepté mes excuses. Il est passé dégoûté devant les remorques découvertes et le bordel qui y règne. Il a tenté d'ouvrir la remorque de Jos en tirant prudemment la porte. Il a vu la pile de pneus vacillants. Il a vite refermé et il a laissé tomber. Comme il s'étonnait quand même du nombre de nos pièces détachées, je lui ai sérieusement expliqué que nous étions une amicale de routiers en vacances et que nous emportions ces pièces en sécurité pour notre rallye touristique à travers le Sahara. Il m'a regardé et il est retourné à son bureau sans insister. De toute façon, Franco est mort il y a moins d'un mois. Toute l'Espagne se soûle pour fêter ça. Le désordre le plus complet règne dans les administrations. Je pourrais aussi bien passer à la tête d'une colonne de chars d'assaut, les douaniers ne bougeraient pas.

La route est sympathique, dans cette Espagne qui fête la mort de la marionnette. Dans mon équipe, l'ambiance est au beau fixe. Les hommes se comportent bien. De mon côté, mon vrai boulot commence en Afrique.

Je redécouvre enfin le soleil. A chaque pause-café, assis sur le marchepied, j'en profite un maximum. Ce n'est pas encore la grande forme, mais je sens revenir mes forces avec la chaleur. La musique aidant, je suis bien.

La traversée nous a pris une semaine, sans incident notable. Les routes enneigées des Pyrénées, bien que dangereuses, ne posent pas de problème. J'ai juste déraciné un lampadaire en manœuvrant sur un parking, mais heureusement le camion n'a pas souffert. Quant à l'auvent de la station-service que Two a arraché avec le haut de son camion dans un grand bruit de tôles déchirées, je pense qu'il était, de toute façon, grand temps de le changer.

L'ennuyeux avec les Noirs, c'est que s'ils ne maîtrisent pas trop mal la conduite, ils ignorent radicalement le code. On a oublié de le leur enseigner, à moi comme à eux.

La traversée de la banlieue de Barcelone aurait pu être tragique mais je crois que la chance est avec moi. A un carrefour, je suis passé à l'orange.

Paniqués à la seule idée de me perdre, One et Two me collent constamment. Et cette lumière rouge sur le bord de la route ne signifie rien pour eux. Sur la lancée, tout le convoi est passé au rouge dans un concert de klaxons et de crissements de pneus.

J'ai jugé préférable d'attendre la nuit pour la traversée de la ville. Dans la circulation dense du centre en fin d'après-midi, nous courrions à la catastrophe.

Je ne peux pas en vouloir à mes deux bamboulas. Ils sont complètement perdus dans ce pays où, oh ! surprise, les gens parlent un dialecte qu'ils ne connaissent pas. « Pou'quoi pat'on ? » La seule chose qui les intéresse, c'est le chapeau des gardes civils, une ridicule toque de cuir bouilli avec une visière relevée derrière. Persuadés d'un succès sans précédent dans leur village, s'ils en ramenaient, ils m'ont demandé plusieurs fois de leur en acheter. J'ai beau leur expliquer que ce sont des casquettes de policiers, ils n'en démordent pas.

Je fais souvent arrêter le convoi en face de restaurants. Nous y occupons de grandes tablées. Les types sont fiers, rassurés par le groupe. Ils rigolent bien fort et raclent les chaises par terre en s'asseyant. Ils parlent tous de leur camion, de leur « moulin » et de leurs prouesses de pilotes. Pour l'instant, leurs vantardises m'amusent.

C'est à Barcelone que Samuel Grapowitz est parti pour ses premières amours. Je lui ai indiqué le Barrio Chino, le quartier du port. Il est revenu à la dernière minute, juste avant notre départ. Il a jailli d'un taxi, échevelé et, la main sur le cœur, il est venu me remercier de lui avoir permis de connaître les jouissances outre-Pyrénées.

Si une pute d'un des quartiers les plus sordides

d'Europe lui fait cet effet, je pense que Samuel Grapowitz n'a pas fini de nous étonner. Je lui ai répondu que c'était un plaisir pour moi.

C'est juste après Barcelone que la lecture des journaux confirme les craintes que je commençais à avoir. Le Maroc et l'Algérie sont en pleine dispute et parlent de se déclarer la guerre. Je pense à tous ces pauvres soldats qui vont se faire tuer et cela m'attriste, d'autant plus qu'à cause de leurs problèmes, l'Algérie m'est fermée par la frontière marocaine. Ils ont le plus grand bac à sable du monde pour s'amuser et il faut qu'ils viennent m'embêter sur ma route à moi.

De plus, renseignements pris dans une agence de voyages à Valence, il n'y a aucun moyen de prendre le ferry Alicante-Oran avant quinze jours.

C'est Jacky qui sauve mon humeur avec une idée de génie.

Et si on laissait tout le monde à Colorado, on pourrait aller s'amuser en France.

L'Idée. Nous avons des copines à Colorado, un petit village du Sud de l'Espagne, qui pourront héberger toute l'équipe. Quant à nous deux, Jacky vient de me rappeler à mes devoirs. La mort de Peyruse et ma maladie ont écourté la fête. Alors qu'habituellement nous repartons d'Europe avec juste ce qu'il faut pour le convoi, il nous reste cette fois-ci un petit paquet de millions à claquer.

C'est le moment d'arranger ça.

Je fais lever tout le monde, préparer le café, et, dans la nuit, le convoi part pour Colorado.

Ce matin, un Espagnol a tenté d'entraver notre marche victorieuse. La voiture mal garée a été littéralement écrasée par le camion d'Albana. Seul un bon paquet de billets a pu stopper ses cris. Il est encore trop tôt pour user d'autres méthodes.

Quelques heures plus tard, mes freins ont lâché

et il m'a fallu plusieurs kilomètres pour m'arrêter, entraînant tout le convoi derrière moi. Douze camions traversant un hameau, c'est rare, mais à cette allure, c'était du jamais vu.

El Colorado est un de ces villages que l'on traverse sans les remarquer. Un peu en retrait de la nationale, près de la station balnéaire de Conil, en Andalousie.

Il y a quelques pavillons de banlieue entourés d'un jardin minable puis des bars apparemment fermés, les uns à côté des autres. C'est là.

Tout le convoi se gare en face, le long de la petite route. Jacky et moi allons aux nouvelles. Les chalets sont silencieux, à cette heure de l'après-midi. La seule personne qui veille est la maîtresse de ces lieux, celle qui règne sur tout ce pâté de maisons. C'est Tia Zohra, tante Zohra, mère maquerelle et grande amie à moi. Alertée par le boucan de douze camions se garant devant chez elle, elle accourt.

C'est une grosse Marocaine de cinquante ans, aussi haute que large, boudinée dans des vêtements roses. L'ensemble n'est pas du meilleur goût mais le personnage est sympathique.

« Charlie ! *Tanto tiempo. Como estas ?*

— Bien, Tia Zohra. »

Elle nous fait entrer dans sa cuisine. Comme tous les après-midi elle est en train de préparer des litres de jus d'orange, en prévision du réveil prochain de ses nièces.

Elle nous propose un café. Ayant ainsi sacrifié aux lois de l'hospitalité, elle me demande ce qui m'amène. Tia Zohra a tenu plusieurs bars et bordels à Tanger, Barcelone et Tarragone. Elle a pu se forger une philosophie et apprendre quelques leçons. La principale est que l'argent gouverne tout, une des autres est qu'un homme ne revient pas après cinq mois de silence sans avoir besoin de quelque chose. Je lui explique que je cherche un refuge pour mes hommes pendant une quinzaine de jours. Elle me demande combien je veux la payer. Je lui fais une offre plus que raisonnable qu'elle accepte. Ceci posé, elle se lance dans les nouvelles de ses business. Cette grosse un peu ridicule se débrouille bien. Elle est en train d'acheter une boîte de nuit à côté. Elle a le monopole des entraîneuses qui travaillent dans les nombreux clubs alentour et est l'un des principaux dealers de hasch de la région.

Tous les dix mots, l'argent revient sur le tapis. Ses histoires ne sont qu'un long récit détaillé de ses gains successifs, qui ne sont d'ailleurs jamais assez importants pour lui assurer la fortune une bonne fois pour toutes. Jacky et moi décrochons vite et nous éclipsons pour aller réveiller les copines.

Elles sont à trois dans l'une des chambres. Elles dorment sur le dos, jambes écartées, ronflant comme des soudards. Leurs haleines conjuguées dégagent une puanteur d'alcool dans toute la pièce. Nous les réveillons par quelques chatouillis, pincements et doigtés précis. Elles émergent et nous sautent au cou.

Les hommes sont au grand complet dans le salon de la Tia quand toutes ces demoiselles débarquent. Elles sont une quinzaine, toutes marocaines, originaires pour la plupart de la même petite ville du Nord du Maroc, où leurs frères sont mes amis. Quelques-unes d'entre elles sont réellement les nièces de Tia Zohra. Il y a quelques nouvelles que je ne connais pas, dont une Algérienne et une

Africaine qui ont atterri là après un séjour au Portugal.

A cette heure-ci, elles ne sont pas reluisantes. En training ou en robe de chambre, elles posent ce gros cul qui plaît tant aux Andalous sur l'accoudoir d'un fauteuil ou s'écroulent sur le divan, jambes écartées, pour attendre posément que les facultés leur reviennent. La première clope toussée, les cafés et jus d'orange bus, elles se rendent compte de la présence des hommes, intimidés autour d'elles et c'est parti.

Ces filles ne savent que hurler et pousser de grands éclats de rire. Elles ne parlent qu'espagnol et arabe, ce qui ne facilite pas le départ de la conversation.

Mes types se poussent du coude comme des collégiens en voyant les filles déboucher la première bouteille de whisky.

Comme les vacances commencent, il n'y a aucune raison de les laisser au régime sec. Les bouteilles apparaissent de partout. Comme entraîneuses, les filles gagnent énormément d'argent et sont très généreuses. La plupart d'entre elles entretiennent des familles entières au Maroc, au niveau de vie très bas. Je les aime bien, elles ont bon cœur, et bien que nées pour être voilées, mariées, surveillées, elles savent s'amuser.

L'ambiance est parfaitement détendue maintenant que tout le monde en est à sa première ivresse. Samuel Grapowitz arpente la pièce, les yeux furetant partout et me lance de grands signes approbateurs. L'Africaine a pris sous son aile One et Two qui en ont enlevé leurs casquettes à chiffre. Tia Zohra amène un immense plat de poulet, et une montagne de morceaux de pain.

Tout à coup, les filles disparaissent. Un grand calme retombe sur la pièce. Moins d'une heure plus tard, c'est le défilé. Tous les boudins en training passent dire au revoir, dans leur costume de travail. Minijupes, bottines, maquillées et parfumées, elles font trois tours de popotin, reçoivent des compliments, gueulent toujours aussi fort et disparaissent.

Capone en est tout désappointé.

« Elles s'en vont, Charlie ?

— Elles vont travailler. Elles bossent dans les bars d'à côté.

— Ah ! C'est des gagneuses, alors ?

— Mais non, ce sont des entraîneuses. On ira voir ce soir, si tu veux. »

El Colorado ne prend vie que la nuit. Vers deux heures du matin, alors que les hommes se sont installés tant bien que mal, aidés par Wallid qui sert d'interprète, Jacky et moi emmenons Capone et Samuel Grapowitz, les deux seuls à être restés debout, pour rendre visite à ces dames.

Elles travaillent toutes dans une vingtaine de bars étalés sur trente kilomètres. Tous sont semblables : lumière tamisée, musique à fond et des boxes cachés par des rideaux pour des passes rapides. Les Espagnols y font la fête toutes les nuits, aidés par les entraîneuses qui touchent la moitié du prix des consommations. Nous terminons la tournée à quatre heures du matin dans un bar qui ne s'anime qu'à cette heure-là.

L'endroit est triste et sordide le reste du temps. Les filles y emmènent leur dernier client et tous ceux qui tiennent encore debout. L'arrivée de ces excitées déclenche la folie. Allumés, les types se cramponnent au bar, des sourires béats sur tous les visages. L'une des filles, impudique, a relevé sa jupe et se réchauffe, les cuisses écartées au-dessus d'un brasero empli de braises. Un type a sorti sa guitare et braille des flamencos.

Samuel Grapowitz, accroché au bar, serré contre une Marocaine, lui parle sans arrêt. A côté de lui, je saisis des bribes, malgré le flamenco.

« ... bouffer le cul... gland... glandulaire... »

Il essaie de toucher par la même occasion afin d'appuyer sa démonstration et les grandes claques de plus en plus fortes qu'il reçoit sur la nuque ne le découragent pas, bien au contraire.

Nous le sortons du bar avant qu'il ne se fasse assommer. Titubant, complètement défait par le whisky et le hasch, il me remercie.

« Ah ! ces femmes... Quel tempérament ! Charlie, merci... »

Capone a compris qu'ici la fête était permanente et il nous suit l'âme au beau fixe, en chantonnant.

On réveille Jos et Chotard de bon matin pour leur laisser les consignes et leur fixer rendez-vous dans une dizaine de jours. Tia Zohra a reçu les instructions. Chotard s'occupe de l'argent de poche.

Nous prenons un taxi jusqu'à Séville, puis l'avion jusqu'à Madrid. De là, Paris.

Jacky téléphone de Charlie-Airport. Nous commencerons les réjouissances par les câlins.

Elles sont là, elles sont libres, elles nous attendent.

Nous sommes tous les deux jeunes et riches, qualités importantes pour plaire aux femmes, mais nous sommes aussi très exigeants et nous aimons être soignés. Nous avons besoin de sentiments et de mots d'amour. Avec une rencontre d'une nuit, on ne sait jamais ce qu'on va trouver. Il nous faut une romance. Pour qu'une femme offre cela, il faut qu'elle soit amoureuse ou intéressée. La première solution est jolie mais demande du temps. Alors nous avons choisi l'intérêt de deux professionnelles en romance, de très haute classe, dont nous louons les services, une blonde et une brune.

Elles sont très belles, grandes et élégantes toutes les deux. Leur fabuleuse garde-robe leur permet d'être toujours parfaites et idéales à sortir. Pour le reste, attentives, éduquées et raffinées, les plaisirs qu'elles offrent s'ils se paient en centaines de dollars, s'approchent du paradis.

Entre l'immense chambre tendue de moquette blanche très épaisse, le vaste lit fait pour l'amour et la merveilleuse salle de bain, je me laisse réconforter. Elle me regarde et je me sens beau, elle m'écoute et je me sens fin, elle pousse l'attention jusqu'à se souvenir de ce que j'ai déjà raconté lors d'un séjour précédent, et à s'y intéresser vraiment. Elle me chuchote des mots d'amour, caresses et douceurs. Plaisirs de roi, détente de fou, pour quarante-huit heures et un paquet de dollars, Jacky et moi vivons le grand amour. Et sans complexe, c'est l'Afrique qui paie.

L'avantage de cette romance sans nuages est qu'elle cesse comme elle a commencé, au moment où nous le décidons. A savoir deux jours plus tard. Terminé les câlins. On va aller s'amuser.

J'ai traversé beaucoup de pays, dans toutes les parties du monde. J'ai goûté à toutes les cuisines et testé toutes les femmes.

C'est Jacky qui m'a fait découvrir que les meilleures des unes et des autres se trouvent en France. Nulle part la gastronomie n'est plus riche et la féminité de la Française est sans égale. Comme d'habitude, c'est Jacky qui sera le guide pour la tournée qui nous attend.

« Salut les hommes. »

Koka est dans son salon, entourée de jeunes filles. Un paquet de coke nous attend sur la table.

« Vous repartez en Afrique, les gars ?

— Non. On va prendre quelques plaisirs. »

Et Jacky raconte le programme : une tournée gastronomique pendant laquelle nous allons draguer toutes les femmes qui passeront à notre portée. Exultant, pris par la coke, il se lance dans une description de tout ce qu'il va faire à ces dames. Koka, un peu sceptique, tente de le calmer.

« Elles ne seront peut-être pas toutes d'accord, mon petit Jacky. »

La réplique n'est pas méchante, mais Jacky la prend mal et c'est ce qui déclenche tout. Il affirme que les femmes n'auront qu'à nous regarder pour tomber dans nos bras. Le léger haussement d'épaules de Koka achève de le mettre en colère, et la turbulente jeune femme, aussi énervée par la coke que mon copain, finit par exploser.

« Espèces de machos sans envergure. J'en lève dix quand vous en draguez péniblement une. »

Jacky la regarde, mauvais.

« Excuse-moi Koka, mais tu oublies qu'il te manque quelque chose. »

Ils se braquent l'un et l'autre et se disputent toute la soirée. Koka nous défie de l'emmener dans notre virée. Elle nous parie, méprisante, qu'elle lèvera plus de filles que nous. Jacky tient le pari. Je me retrouve finalement seul dans le salon désert, snobé par Koka, partie se coucher en douce compagnie.

J'hésite un moment à réveiller la vieille Gorda,

puis, maudissant mes amis, je vais me coucher tout seul.

Le lendemain, les règles du concours sont fixées. Chacun devra ramener la culotte de sa conquête. Celui qui en ramassera le plus grand nombre sera déclaré vainqueur.

Ça m'ennuie pour Koka, qui n'a aucune chance contre nous deux, mais ça lui apprendra à me laisser seul dans son salon. Elle nous propose de commencer la tournée par la soirée d'anniversaire d'un ami de sa famille, à Genève. Quelques heures plus tard, la Rolls fonce sur l'autoroute.

La soirée à laquelle Koka nous a conviés est bien avancée quand on arrive, d'excellente humeur, remontés et de la coke plein les poches. La fête se déroule dans une grande maison, où une bourgeoisie sage et polissonne s'amuse gentiment. Maîtres d'hôtel stylés, champagne et alcool à profusion.

Naturellement, Jacky et moi n'avons qu'une idée en tête et c'est au premier qui lancera le concours. C'est lui qui fait asseoir à notre table la première jeune femme, mais celle que j'amène quelques minutes plus tard est encore plus jolie. Koka a disparu. C'est à peine si nous l'apercevons de temps en temps rire et saluer des gens qu'elle connaît. Nous flirtons avec nos cavalières, deux bourgeoises de Genève, gentilles et très soignées. Du coin de l'œil, je vois Koka en grande discussion avec une grande fille rousse. Elles s'échangent des sourires. Koka a posé la main sur le bras de la rousse. Ça va mal. Je redouble de sourires envers ma Suissesse et Jacky, qui n'a pas non plus les yeux dans sa poche, déploie tout son charme.

Peine perdue, le premier point ne sera pas pour

nous. Koka apparaît tout à coup, radieuse, s'envoie le plus naturellement du monde une ligne de coke à même la table et, discrètement, sort de son sac à main le coin d'un petit slip vert, trophée de sa première conquête. Elle éclate de rire et s'adresse à nos compagnes :

« Ils sont beaux, mes copains, non ? En plus, ils vont bien vous sauter. »

Nouvel éclat de rire et elle disparaît. Les deux jeunes femmes, charmantes, s'amusent beaucoup et restent avec nous. Koka, déchaînée, fait encore deux apparitions, augmentant son score à chaque fois.

Le lendemain matin, alors que la fête redémarre, nous sortons pour ranger cérémonieusement les délicates pièces de lingerie prises à nos Suissesses dans la boîte prévue à cet effet, sur la banquette arrière de la Rolls. Jacky soulève le couvercle et ne retient pas le juron, peu élogieux pour Koka, qui lui monte aux lèvres. Puis il extrait une à une les six culottes qui se trouvent déjà dans la boîte.

« Elle triche.

— Comment...

— Elle triche. C'est une tricheuse. Elle connaît tout le monde ici. Elle nous annonce avec un grand sourire :« J'ai une fête chez un copain, là-bas, à Genève. » Nous, on s'y précipite pour faire un carton, et elle, avec toutes les filles qu'elle connaît, elle réalise un joli score. Pas compliqué !

— Eh, Hermano, c'est de bonne guerre.

— Comment ? Mais il ne faut pas la laisser faire. On ne reste pas une minute de plus dans cette fête. On s'en va. »

Et nous filons prévenir Koka du départ imminent de la Rolls. Elle accueille notre décision avec un petit sourire vaguement moqueur, se prépare et nous suit. Jacky a pris le volant et conduit comme un fou pour le retour en France et le début de la tournée gastronomique.

Jacky connaît par cœur la liste des chefs cuisiniers qu'il va nous faire visiter et n'a choisi, comme d'habitude, que le meilleur. Nous nous arrêtons dans des auberges entourées d'arbres et, dans le calme et la quiétude, nous goûtons les plaisirs du palais. Les plats qui nous sont amenés, présentés et servis, sont extraordinaires de finesse. Chaque bouchée renferme une cascade de goûts élaborés, riches et pleins de subtilité. Brochets, homards, sauces et surtout viandes, rôtis incomparables... Toujours défoncés et heureux, on se concentre tous les trois sur les sensations de notre palais. Jacky harmonise les menus et les vins, et s'acharne à raffiner encore les jouissances délicates que nous éprouvons.

Le soir, nous faisons la fête, night-club ou casino s'il y en a un dans la ville. Et nous nous entourons de jolies femmes. Nos levers sont fantastiques. Champagne et coke, rien de tel pour se réveiller de la plus charmante humeur, face au parc d'un petit hôtel aux clients sélectionnés, dans une vaste chambre luxueuse et paisible. L'après-midi, une bonne sieste amoureuse, un étage au-dessus de la table que l'on vient de quitter. Rarement, à cause du froid, une promenade romantique avec notre compagne du moment.

Koka s'amuse de plus en plus. Elle se démène comme une diablesse pour gagner ce concours, et elle séduit à tour de bras. Jacky et moi l'avons vue aborder, embobiner, pour embarquer un nombre impressionnant de femmes, jeunes et moins jeunes. Elle nous vole même nos proies.

Hier après-midi, alors que nous avions rivalisé de courtoisie auprès de la serveuse du restaurant retiré où nous nous trouvions, Koka a fini par disparaître avec elle.

Jacky fulmine. J'essaie de le consoler :

« Pour la tête qu'elle avait, la serveuse... Allez, viens, on va rattraper notre retard en ville. »

Nous prenons nos blousons, nous saluons la direction de l'hôtel et nous sortons.

« Ah ! la salope ! »

La place qu'occupait la Rolls sur le petit parking est vide. Koka nous a coincés ici.

Jacky hausse les épaules. Je fais de même, et nous retournons nous asseoir pour une petite collation, puisqu'il n'y a que ça à faire.

Koka revient dans l'après-midi, et Jacky disparaît à son tour. Ne le voyant pas revenir, je pars à sa recherche un quart d'heure plus tard. Il est dans la Rolls, assis à l'arrière, la boîte à trophées sur les genoux. Il lève les yeux vers moi :

« Vingt-quatre, Hermano !

— Non ? Ce n'est pas possible. »

Il hoche la tête, tristement. Lui en est à sept, moi à six. Vingt-quatre !

Jacky extrait les slips par paquets et me les tend.

« Je suis sûr qu'elle triche, cette salope. A tous les coups, c'est sa propre lingerie qu'elle nous rapporte. Toi qui la connais, tu ne veux pas... »

Je comprends. Malgré toute cette coke que nous prenons, mon sens olfactif ne doit pas avoir totalement disparu. Je prends le paquet et je vérifie.

« Non, pas elle. Non, celui-là non plus... »

Et je redonne un à un les slips à Jacky, après contrôle. L'examen est réduit de moitié, car les

petites pièces ne sont pas toutes propres, mais suffisant pour être formel :
« Elle n'a pas triché, Hermano.
— Sûr ?
— Sûr. Allez, viens, on va manger quelque chose. »
Et Koka continue. Deux auto-stoppeuses, pratiquement toutes les serveuses, une aubergine qui voulait mettre une amende à la Rolls, et j'en passe. Jacky et moi forçons sur la coke et sur nos talents, mais c'est maintenant presque sans espoir. Jacky n'a pourtant pas renoncé. Il bataille comme un fou. Un jour, je le vois entraîner à l'écart une cuisinière du petit restaurant où nous déjeunons. C'est une grosse imposante, et qui a certainement passé l'âge, mais rien n'arrête mon copain.
Vingt minutes plus tard, il revient dans la salle, souriant, s'approche de Koka et, triomphant, étale sur la table un gigantesque caleçon de coton.
« Celui-là, il vaut au moins quatre points. »
Koka n'est pas d'accord du tout. Pour elle, ça ne fait qu'une pièce à conviction, et rien de plus.
« Comment ? Avec les difficultés d'approche ?
— Ça n'en fait qu'un.
— Avec les difficultés d'exécution ?
— Ça n'en fait qu'un, Jacky, ne triche pas.
— Et les problèmes que j'ai eus pour lui voler, hein ? »
Finalement, ils tombent d'accord pour me prendre comme juge. Bien ennuyé, parce que loyal envers mon ami Jacky, je dois cependant reconnaître que ce slip, même recouvrant le quart de la table, ne constitue qu'une seule pièce de tissu, et donc un seul point.
Rassurée et contente, Koka regarde autour d'elle, repère à quelques tables de la nôtre un couple d'âge mûr, aisé et tranquille. Elle se lève. Quelques

minutes plus tard, le couple s'assoit à notre table pour boire le café en notre compagnie. Naturellement, elle a installé madame, une femme d'environ quarante ans, en tailleur bleu simplement décoré d'une broche en argent, juste à côté d'elle.

J'observe.

Légère crispation de la bouche de cette charmante dame alors qu'elle porte sa tasse à ses lèvres. Koka vient de lui toucher le genou, j'en suis sûr. Rougeur subtile sur les joues, et léger sourire. Ça, c'est une caresse sous la table. Jacky me cogne du coude et me lance un regard désolé. Je hausse imperceptiblement les épaules et, faisant contre mauvaise fortune bon cœur, réponds aux essais de conversation de monsieur le mari.

Dix minutes plus tard, ces dames disparaissent aux toilettes. Koka ne réapparaît que trois quarts d'heure plus tard, alors que nous ne savions vraiment plus quoi dire à ce monsieur qui commençait à s'inquiéter. Un instant plus tard, son épouse fait son entrée dans la salle, le feu aux joues et le talon incertain sur le carrelage ciré. Les yeux pétillants, Koka nous désigne son sac.

Le matin du cinquième jour, je rejoins Jacky sous la véranda du petit hôtel de luxe où nous avons passé la nuit.

Un petit soleil d'hiver très lumineux égaie la salle et chauffe agréablement derrière les grandes baies vitrées. Le maître d'hôtel m'a amené sans sourciller une excellente côte de bœuf pour mon petit déjeuner. Jacky est à mes côtés. Nous avons tout pour être heureux.

Pourtant, je finis ma pièce de viande sans plaisir. Jacky se prépare une ligne de coke à même l'assiette à toast, et soupire :

« Ça ne peut plus durer. »

D'un long, long snif triste, il fait disparaître la coke, et me tend le paquet. Je me fais un rail sur la table.

« Tu as raison. Ce n'est plus possible. »

Je lui redonne la coke, puis il me la tend à nouveau et ainsi de suite. On s'en envoie sans gaieté et en silence. Le maître d'hôtel, nous pensant enrhumés, finit par déposer sur notre table, un paquet de Kleenex.

Jacky et moi sommes de très mauvais perdants.

Effectivement, ça ne peut plus durer. Nous étions en super forme hier soir, pour le dîner aux chandelles et champagne que nous avions commandé. Tout beaux et tout lavés, on avait sorti le grand jeu, à la hauteur de nos invitées, deux ravissantes jeunes femmes du coin.

A la fin du repas, où nous étions tous les deux remarquablement gais et spirituels, Koka et les deux filles se sont levées.

« Excusez-nous, messieurs, un petit pipi. »

Deux heures plus tard, il a bien fallu nous rendre à l'évidence. La soirée se terminerait sans elles. Cette tricheuse nous les avait enlevées, nous laissant seuls comme deux paysans devant les restes de coke et de champagne. Il ne nous restait plus qu'à continuer les abus, jusqu'à nous endormir sur la nappe, les gens de l'hôtel se chargeant de nous porter jusqu'à nos chambres.

Jacky n'en peut plus.

« Tu comprends, elle nous prend les meilleures, on finit par avoir l'air con.

— C'est vrai. Il ne nous reste plus que les tas.

— J'en ai marre, moi. Et elle nous les vole sous notre nez ! »

La méditation morose qui suit est juste entrecoupée de nos reniflements. Jacky fait le point.

« On a perdu, hein ?

— Je crois bien.

— On ne va quand même pas demander l'armistice.

— Jacky, Hermano, il faut savoir reconnaître ses erreurs. »

Dignement, on marche jusqu'à la réception, et on demande sa chambre au téléphone.

« Koka ? On a perdu. On t'apporte ton petit déjeuner. »

Cette sorcière est confortablement installée sur ses oreillers, en compagnie de nos deux jeunes filles. Devant ces six seins magnifiques, nous avouons humblement notre défaite, et notre désir d'en finir avec ce jeu stupide.

« Tu es la meilleure. Tiens, ma belle, bois ton café. »

Dans une explosion de joie, elle accepte sa victoire, et, royale, offre l'une de ses conquêtes à Jacky, m'adresse un grand sourire, et me garde avec elle.

Dorénavant, c'est elle qui nous rabat des jeunes femmes. A notre table, dans la voiture, et c'est beaucoup plus avantageux pour nous. Elle est extraordinaire dans ce rôle et les invite trois par trois, toujours avec la même irrésistible sympathie. Quand, par hasard, il n'y en a que deux à son bras, elle nous laisse en tête-à-tête et continue sa recherche pour elle-même.

Terrines de lièvre, gibiers, gigots fondants, vins, bouquets et arômes, la fête culinaire continue.

Jacky se surpasse dans l'élaboration des menus. Il décide de dîner au champagne, ou choisit avec bonheur un vin blanc pour le fromage. A chaque fois, ce sont de nouvelles sensations, encore plus raffinées. Notre palais est entraîné maintenant, et nous discutons des plats comme de vieux gourmets et des cuisses locales comme de grands séducteurs. Tous les trois, nous sommes bien d'accord. Plus nous descendons vers la Méditerranée, moins la cuisine est fine, plus elle est typée. En revanche, les femmes deviennent plus piquantes au fur et à mesure que nous arrivons dans le Midi. L'amour, vers le Nord, est plus conventionnel, tout comme la gastronomie y est plus classique. Pour clore notre périple, nous décidons de faire un tour au pays du foie gras.

Tout du long, c'est un immense éclat de rire dans cette Rolls 1947 qui s'arrête à tous les plaisirs qu'elle croise. Jusqu'à ce matin où on se retrouve en panne dans une station-service périgourdine, après trois jours et trois nuits de folie. Mal rasés, fripés, chacun d'entre nous, enfin, commence à être fatigué. Le mécanicien, à qui ça ne doit pas arriver souvent, s'active autour de la Rolls. On est assis au soleil depuis une demi-heure quand un motard de la police s'arrête à la station. Longtemps, il reste à nous regarder. Il nous soupçonne de quelque chose mais il ne sait pas de quoi. Il a peur de s'attaquer à nous. Il ne veut pas se faire taper sur les doigts, le petit flicaillon. Lui, c'est la retraite qu'il vise. Même si notre air défraîchi nous donne une allure un peu équivoque, nous respirons l'argent de partout. Je regarde son manège. C'est un moustachu épais, dont le casque accentue l'air stupide.

A l'intérieur de la voiture, il y a de la coke jusque sur les sièges, des bouts de hasch à peu près partout, et quelques gros billets roulés pour nous servir de pailles. Le coffre est rempli de petites culottes de toute sorte et de tout genre, de l'impeccable au pas très propre. S'il regarde, il voudra sûrement nous poser des questions, mais il n'ose pas.

Au moment où on va partir, Koka s'approche de lui.

« Les flics ne sont pas aussi beaux que vous dans mon pays, vous savez ? »

« Flic », ça ne lui fait pas plaisir, mais il ne peut pas s'empêcher de rougir. Koka monte dans la voiture et, avant de fermer la portière, remonte très haut sa jupe sur ses cuisses, au grand émoi du digne représentant de la sûreté nationale. Jacky pouffe, avant de se mettre à rigoler franchement. Koka envoie un baiser, et crie :

« Je vais vous dire une bonne chose : l'uniforme, ça m'a toujours fait bander. »

Elle claque la portière et embraie, renversant Jacky, qui vient d'enfiler le grand slip qu'il a ramené du concours sur sa tête, et qui va se mettre, je le connais, à abreuver le flic d'injures. Il est temps que nous rentrions en Afrique. On se fera moins remarquer.

C'est Koka qui gardera notre Rolls pendant que nous serons là-bas. Avant de terminer notre randonnée, j'adresse un petit salut physique à Koka, qui veut se faire prendre sur le capot de la Rolls, à sa manière préférée. Elle voudrait l'autoroute pour décor, mais je lui préfère un petit bois un peu à l'écart. Là, je la chevauche, accrochée à la Victoire de Samothrace, agenouillée sur le pare-chocs, impudique et retroussée. Jacky nous attend plus loin.

Et nous la quittons sur une dernière bise, à

l'aéroport où nous devons prendre l'avion pour rejoindre notre convoi.

Il n'y a rien de tel que quelques plaisirs simples pour se remettre en forme. Ma maladie n'est plus qu'un souvenir, comme la mort de Peyruse. Une vague de froid s'est abattue sur l'Espagne lorsque nous y arrivons pour retrouver Colorado, le convoi et les problèmes.

Des paquets de neige recouvrent les coins des jardins. Le chalet occupé par mes hommes est silencieux. Les fenêtres sont brisées, les volets arrachés, et il n'y a plus de porte d'entrée. Derrière nous, Tia Zohra accourt de toute la force de ses petites jambes, en hurlant.

« Zohra, calme-toi. Explique-toi en espagnol, pas en arabe.

— Ouh ! tes hommes, ouh, ils sont des bandits. Je ne veux plus les voir, jamais.

— Qu'est-ce qu'ils ont fait ?

— Ils ont tout cassé, un vrai désastre.

— Calme-toi. Je vais tout payer.

— Ils ont niqué mes filles.

— Et alors, elles ne sont pas vierges, tes filles...

— Oui, mais ils n'ont pas payé. »

Elle me fatigue à glapir près de mes oreilles. Je vais voir ce qu'il en est. Les hommes sont dans le salon. One et Two se tiennent assis, emmitouflés devant un petit feu allumé à même le sol. Les volets, la porte et les meubles, soigneusement débités en bûchettes, délimitent leur territoire. Au plafond, une tache de suie énorme assombrit le décor. Par terre dans tous les coins, des cadavres de bouteilles. Mes hommes sont presque tous là, dans un sale état. Albana a encore oublié la religion. Il gît, bras en croix, lunettes de travers, affalé contre le mur. L'Indien n'a même pas vu que j'étais entré. Il chante à mi-voix, une bouteille coincée entre ses genoux. Capone, debout mais chancelant, me salue d'un sourire attendri. Jos s'acharne à refermer les boutons de sa chemise, soûl et inquiet de mes réactions. Même Chotard s'y est mis. Il fait irruption dans la pièce, en tenant trop fermement son attaché-case. Il se plante devant moi, le regard fou :

« Charlie. Tout va bien. »

Jos confirme péniblement que tout s'est bien passé.

Je ne peux pas leur en vouloir. Ils ont fait la fête, eux aussi. Moi-même, grand fouteur de bordel, le vandalisme m'a toujours plu. Et puis c'est en Afrique que je les prendrai vraiment en main.

Mon hilarité relance Tia Zohra qui se remet à hurler. Two se dresse. Il a sa machette à la main. Il lève le bras. Jacky bloque le coup de justesse.

« Two ! Ça va pas ! »

Les deux bamboulas ne sont pas très frais non plus. Leurs casquettes sont de travers et ils ont les yeux rouges d'avoir trop fumé. Two montre les dents.

« Il faut la calmer, pat'on. »

La calmer, je sais ce que ça signifie pour eux. Dans leur pays, aucune femme n'élève le ton avec un homme pour la bonne raison qu'elles sont excisées, donc amorphes. Je ne pense pas que Tia Zohra soit d'accord pour l'opération.

« On verra, on verra. Assieds-toi. Pourquoi avez-vous allumé du feu ?

— Oh ! il fait très froid, pat'on. »

Comment leur expliquer ? Chez eux, on fait du feu

dans la maison quand il fait froid. Ils me désignent un tas de bûchettes, ce qui reste des meubles.

« La vieille elle a'était pas de c'ier, pa'ce qu'on a p'is le bois. Mais le feu avec le cha'bon il fait mou'i' si tu 'espi'es, pat'on. »

Je renvoie Tia Zohra chez elle en lui assurant que je viendrai la voir dans moins d'une heure pour lui régler tout ce que je lui dois. Avec Jacky, nous faisons le tour de la maison, suivis par Capone, qui n'arrête pas de me dire qu'il est content de me voir.

Dans une des chambres, je trouve Jean-Paul et Olivier, les deux professionnels. Avant même d'écouter leurs remontrances, je leur dit de laisser tomber. Wallid est dans la baignoire, tout habillé, et offre un spectacle répugnant. Je trouve Samuel Grapowitz dans la cuisine. Il est assis, une bouteille vide à ses pieds, la tête appuyée au mur, l'image même du désespoir.

« Samuel Grapowitz. Ça va ?

— Oui.

— Qu'est-ce qu'il t'arrive ?

— Rien.

— Je vois bien qu'il y a quelque chose.

— Non.

— Tu vas me dire, oui.

— J'ai failli perdre mon gland, Charlie.

— Non ?

— Si ! »

Et c'est d'une voix larmoyante qu'il m'explique. Il a attrapé une vérole terrible à Barcelone. Le toubib du coin a réussi à l'en débarrasser après lui avoir enfilé des sondes, et piqué quatorze fois avec d'énormes seringues en verre. La vision est trop forte pour lui. Un long frisson secoue son corps. Samuel Grapowitz est un type gentil, avec énormément de qualités et un génie pour l'arnaque que je respecte, mais il est parfois un peu trop branque et difficile à manipuler. Très gentiment, je le console.

« C'est fini, maintenant. Tu es guéri. Tout va bien. »

Il relève la tête et c'est un regard éperdu de malheur qui vient s'accrocher au mien.

« Ils ont tous baisé, Charlie. Jos, Capone, tout le monde. Ils en avaient tous une dans leur lit. Et même parfois deux. Ils faisaient du bruit toute la nuit. Et moi... Moi... J'ai pas pu en baiser une seule. »

J'arrête ses sanglots en lui promettant des Africaines pour bientôt, et je lui jure de lui en procurer dès Colom-Béchar avant de l'envoyer se coucher. En sortant de la cuisine, je me heurte à Capone.

« Il est louf, le Juif, Charlie. Tu sais de quoi il parle tout le temps ?

— Oui, je sais. Samuel Grapowitz est un grand sentimental, il ne faut pas faire attention. Va te coucher, on part tôt demain. »

Je fais irruption dans le salon et je crie à tout le monde d'aller au lit. La réaction est trop lente à mon goût. Je prends une bouteille par terre et la balance sur Albana. Ça les décide tous à remuer.

Tia Zohra m'a préparé du café, et une note. La somme qu'elle y a inscrite lui permettrait de construire un chalet neuf et d'acheter un mois de vivres à toutes ses occupantes. Je lui en donne le quart et elle est ravie.

A cinq heures du matin, c'est avec le tuyau d'arrosage que je réveille tout le monde, à grands jets d'eau glacée. Je ne leur laisse ni le temps de se sécher ni de prendre un café. J'ordonne que les camions démarrent dans les dix minutes qui suivent. Tous les moteurs se mettent à chauffer.

Le rythme est immédiatement repris. Nous remontons sur Alicante. Il nous faut un jour et une nuit pour y arriver, juste à temps pour embarquer sur le ferry.

Les bars sur le bord de la route sont ouverts toute la nuit et ils sont pleins. C'est beau, un pays qui vient de recouvrer sa liberté. Les gens sont heureux de pouvoir dire ce qu'ils veulent, et de raconter des conneries s'ils en ont envie. Un gigantesque éclat de rire longtemps contenu pète dans tous les cafés d'Espagne. La pression exercée par les tyrans est un véritable crime. J'ai souvent traversé des dictatures, et le pouvoir qu'y impose le voyou sur son trône m'a toujours mis en colère. Le dictateur agit sans risque. La masse populaire est con. Il est facile d'abuser du pouvoir. Les pauvres types en bas ne peuvent que supporter. Parfois, ils se plaignent, mais ils ne prennent jamais une arme ou une bonne bombe pour aller régler leur problème une bonne fois pour toutes. Il faut que quelqu'un vienne pour les remuer. Un jour, après d'autres aventures, si je suis encore vivant, j'irai faire sauter la tête d'un dictateur.

Pendant une partie de l'après-midi, le convoi bloque le quai d'embarquement, dans le port d'Alicante. Cela prend du temps de faire descendre douze camions dans la cale, d'autant plus qu'il faut y pénétrer en marche arrière. De tous les chauffeurs, seuls les deux pros savent faire ça. Faire reculer un semi-remorque est la seule manœuvre un peu compliquée sur ce genre d'engin. Il faut tourner le volant dans le même sens que celui où on veut aller, à l'inverse de la voiture. Dès qu'on se mélange les pinceaux, c'est irrattrapable. La remorque va n'importe où, on a vite fait de se retrouver en équerre et c'est terminé. Il faut alors dételer et recommencer. Jean-Paul et Olivier courent de la cale aux camions. Ils les rangent un par un.

Les autres, autour de moi, appuyés à une rambarde, regardent tranquillement la manœuvre. Un des employés du port s'approche, rigolard, et nous demande pourquoi on ne fait pas entrer nos bahuts nous-mêmes. Je coupe court à ses questions.

« Ces deux-là sont des professionnels de la marche arrière. Nous on est professionnels marche avant. »

La traversée de la Méditerranée de nuit est rapide et sans incident. One et Two la passent dans la cale, préposés à la surveillance des camions. Jos et Capone les ont rejoints. A l'arrivée, alors que nous préparons la sortie de la cale, Jos me montre, dissimulé dans une pile de pneus, tout un stock de chaînes et de crochets en fer. Le matériel appartient au ferry, il l'a piqué pendant la traversée. J'applaudis l'initiative. Derrière, Capone, clope au bec, joue les voyous avec un sourire en coin.

Je réunis tout le monde pour un petit briefing.

« Les gars, je ne connais personne à la douane d'Oran. Il n'y a aucun danger, mais je veux qu'on se fasse remarquer le moins possible. On sort en ordre, on se range et on attend dans les cabines. Compris ? »

On attend deux heures, sous le soleil. Les consignes ont été respectées à la lettre. Personne n'est sorti. Il y a juste Chotard qui fait nerveusement les cent pas devant les camions. Il a la trouille, comme toujours. Il est vrai que n'étant jamais passé ici, je n'ai arrosé personne. Cependant, je pense qu'il n'est jamais trop tard pour bien faire.

Les douaniers algériens sont généralement plus honnêtes que dans les autres pays d'Afrique. Ceux-ci n'ont pas l'air d'échapper à la règle. Ils font leur boulot, sans méchanceté particulière, mais sans amabilité. Un type âgé avec de grosses moustaches nous pose tout un tas de questions. Ça m'inquiète un peu. Il ne faudrait pas qu'ils posent des scellés sur la cargaison, j'ai des choses à vendre en Algérie. Ce n'est qu'après une bonne heure de discussion que j'ai pu les convaincre que je ne représentais aucun danger pour l'économie de leur pays, mes marchandises étant uniquement destinées à l'Afrique noire. S'ils ne m'ont pas cru, ils ont fait semblant. En tout cas, ils nous ont laissé passer.

Nous repartons. Mon but est d'atteindre Adrar, la porte du Sahara et première étape du commerce, le plus rapidement possible, soit huit cents kilomètres d'une traite. On a assez perdu de temps comme ça et cela fera une bonne mise en condition pour les hommes. Alors on roule. La route traverse un massif montagneux à la sortie d'Oran. Nous passons quelques heures à négocier virage sur virage, puis c'est la descente et l'arrivée en plaine. La terre est ocre à perte de vue, parsemée de petits bouquets d'herbe sèche. Ce bon soleil d'Afrique nous tape dessus. J'ai baissé ma vitre, content de sentir à nouveau la chaleur. Au deuxième arrêt huile et eau, les hommes sont tous en bras de chemise. Wallid a ressorti son chèche. Je salue l'Afrique à grands coups de klaxon joyeux.

Le convoi arrive vers Béchar en fin d'après-midi.

Une dizaine de kilomètres avant la ville, il y a plusieurs terre-pleins pour camions, en général garnis d'une citerne d'eau avec un tuyau en équerre. C'est sur un de ces parkings de sable que je fais arrêter la marche pour le repas du soir. Nous avons une importante mission à accomplir à Béchar. Une fois le dîner expédié, je préviens tout le monde qu'on ne va pas rester longtemps ici. Pour ceux qui le désirent, il y a, à Béchar, une curiosité touristique de premier ordre, un établissement nommé « Chez Fifinne », dernier souvenir de la Légion étrangère et le bordel le plus célèbre de toute l'histoire de la colonisation française. J'explique que la femme algérienne, comme toutes les musulmanes, voit sa vertu très protégée. Wallid m'approuve d'un geste du pouce sur son cou. Couik ! Je ne veux pas d'embrouilles de maris ou de frères qui viendraient déranger la marche du convoi. Bref, je les force à y aller, sans grande difficulté, d'ailleurs.

Wallid a déjà fait la route avec moi. Il prétexte les règles de la religion pour refuser la virée chez Fifinne. L'Indien, depuis le début, sort à tout propos la photo de sa femme. Il bougonne qu'il n'ira pas la tromper au bordel. Capone l'engueule :

« Alors comme ça tu vas refuser de tirer un coup sous le prétexte que ta moukère est restée là-bas ?

— Ouais, tiens ! Ouais.

— Et imagine qu'elle ait des faiblesses, ta femme. Oh ! dis pas non, on sait jamais avec les gerces. Elle est peut-être en train de se taper le facteur. Et toi, t'as l'air de quoi à jouer les curés dans le désert ? T'as l'air d'un con. »

Capone laisse son copain pour aller se préparer. Juste avant de tourner à l'angle d'un camion, il se retourne vers l'Indien, toujours immobile.

« T'as l'air d'un con. Voilà ! »

L'Indien se lève et va se préparer.

Les gars prennent une douche à la citerne et sortent leurs vêtements de rechange. Ils se font beaux pour aller voir ces dames. J'empile toute l'équipe dans la 504 et nous fonçons à Béchar.

C'est une petite ville moderne, presque entièrement construite à la française. On dirait une bourgade du Midi de la France. Chez Fifinne, le style est mauresque, avec arcades et céramique à mi-hauteur ; au rez-de-chaussée, j'achète un ticket pour chacun.

« Messieurs, ce ticket vous donne droit à un coup. Comme vous vous êtes bien comportés, je vous laisse exceptionnellement ma favorite. Quand on vous appellera à l'étage, vous demanderez Cléopatra. »

Je les laisse aux plaisirs orientaux et je vais les attendre au bar, en compagnie de Chotard et de Jacky. J'ai omis de leur dire que le personnel de chez Fifinne accusait quatre-vingt-dix kilos de moyenne. Cléopatra de même. En fait, il y a beaucoup de choses que j'ai omis de leur dire.

Ils sortent un par un, déçus, et aucun d'eux ne songe à me remercier, à part les deux bamboulas. Ils ont trouvé ça bien. La quantité est pour eux synonyme de qualité.

Quelques minutes plus tard, le convoi est reparti.

On roule toute la nuit. Je me sens bien. Le désert c'est chez moi et on approche de la partie qui me plaît le plus. Ce sont les deux professionnels qui me permettent de faire comprendre aux hommes que le rythme vient de changer. Lors d'un arrêt huile, eau et café, les deux frères viennent me voir. D'après eux, on ne pourra pas continuer comme ça, on risque un accident à cause du manque de sommeil. Ils ont entendu les hommes se plaindre et ils se sont permis...

Ma première claque surprend Olivier, la deuxième le fait fuir à toutes jambes. Son frère a déjà battu en retraite. Je l'ai frappé sans méchanceté mais ce genre de rébellion doit être écrasé dans l'œuf. Et puis autant que tout le monde apprenne dès maintenant qu'on est passé aux choses sérieuses.

Je finis mon café et j'ordonne le départ.

Ce n'est que vers midi le lendemain que nous arrivons à Adrar. La matinée a été difficile. A la fatigue s'est ajoutée la chaleur, qui pèse sur les hommes comme une chape de plomb. La forte luminosité est pénible pour des yeux fatigués. En deux jours, mon équipe partie d'Espagne se retrouve dans le Sahara. Autour de nous, c'est du sable à perte de vue.

Je n'entre pas dans Adrar. Je prends la voie goudronnée qui longe la ville et je vais garer le convoi près des pompes à essence, sur un vaste terre-plein qui me sert habituellement de parking.

Mes camions se garent en ligne. Les manœuvres ne sont pas terminées qu'une dizaine de types arrivent en courant. Ce sont mes graisseurs habituels, prévenus comme toujours de mon arrivée par je ne sais quel téléphone arabe. En tête vient Kara, mon graisseur personnel qui ne laisserait à personne d'autre l'honneur de me saluer le premier.

C'est un Tamachek originaire d'Aguelock. Il mesure deux mètres de haut. Son chèche bleu enroulé en turban autour de sa tête lui rajoute encore dix bons centimètres.

« Pa'ton, les aut'es, ils disaient que tu plus veni' mais je sais que tu viens. »

Je réponds à son salut. Derrière lui, à peine moins immense, se tient mon deuxième graisseur, Ahmed, lui aussi en bleu marine. Autour d'eux, il y a les autres que je connais bien. Cinq Tamacheks et trois Maliens, dont notamment Yssouf qui a toujours fait une partie au moins de mes convois et qui est le graisseur le plus fort physiquement après Kara. Petit et trapu, il a un cou de taureau. Les muscles qui saillent sur son corps sont impressionnants. Tous ceux-là sont riches, à travailler pour moi, et sont plutôt bien habillés.

Une cinquantaine d'autres rappliquent petit à petit. Tous ont déjà voyagé au moins une fois sur un de mes convois, et connaissent les salaires que je pratique. Je leur donne le Smic français pour un mois de travail, soit quinze fois plus que ce qu'ils reçoivent habituellement.

Ils sont vêtus de pantalons trop larges, de burnous troués et de chemises qui ne recouvrent plus rien. Seul point commun, ils portent tous un chèche, une bande de tissu enroulée autour de la tête, pas toujours propre.

Les Tamacheks se tiennent tous très droits.

Je crie à la cantonade de revenir tout à l'heure, en fin d'après-midi. Seuls mes graisseurs restent. Kara se met aussitôt à la confection du thé pour fêter mon retour. Les autres s'assoient à proximité. Mes hommes nous rejoignent petit à petit. Kara a allumé un petit feu, et il va faire trois thés. Un très amer, un presque buvable et un assez doux. La formule coupe la soif. C'est à ce moment-là que la Loi vient troubler la cérémonie. Jacky me prévient.

« Charlie, regarde, voilà cet enculé de Rabah. »

Effectivement, monsieur le receveur, chef des

douanes d'Adrar arrive à grands pas, flanqué de deux sous-fifres. Rabah est le seul douanier intègre de ce pays. Il me hait. Je ne l'aime pas. Il est le douanier, je suis le contrebandier.

« Monsieur Charlie. »

Il crie avant même d'arriver à ma hauteur.

« Monsieur Charlie, vous savez pertinemment que vous avez à vous présenter au bureau des douanes dès votre arrivée.

— Ça va, douanier ?

— Je vous prie de contrôler votre langage. Vous parlez à un fonctionnaire assermenté. »

Rabah se pique d'être instruit et adore faire des prouesses avec son français.

« Si vous croyez que je tolérerai vos écarts, vous vous trompez lourdement. La loi algérienne m'autorise à sanctionner ce genre d'outrage. Vous deviez garer vos véhicules devant nos locaux, afin d'établir votre liste déclarative de marchandises. Si vous croyez pouvoir vous dérober...

— Mais relaxe-toi douanier. On arrive juste. Laisse-nous le temps de boire le thé. Tu en veux un ? »

Capone a pris l'air mauvais et parle d'assommer le macaque. Jacky l'empêche de parler trop fort. On ne peut pas menacer un douanier intègre. Rabah continue son sermon. Il exige qu'on aille garer le convoi devant son bâtiment, et que je vienne régler les formalités immédiatement. Je charge Jacky de s'occuper de la manœuvre et je suis monsieur le receveur. Chotard et son attaché-case m'accompagnent.

Le bâtiment des douanes n'est pas très loin. C'est un assemblage de cubes réalisé dans le matériau de construction rouge qui sert partout ici. C'est là que se trouve le bureau de Rabah, et que nous nous asseyons pour laisser passer sa hargne. Dehors, sur l'étendue de sable dégagée en face du bâtiment, mes camions se rangent. Il n'y a rien dans le bureau. Un classeur métallique et une table, plus quelques chaises bancales constituent tout son mobilier.

« Bien. Les cartes grises et les assurances. »

Mais pourquoi faut-il qu'il soit sur ma route, celui-là ? Le même sketch se reproduit à chaque voyage. Je soupire :

« Chotard, donne à monsieur le receveur les cartes grises et le reste. »

Chotard connaît aussi bien que moi ce cirque mais son vieux respect de l'autorité le rend fébrile, il tend le tout à Rabah qui vérifie rapidement avant de sourire, ravi. C'est d'un air gourmand qu'il laisse tomber :

« Fiche de devises. »

C'est un papelard que l'on obtient en passant honnêtement la frontière d'entrée, et je n'en ai donc jamais.

« Chotard, donne notre fiche de devises à M. le receveur. »

Chotard n'a aucune imagination. A chaque fois, il me répond en espagnol qu'on l'a perdue.

« Monsieur le douanier-chef, mon secrétaire me communique que nous avons égaré la fiche de devises. Veuillez nous en excuser. »

Il jubile. C'est son petit plaisir. Il peut me coller une amende de mille dinars, soit cent dollars. Le convoi va m'en rapporter quatre cent mille, je peux bien lui offrir ça. Je lui précise quand même, l'air détendu, que c'est un coup dur qu'il me porte, et que mes enfants sont malades.

« Arrêtez de vous moquer de moi. Vos camions doivent rester devant mon bureau pendant toute la durée de votre séjour à Adrar. Cela me permettra de vous surveiller. »

C'est nouveau. Cela m'ennuie, car j'ai des affaires à traiter ici. Je ne vais pas pouvoir livrer mes marchandises sous l'œil de Rabah.

« Mais enfin, douanier, je dois faire mes pleins de gasoil.

— Nous irons ensemble. »

Son sourire me dit qu'il a une idée derrière la tête. Il a dû me mitonner un piège pendant une nuit d'insomnie.

Douanier, douanier, tu ne comptes quand même pas me coincer, c'est moi, Charlie, qui ai acheté toutes les douanes d'Afrique.

« Veuillez me prévenir quand vous irez remplir vos réservoirs. Au revoir. »

L'embauche des graisseurs est la première chose dont je m'occupe après la sieste. Kara rassemble tous les types qui sont venus tout à l'heure.

C'est une troupe imposante. Je vais tous les engager pour ce convoi et cela demande un peu d'organisation, car je dois faire attention aux ethnies si je ne veux pas de meurtre pendant la traversée.

On se rend difficilement compte du degré de racisme qui règne en Afrique entre les différentes peuplades. Alors qu'en Europe tout le monde prône l'abolition de la ségrégation entre Blancs et Noirs, ceux-ci se massacrent allégrement entre eux. Comment font-ils pour se reconnaître, c'est un mystère. Pour moi, ils sont tous pareils. On peut mesurer aussi l'aberration que constituent ces frontières instituées selon des critères géographiques, sans tenir compte de l'histoire des peuples.

Je ne peux pas mettre des Tamacheks sur les bahuts de One et Two. Mes deux bamboulas sont des Bellahs. Cette tribu a été esclave des Tamacheks pendant plusieurs siècles. Les Français avaient laissé les choses en l'état, et ce n'est qu'à l'indépendance du Mali qu'ils ont été affranchis. Il est encore trop tôt, après une tradition millénaire, pour qu'un Bellah puisse commander un Touareg. Je vais donner à One et Two des Maliens noirs. Les graisseurs maliens sont tous des Bambaras, à part quelques Peuls, assez rares.

Je ne peux pas non plus former des équipes de graisseurs mixtes, Tamacheks et Bambaras. Les premiers sont les occupants du Nord du pays, la partie désertique, les seconds sont des nègres qui viennent du Sud, même s'ils sont installés depuis plusieurs générations dans le désert. Les deux ethnies se détestent tant qu'elles se sont fait la guerre, juste après l'indépendance. Les Bambaras, qui détiennent le pouvoir et l'administration du Mali ont envoyé l'armée contre les Tamacheks qui venaient de se révolter. L'histoire s'est mal terminée pour tout le monde. L'armée malienne s'est volatilisée dans le désert. C'est la France qui a dépêché des hélicoptères pour retrouver ces quelques milliers d'hommes égarés loin des pistes. L'anecdote ne figure dans aucun livre d'histoire, mais fait encore rire les Tamacheks. Le massacre qui a suivi les fait moins rigoler.

A Wallid, je ne peux donner que des Tamacheks. Le Mali et l'Algérie ne s'entendent pas bien. A Albana, il faut que j'attribue des Bambaras, de la même race que lui, et ainsi de suite. Pour que la répartition se fasse assez rapidement, je demande aux graisseurs de déclarer leur origine :

« Les Bambaras, levez la main. »

Kara et Wallid passent entre les rangs et traduisent. Quelques mains se lèvent. Comme d'habitude, il faut répéter cinq fois. Aucun Africain ne comprend immédiatement un ordre inhabituel.

La première fois, trois types lèvent la main puis, se sentant seuls, la rabaissent aussitôt pour la relever sur les injonctions de Kara.

« Les Bambaras, levez la main. »

Trois nouvelles mains se lèvent, non, deux seulement, car un type a levé les deux mains, rapidement imité par les autres. Je me demande ce qu'ils vont lever si je pose la question encore une fois.

« Levez la main. Les Bambaras lèvent la main. »

D'autres se lèvent mais les premières se sont rabaissées. Kara et Wallid reçoivent l'assistance d'Albana qui en profite pour jouer les importants. Je m'approche d'un type café-au-lait.

« Tu es quoi, toi ?

— Bambara, pat'on.

— Alors qu'est-ce que tu attends pour lever la main ? »

Il me sourit et il lève le bras. On finit par les avoir tous. Ils sont largement minoritaires.

« Les Tamacheks maintenant. Levez la main. »

Les Bambaras gardent les mains levées et, avec les Tamacheks, ça me fait vingt mecs les menottes en l'air, avec un sourire heureux, essayant d'attraper les nuages.

Je suis obligé de faire déplacer les groupes pour avoir enfin une vision d'ensemble. Finalement, la répartition tombe juste. Je refile tous les Noirs à Albana, One et Two. Les Tamacheks avec les autres.

Les graisseurs ont pour consigne de s'occuper de leur camion et seulement de celui-là. Si j'en prends un qui traîne sur un autre bahut, je le vire. Il y a cinq ou six graisseurs pour chaque bahut. C'est beaucoup trop. Deux ou trois suffisent largement, mais puisque le convoi est gros, autant être démesuré dans tous les domaines. Immobilisés sur ce parking, les douze bahuts surchargés, déjà couverts de poussière, avec chacun leur petite tribu campant autour, offrent un spectacle plaisant. J'ai hâte de les voir rouler.

Rabah ne cède pas, et je reste plusieurs jours immobilisé devant son bâtiment. De temps en temps, je le vois sur son perron, les mains derrière le dos, dressé sur la pointe des pieds, se repaître du spectacle de ma belle machine à l'arrêt. Triste image d'un fonctionnaire intègre qui prend son pied.

Jour après jour, la vie du campement s'organise. Un coin-cuisine a été aménagé par mes hommes, sous une bâche tendue entre deux camions. Autour des bahuts, les petits feux des graisseurs. Le long des véhicules, les hommes ont pendu leur corde à linge. Des bidons et des jerricanes d'eau en plastique traînent un peu partout, à l'ombre. Le parking a changé de forme depuis le premier jour. Quatre camions sont garés en long, tête à queue, en face du bâtiment des Douanes, ce qui nous donne un peu d'intimité, cachés des regards indiscrets de Rabah.

Les journées sont longues. L'inactivité des après-midi sous la chaleur est pénible. Le peu d'occupation que je peux trouver à Adrar a déjà été épuisé.

Je suis allé rendre visite à Ayoudjil, un de mes premiers clients de la piste. Il est devenu un ami et mon acheteur le plus important. Une partie des pièces et un de nos moteurs lui sont destinés. Il habite une grande maison rouge dans Adrar, semblable à toutes les autres. Nos retrouvailles sont presque une tradition. Un haut fonctionnaire d'Adrar, gros moustachu jovial et corrompu, lui aussi un ami, y assiste toujours.

Ayoudjil est un bon commerçant. Transporteur et revendeur de pièces mécaniques, il est très prospère. A l'abri dans sa maison, nous menons à bien nos petites affaires.

Je n'ai pas l'impression de nuire aux gens d'ici, loin de là. D'accord, mes tarifs sont élevés, mais toujours moins chers que les prix du gouvernement. De plus, beaucoup de choses que j'apporte sont introuvables ici. En fait, je suis presque un bienfaiteur de l'humanité. Ce n'est malheureusement pas l'avis des autorités et si elles savaient ce qui se trame dans cette maison, ça serait la taule pour moi et pire pour les autres. Les bienfaits ne sont jamais récompensés !

Ayoudjil est déjà au courant de mes problèmes avec Rabah mais il ne sait pas ce qu'il mijote. Je lui confirme que j'ai tout ce qu'il m'avait demandé, et je lui annonce les prix. Il boit une gorgée de cognac. Ses yeux pétillent derrière ses lunettes. C'est l'heure du marchandage. Pendant plus d'une heure, nous bataillons amicalement. Le fait d'être copains n'empêche pas de chercher à faire la meilleure affaire possible.

Nous tombons d'accord. Ensuite, j'organise la livraison. Il n'est pas question que Rabah soit au courant de cette vente. Je lui livrerai les marchandises dans le désert, de nuit. Je lui donne le point de rendez-vous, à une dizaine de kilomètres de la piste, entre Adrar et Reggane. Il viendra avec ses véhicules. Dès que je pourrai décoller d'ici, je lui ferai signe.

« Il faut que tu me paies tout de suite. Donne-moi juste assez de dinars pour faire les pleins des camions. Le reste en francs maliens ou en C.F.A. Tu as ça ? »

Sorti d'Algérie, le dinar ne vaut plus que son poids de papier et pas d'échange possible.

« Aucun problème, Charlie. Je vais te trouver ça. Tu comptes vendre du gasoil au Mali ? »

Excepté la consommation des camions, le contenu des citernes sera en effet vendu de l'autre côté de la frontière. L'Algérie est productrice de pétrole. Le gasoil n'y coûte que quelques centimes. Au Mali, où il y a souvent pénurie, il vaut de deux à quatre fois plus, soit un bénéfice substantiel pour un simple passage de frontière.

« Tu vas te remplir, Charlie. Il n'y a plus une goutte de gasoil à Gao. Mon cousin y est bloqué depuis huit jours, je vais te chercher de l'argent. »

Les poches pleines de pognon, je procède à quelques courses en ville. Kara m'accompagne pour porter les emplettes. Il n'y a qu'un grand magasin à Adrar, où on vend ce qui est disponible, c'est-à-dire pas grand-chose. On est seulement sûr d'y trouver des pains de sucre, dont j'ai besoin, et du lait condensé. J'achète en grosse quantité, j'ajoute des sacs de riz et de pâtes. Kara porte tout à la 504. Je le regarde toujours faire avec étonnement. Il s'accroupit devant la charge, ses membres d'araignée s'enroulent autour. Il se lève, et un sac de cent kilos quitte le sol, sans difficulté. Il ne faut pas se fier à son apparente maigreur. Chacun de ses membres est un puissant levier. Ses immenses mains sont des pinces, entre lesquelles il vaut mieux ne pas tomber. Il est gentil et relativement intelligent, en tout cas très compétent dans son boulot. Il connaît tout de la piste et des camions. Sa force et son expérience l'ont rendu célèbre chez les graisseurs. Son autorité incontestée en fait un chef d'équipe assez indispensable.

C'est lui qui s'occupe de faire équiper les camions. Mes bahuts reçoivent la touche finale des véritables camions du désert. Une vingtaine de plaques de désensablage, des tôles de plus de deux mètres trouées sur toute leur surface, sont accrochées à chaque camion. Elles pendent horizontalement le long de la remorque. Des djerbas sont accrochées sous l'avant pour être toujours à l'ombre. Ce sont des outres en peaux de chèvre, à peine pelées, pendues par les pattes. L'eau y prend un goût de cadavre, mais la djerba, toujours humide, la conserve au frais. Le même système est appliqué pour les gourdes personnelles. Là encore, c'est Kara qui se charge de l'apprendre à mes chauffeurs. On enroule un chiffon ou une chemise autour d'une bouteille, et on serre avec une ficelle. En mouillant périodiquement le tissu et en laissant la gourde pendue au rétroviseur, le vent de la course se charge de rafraîchir l'eau. Pour les autres besoins aqueux, radiateurs et toilette, les graisseurs accrochent aux parois de toutes les remorques fermées des demi-chambres à air de camion, en arc de cercle. La flotte est ainsi accessible à chaque arrêt, sans qu'on ait besoin de tout remuer pour sortir les bidons.

Jos, de sa propre initiative, a réquisitionné tout le monde pour fignoler l'arrimage du chargement. Les chaînes volées au ferry s'avèrent très pratiques pour les remorques découvertes. Il les a fait passer au-dessus du chargement, et fixe les crochets aux rebords du plateau. Le tendeur à manivelle lui permet de serrer le tout. Les deux professionnels bossent avec lui. Je ne les comprends pas, ces deux-là. Ils se sont encore plus fermés sur eux-mêmes, mais ils n'hésitent jamais à bosser, et à donner des conseils à Jos. Ils ont besoin d'argent, et ne tiennent pas à se faire jeter. On ne se parle pas.

Depuis que nous sommes arrivés en Algérie, j'ai repris mes habitudes de grand chef. Jacky, en bon copain, m'a installé le plus grand confort dans mon bahut. Deux ventilateurs branchés sur la batterie rafraîchissent la cabine à l'arrêt. Un jambon, acheté en Espagne, pend, enveloppé dans son torchon. Au-dessus de la couchette, un panier rempli de fruits secs. Mon lit est fait tous les matins et mes draps changés régulièrement. J'ai même un peignoir en soie à mes initiales. Il m'a installé une excellente stéréo que je fais marcher sans arrêt. Tous les matins, Capone est au pied de ma cabine, le café à la main, attendant mon réveil. Depuis notre arrivée à Adrar, il s'est proposé de lui-même pour être mon barbier personnel. Il a tout le matériel et me rase très professionnellement, le petit doigt levé et le regard concentré. Après, il reste avec moi quelque temps pour raconter des conneries et fumer un joint. A ce moment-là, en général, tout le monde défile, vient aux nouvelles, prendre les ordres et tirer sur le pétard. En peignoir, bien installé, bottes aux pieds, je reçois ma troupe et j'écoute les rapports.

Un matin, un long hurlement parcourt le camp. Les cris d'effroi s'approchent de ma cabine. Samuel Grapowitz, hystérique, braille à quelques mètres de mon camion, déboutonné, les deux mains entre les jambes.

« Charlie. Charliiiiiiiie. J'ai la chtouille, Charlie ! »

Jacky, attiré par les cris, s'écroule de rire. Capone s'amène, bougon, avec la cafetière.

« Pas la peine de gueuler comme ça. T'es pas le seul à être plombé. »

J'ai du mal à retenir un sourire pour lui demander innocemment :

« Ah ! bon, toi aussi ?

— Ah ! oui ! et pis une sérieuse. Tu verrais le travail ! J'ai dû choper ça chez Fifinne, à Béchar. »

Les cris de Samuel Grapowitz, qui s'étaient éloignés à l'autre bout du camp, se rapprochent à nouveau.

« Ils vont me mettre des sondes dans le gland. Des sondes dans le gland ! »

Pendant longtemps, il est impossible de lui adresser la parole, jusqu'à ce que Jacky le persuade de se joindre à nous pour aller à l'infirmerie d'Adrar.

C'est une triste procession qui prend place dans la 504. One, l'Indien, Jos, Capone, les deux pros, Albana, Two et Samuel Grapowitz ont tous chopé la chtouille.

Je les fais entrer dans la salle de soins. L'infirmier est un grand type en blouse blanche. Il dévisage tout le monde, impassible, puis se retourne sans un mot et s'affaire à ses instruments.

Personne ne dit rien. Les hommes sont plutôt pâles. L'infirmier a allumé son bec à gaz, et fait bouillir de l'eau. Pour le reste, on ne voit rien de ce qu'il fait. Il stérilise des instruments. Il sifflote machinalement en travaillant. Enfin, il lève au-dessus de sa tête, pour observer l'opération à la lumière, une fiole et remplit sa seringue. Tout le monde peut voir le liquide blanc, épais, la pénicilline bien reconnaissable.

Samuel Grapowitz a compris pourquoi ce type sait, sans les avoir examinés, quel médicament utiliser, et il me lance, de sa chaise, un regard mortel. Je ne peux que hausser légèrement les épaules. Et ouais, mon vieux, Cléopatra est la femme la plus plombée de tout le Sud algérien. Elle a déjà laissé son souvenir à une bonne cinquantaine de chauffeurs, à qui j'avais conseillé « ma maîtresse personnelle ».

L'infirmier se retourne, la seringue pleine, et fait le tour de l'assemblée.

« Combien, cette fois-ci, monsieur Charlie ? Huit ? Tu as fait fort ! »

Cette fois, ce sont huit regards chargés de haine que je dois supporter. L'infirmier fait signe à Jos de s'approcher et me demande :

« Tu as pensé à mes jeans, monsieur Charlie ?

— Mais oui, bien sûr. Chotard, tu lui donneras ses jeans. »

Jos, debout, à quelques secondes d'y passer, tourné vers moi, n'est plus qu'un reproche vivant. Jacky et moi sortons pour nous réfugier dans la 504, où nous sommes plus à l'aise pour nous écrouler de rire.

Tout ce que nous avions à faire ici étant accompli, je fais ranger le campement. Je vais voir Rabah dans son bureau.

« Monsieur Charlie, que puis-je faire pour votre service ?

— Rien. Je viens respectueusement te prévenir que je fais le plein de mes bahuts. »

Il se renverse sur son fauteuil, et je n'aime pas du tout le sourire qu'il m'adresse.

« Fort bien. A combien estimez-vous votre consommation ? »

J'ai besoin de dix mille litres pour rouler, et je compte large. J'ai en plus le reste de mes citernes à remplir pour le business. Je lui annonce donc soixante-quinze mille litres. Il se dresse d'un coup.

« C'est faux ! Vous essayez encore de tricher ! »

Il me brandit un petit bout de papier couvert de chiffres en glapissant :

« Une enquête chez les camionneurs locaux m'a permis d'établir avec certitude vos besoins en gasoil. Vous avez droit à douze mille litres, et c'est tout. »

J'ergote, pour la forme, je parle des déplacements autour de la piste, des besoins supplémentaires en cas de perte, mais je sais qu'il vient de marquer un point. Les quelques milliers de litres supplémentaires que je grapille sont une misère. Il m'accompagne aux pompes et reste là pendant le défilé des camions. Je réussis cependant à l'inquiéter un peu en lui annonçant que, tout compte fait, je vais rester encore un peu à Adrar.

Fais attention, douanier, Charlie reste dans le coin. Je vais attendre que ton service t'envoie à l'extérieur d'Adrar, comme cela arrive souvent. Et je les remplirai, mes citernes. Je ne suis pas pressé.

Mais je ne suis pas patient non plus, et les jours qui suivent sont éprouvants. Rabah a deviné que je guettais son départ pour passer outre à son interdiction et l'enfoiré reste sur place. Le convoi est à nouveau rangé devant la douane, les installations ont été dépliées. Je commence à en avoir assez de rester là à ne rien faire. Seules quelques petites distractions viennent tromper notre attente.

Un petit bahut est venu se garer pas très loin.

C'est un dix tonnes Mercedes, vert kaki, vieux modèle assez bas. A l'arrière, une 404 bâchée est chargée. Deux Blancs voyagent à bord.

« Chotard. »

Je veux les prévenir qu'il ne faut pas qu'ils vendent leurs véhicules au Mali, sauf à moi. Dépêcher un ambassadeur donne plus de puissance à ce genre de message.

« Chotaaaaard ! »

Mon comptable arrive en courant. A tout hasard, il a pris son attaché-case. Il porte une Lacoste impeccable et ses santiags sont reluisantes, comme neuves.

« Tu vas aller voir ces types, là-bas, de ma part. »

Il comprend immédiatement, et s'inquiète déjà.

« Ne t'en fais pas, tu vas y aller avec Kara et une dizaine de graisseurs. Mais, attention, tu restes poli. Ne sois ni grossier ni présomptueux. »

Je sais combien il est facile et tentant de flamber avec dix costauds pour assurer sa protection, et frimer avec démonstration de force est le meilleur moyen pour braquer un interlocuteur.

« Tu leur demandes où ils vont. Si c'est au Mali, tu leur dis qu'il faut tout vendre à Charlie, camion et voiture. Explique-leur qu'ils dérangent mon commerce.

— Oui. Je leur fais une offre ?

— Dis-leur quatre briques pour le tout, et préviens que plus bas, je leur donnerai moins. Précise bien qu'ils seront de toute façon obligés de vendre à Charlie, tout en restant gentil et correct. S'ils rechignent, tu laisses tomber. »

Une demi-heure plus tard, Chotard et les graisseurs reviennent. Les types ont refusé.

« Ils sont comment ?

— Plutôt sympas. Le genre mécano. Celui qui

commande à trente-cinq ans. L'autre est plus vieux...

— Ils ont été polis ?

— Ouais, tout à fait. Je crois qu'ils ont été impressionnés par ta façon d'agir, la délégation...

— Bon merci, c'est tout. »

Après tout, si les types veulent s'épuiser à descendre mes véhicules tout en faisant baisser les prix, je ne vois rien à redire.

Profitant de mon temps libre, je fais compléter les provisions. J'ai acheté une quinzaine de moutons vivants qui ont été arrimés tant bien que mal sur le camion d'Albana. C'est le seul moyen d'avoir de la viande fraîche sur la piste. Morte, elle ne se conserve pas. J'ai fait acheter des légumes aussi. Les menus n'auront jamais été aussi soignés que sur ce dernier convoi.

Je suis en train de faire des courses, accompagné de Jacky, Kara et Capone, qui ne loupe jamais une occasion de se promener. J'aperçois une vieille connaissance. Jacky a remarqué mon regard.

« Que se passe-t-il ? Un problème ?

— Non. Une bonne nouvelle, plutôt. Ce type qui vient de rentrer dans le Grand Hôtel, avec un couple et un enfant, tu l'as vu ?

— C'est un copain ?

— Non. C'est une pourriture, on va aller lui dire bonjour. C'est un Gitan qui traîne depuis longtemps sur la piste. Il vole des voitures en Europe et vient les vendre en Afrique, comme pas mal de desperados qui rôdent ici. »

Lui, c'est un enculé. Alors que j'étais installé à

Niamey, pendant mes premières affaires de véhicules, il m'a emprunté du fric et oublié de me le rendre. C'est une chose qu'à la rigueur je peux pardonner. L'argent est une chose précieuse pour tant de gens que c'est tentant de ne pas rembourser une dette. Mais il a aussi à son actif quelques coups plus vicieux et, ce qui est plus grave, exécutés dans mon dos, pendant mes absences. Je remontais alors souvent en Europe pour mes affaires et je n'étais pas toujours là pour surveiller mon domaine.

Lorsque nous entrons dans le bar, le Gitan, assis à une table avec le couple, nous tourne le dos. On s'approche et, d'un geste qui peut paraître amical, je prends le Gitan par l'oreille. Il se retourne. Il est petit, costaud, et il a une face de cul.

« Bonjour, camarade. »

Je suis souriant, aimable et poli.

« On peut prendre un verre avec vous ?

— Oui, oui, bien sûr, Charlie. »

Nous nous installons tous à la table. Je lâche l'oreille.

Le couple est italien, et l'homme parle un français approximatif. Il me dit aller au Mali.

« Vous avez une voiture ? »

L'Italien me désigne le Gitan. C'est lui qui les emmène. Le gamin doit avoir cinq ans. Il est assis sur les genoux de sa maman. Le couple est quelconque. J'essaie de les faire parler mais je sens leur méfiance. Je finis quand même par comprendre qu'ils n'ont pas de visa pour le Mali, mais que le Gitan, Séguro, se charge de les faire passer. C'est une embrouille véreuse. Les douaniers maliens ne laisseront jamais passer quelqu'un sans visa et l'autre salaud le sait parfaitement. Ils vont se retrouver coincés dans le désert avec un môme de cinq ans. Je ne connais pas les motifs qui poussent ce fumier à faire ça, mais une chose est sûre, c'est que ça ne me plaît pas du tout.

Cet enfoiré est capable de tout, prêt à tuer pour un billet de cent balles. En plus, savoir ce gamin dans cette sordide embrouille, me hérisse.

Je patiente jusqu'au moment où les Italiens gagnent leur chambre. Le Gitan essaie de se défiler mais je le retiens.

« Tu vas bien rester avec nous, camarade ? »

Il se réinstalle sur sa chaise. Seul avec nous, il se tait, en tripotant sa boîte d'allumettes. Il est nerveux. Non sans raisons.

Après un moment de silence, il me dit :

« Charlie, il faut que tu saches que j'ai toujours eu l'intention de te rendre ton fric.

— Tranquille, camarade. »

Et je lui pose la main sur l'épaule.

« Charlie...

— Tu vas venir avec nous. Je t'invite à boire le café dans mon campement.

— Non, c'est gentil, mais je ne peux pas, Charlie. J'ai pas mal de choses à faire. »

Capone lui tapote le bras et lui balance dans la plus grande tradition :

« Petit, il faut nous suivre. »

Kara, qui a compris qu'il y a embrouille, s'est levé. C'est une masse impressionnante.

« Écoute, Charlie...

— Camarade, ne m'oblige pas à t'arracher les oreilles ici. »

Il s'est levé et il est sorti avec nous.

Pas un mot n'est échangé jusqu'au campement. Capone sifflote entre ses dents. J'ai garé mon camion en long, face à la douane. De cette façon, Rabah ne peut rien voir de la scène. De l'autre côté, c'est le sable jaune, sans témoins.

Le Gitan est assis sur une chaise, face à nous. Il

a déjà pris deux claques dans la gueule, et ses joues sont d'un joli rouge foncé, un effet dont, ma foi, je suis assez fier. Le ton de la discussion est donné, et le Gitan a compris. Elle sera chaleureuse.

Je suis assis dans mon camion, portières ouvertes et jambes à l'extérieur. J'ai mis un peu de musique, fort, pour l'ambiance et pour couvrir les cris éventuels. Le long du camion, mes hommes. Tous ont le visage sévère, impassible. Un joint circule entre eux, et ils fument sans cesser de regarder le Gitan, effondré devant eux.

Je n'ai nul besoin de trop le forcer afin qu'il me crache sa magouille. Les Italiens sont en cavale et ne peuvent demander un visa de l'ambassade malienne. Le Gitan, qui les a copieusement baratinés, compte les emmener jusqu'à Tessalit où ils seront immanquablement refoulés. Là, dans ce bled paumé du désert, ils se retrouveront complètement dépendants de cette crapule. Il a l'intention de leur sortir tout leur pognon et de filer au Mali.

Quel enculé! C'est la mort pour eux ou au moins de très sérieux ennuis. Les adultes, c'est leur problème, je ne suis pas au fait de leur galère. Mais pour traîner un gamin dans cette embrouille de fous, il faut être de sacrés dégueulasses. Je suis mal placé pour jouer les moralistes, mais j'adore les enfants et je méprise ceux qui ne les respectent pas.

Je lui laisse une dernière chance:

«Et le gamin?»

Son geste évasif prouve amplement qu'il n'en a rien à foutre.

Les types de mon équipe le fixent avec haine. Samuel Grapowitz s'est avancé et, en bon inquisiteur, réclame qu'on lui coupe les couilles. Moins théâtral, mais aussi décidé, Capone s'approche.

Arrivé à côté du Gitan, il lève la main. Au dernier moment, il se tourne vers moi.

« Je peux ? »

La gifle est partie, poing fermé. Elle a vidé le Gitan de sa chaise. Capone cogne bien. Le Gitan se relève, la bouche en sang, à moitié sonné, lorsque l'Indien, très rapide le renvoie à terre d'un coup de pied dans les jambes. C'est le début de la série. Chacun vient le frapper à tour de bras.

« Relève-toi. »

Il faut reconnaître au moins une qualité à l'accusé, c'est qu'il encaisse bien. Il s'appuie sur sa chaise et parvient à se hisser dessus. Le devant de sa chemise est maculé de sang. Sa gueule est en bouillie. Lèvres, nez, arcades, tout est ouvert et pisse abondamment. Il se rassoit.

Capone, dans la grande tradition du milieu, propose de le mettre à l'amende.

« Bonne idée. Donne tout ton fric. »

Il se lève péniblement et sort de sa poche arrière un portefeuille avec quelques billets qu'il me tend en éventail. Je lui ordonne d'enlever ses fringues. Les coups de pied ont laissé leurs marques sur sa poitrine et sur ses jambes. A part ces taches rouges, il est tout blanc.

« Capone. Fouille-moi ça. »

Capone s'approche du tas de vêtements et grimace.

« C'est crado. Tu dois pas te laver souvent, salaud. »

Il trouve d'abord le couteau et il l'empoche. Ensuite il découvre une épaisse liasse de billets dans une poche cousue à l'arrière du pantalon. Je crie au Gitan :

« Chaussettes. »

Sous chaque plante de pied, il a un joli paquet de papier-monnaie. Capone me ramène le tout. Il y a trois mille dollars, dont je jette trois cents au Gitan, de quoi lui payer son retour en Europe. Il a ramassé ses fringues et les tient serrées contre lui.

« Tu laisses tomber les Italiens. Tu ne les revois plus. »

Il acquiesce, d'un hochement de sa tête abîmée, et ramasse le fric.

« Si je te retrouve dans le désert, et même plus bas, je ne te louperai pas. D'accord ? »

Il a du mal à balbutier son approbation. Puis il se rhabille et il s'en va.

Deux jours plus tard, j'ai appris qu'il avait été jeté en prison pour une autre de ses saloperies. J'aurais pu faire intervenir mes appuis mais je ne bougerai pas cette fois-là.

L'intermède m'a amusé, et mon équipe a bien réagi. Des gens simples aux plaisirs simples. Ils commencent à se sentir à l'aise dans le désert. Je m'en rends compte dès le lendemain, en revenant de promenade avec Samuel Grapowitz.

Jos, Capone et l'Indien sont en train de flamber et jouent les durs du désert devant cinq jeunes types aux cheveux longs.

« Alors, petit, on veut faire le désert ? »

Le contraste entre ces touristes juvéniles, bien qu'environ du même âge que moi, et mes trois types aux épaules larges, la peau déjà brûlée, impassibles et la cigarette aux lèvres, est un tableau sympathique.

« Charlie, les petits voudraient voyager sur un camion, comme des Arabes. »

Les passagers musulmans viennent s'installer en haut des remorques depuis notre arrivée à Adrar. Kara et Wallid s'en occupent. Ils savent que je ne refuse jamais et que sur mes convois, les passages sont gratuits. Nous trimbalons toujours une cinquantaine de types, pour qui le camion est le seul moyen de locomotion.

Les touristes sont plus gênants. J'ai toujours aimé rencontrer des gens qui voyagent mais, depuis quelques années, je n'ai vu que des minables en Afrique. Je respecte ceux qui partent chercher l'aventure et l'action, mais ce n'est pas le cas de ceux-là. Radins, tristes, ils passent à côté des vrais plaisirs, cherchant par tous les moyens à faire des économies.

Ceux qui ont voyagé sur mes convois usent de la même tactique. Un coup de brosse à reluire, puis ils se volatilisent pendant la traversée. Ils ne donnent jamais un coup de main et ne créent que des difficultés. Après chaque convoi, je décide de ne plus en prendre mais, cette fois encore, le souvenir de Miguel, l'hidalgo à la trompette me fait revenir sur ma décision.

Leur porte-parole s'avance vers moi et me déclare que mon convoi est beau, avant de me demander où je vais.

« Montez tous les cinq sur une remorque et que je ne vous voie en bas que lorsqu'on a besoin de vous, c'est-à-dire quand on vous appelle pour travailler.

— Merci. Mais si on travaille tu nous fais un prix pour la traversée, hein ? »

Je vais gagner quatre cent mille dollars avec ce convoi, et il vient me gonfler à marchander pour cinq passages à trois cents balles.

« C'est gratuit, couillon. Allez, grimpez ! »

Le soir même, je décide que j'en ai assez. Rabah ne bougera pas. Je vais simuler le départ et me tapir à Reggane. Ayoudjil me fera prévenir quand cet enculé de douanier sortira de son trou.

J'appelle Jos et je lui donne l'ordre de départ. Les hommes n'en finissent pas de ranger le matériel. Je secoue le mouvement à grands coups de gueule. Moins d'un quart d'heure plus tard, on démarre. Kara et Ahmed sont montés avec moi. Les autres graisseurs sont en haut de la remorque. Je fonce sur la piste bosselée de Reggane. Dans mes rétros, les phares suivent. On arrive sans incident moins de quatre heures plus tard, en pleine nuit, après quelques arrêts pour faire provision de bois sec.

Le premier jour, j'ai fait entièrement décharger le petit Man. Je veux qu'on y mette les marchandises prévues pour Ayoudjil. Je passe voir les gens de la protection civile, ceux qui visent les papiers pour la traversée du Tanezrouft. On se connaît bien depuis le temps. Dehors, les hommes peinent sous la chaleur à transporter tout le fourbi que m'a commandé Ayoudjil. En plus du moteur de camion, qui pèse son poids, il y a plusieurs moteurs de voitures et des tas de pièces mécaniques, des pneus et d'autres bordels. En tout, bien dix tonnes à trimbaler d'un camion à l'autre.

Vers cinq heures de l'après-midi, alors que la température commence à descendre, le chargement du Man est terminé. C'est la ruée sur l'eau puis, peu après, la sieste. Je laisse tout le monde dormir un peu, puis je commande que l'on dispose les camions en cercle, et j'exige qu'il en soit ainsi à chacun de nos arrêts. La manœuvre prend trois quarts d'heure. Les ronflements des moteurs et les souffles des freins pneumatiques égaient un peu cette fin de journée. Ça tourne et se croise à l'intérieur du parc. Assis sur le muret, je jouis de ce spectacle plein de mouvement.

Je démarre à minuit. Jacky a pris le volant du Man. Kara vient avec nous. Nous remontons en direction d'Adrar, mais nous quittons la grande piste au bout de vingt kilomètres pour une plus petite. Une dizaine de kilomètres et Kara se met à crier :

« Sable ! Sable ! »

Juste devant nous, un grand banc de sable fin mord sur la piste. Avec le Man, puissant et maniable, et l'un des plus légers du convoi, nous passons sans difficulté.. Encore cinq kilomètres et nous sommes au point de rendez-vous. Jacky coupe le moteur. La nuit est claire, bleutée. Nous attendons deux heures avant de percevoir un ronflement au loin, qui se rapproche. Dix minutes encore et Jacky me pousse du coude :

« Là. »

Sur la droite, deux phares se sont allumés, et s'éteignent aussitôt. Trois fois, c'est Ayoudjil. Jacky met le bahut dans l'axe et répond. Ayoudjil est venu avec plusieurs employés, et six 404 bâchées. Ses hommes se mettent tout de suite au déchargement. Kara allume un de ses petits feux et prépare le thé, avant d'aller aider les autres. Jacky, Ayoudjil et moi fumons le cepsi et des joints près du feu. J'ai également apporté une de ces bouteilles de vieux cognac dont raffole Ayoudjil. Du camion, les types font glisser les moteurs sur des plaques de remorque à l'arrière des voitures. Comme nous, ils chuchotent, d'instinct. Ce n'est pas vraiment utile, quoique les plus petits bruits portent dans le désert, mais cette ambiance de contrebande nous pousse à baisser la voix.

Tout est réglé en trois heures. Ayoudjil me paie le

reste de ce qu'il me doit. Il me confirme qu'il m'enverra un messager dès que Rabah partira en tournée. Les 404 disparaissent dans la nuit.

Reggane, deuxième jour. Attendre sans rien faire n'a rien d'agréable. C'est le moment de faire faire un peu d'exercice à mes hommes. Relaxation, d'accord. Relâchement, pas question.

Comme d'habitude, le soleil est haut et bien fort, un temps idéal pour les jeux de plage. Je dis à Kara de placer un stock de pelles et de plaques de désensablement supplémentaires sur le Man, et je fais grimper toute l'équipe sur le camion. Ils s'accrochent comme ils peuvent pendant que je roule à fond sur les cahots. Arrivé au banc de sable que j'ai repéré cette nuit, je donne toute la gomme et je tourne à droite.

Tout de suite, les roues peinent. Je rétrograde. La vitesse chute. J'arrive en première. Sur un camion, la première n'a pas la puissance qu'elle possède sur une voiture. En général, passer la première, c'est déjà le début de l'ensablement, à tel point qu'il vaut mieux souvent laisser mourir le plus longtemps possible la seconde pour conserver une chance de passer, lentement, la zone meuble. Le temps de transmission des vitesses est trop lent sur un bahut, à l'allure à laquelle on roule sur le sable mou, il est impossible de ne pas s'arrêter une seconde, le temps de débrayer et de rétrograder. Ce temps d'arrêt est fatal. Il coupe le dernier poil d'élan qu'on pouvait avoir et on ne repart plus. Je donne un coup d'accélérateur pour bien enfoncer le train arrière dans le sable et je saute de la cabine.

« Leçon de désensablement. A vos pelles. Décrochez les plaques. »

La réaction est lente.

« Les plaques ! »

Ils courent et décrochent les tôles, lourdes et encombrantes. Le mieux est de les porter au-dessus de la tête, comme fait Kara. Ma bande de gros lourdauds les traîne et revient se poster devant moi. Aidé de Kara, je leur montre comment creuser, aménager la pente devant la roue et placer la tôle. Première leçon.

Désensabler un camion est un travail beaucoup plus pénible que pour une voiture. Les tôles sont plus lourdes. Quand elles sont enfouies sous le sable après usage, il faut dégager pour pouvoir les tirer de là. La quantité de sable à déblayer devant les roues est beaucoup plus importante. Il faut creuser sec pour arriver à un résultat. Alors, penché comme on l'est, on reçoit le cagnard en plein sur la nuque et, petit raffinement supplémentaire, on ne peut pas couper le moteur, car, surchauffé, il pourrait refuser de redémarrer, immobilisant le bahut définitivement. Le pot d'échappement envoie donc en permanence du gaz dans la figure de ceux qui creusent.

Ça brûle les yeux et la gorge. Impossible de travailler sans s'essouffler et aspirer largement la fumée. C'est un vrai calvaire.

« Deuxième leçon ! »

Ils sont tous devant moi, comme au garde-à-vous, la plaque dressée à côté d'eux.

« Vous voyez les traces ? Elles vont tout droit. C'est ce qu'il ne faut pas faire. Quand vous sentez que le bahut s'enlise, vous allez chercher tout de suite plus dur à droite ou à gauche. Compris ? »

Ils hochent la tête.

« Troisième leçon. Vous voyez la roue, et ce qu'il a fallu dégager pour mettre la plaque : on ne peut pas s'enfoncer plus. Quand vous êtes ensablés, vous n'appuyez pas sur l'accélérateur, ça ne sert qu'à vous enliser plus. Compris ? »

Compris.

Je remonte au volant, et j'embraie. Mes roues font glisser les plaques et les tordent, mais j'avance d'un bon mètre avant de m'enfoncer à nouveau. Penché à la portière, je gueule :

« Qu'est-ce que vous attendez ? Remettez les plaques. »

Ils plongent. Je gagne encore quelques mètres. Je les vois s'affairer dans mes rétros. Je gagne du terrain, et je sens que ça accroche. A gauche, ça paraît plus dur. J'embraie et j'accélère, pas trop vite. Je sors du sable après cent cinquante mètres. Demi-tour sur le dur et je descends.

Ils sont encore plantés là-bas. J'appelle tout le monde à grands cris. Ils se mettent à courir vers moi, péniblement. L'Indien, au lieu de porter la plaque sur sa tête, la traîne sur le sable, et arrive après les autres, aussi essoufflé.

« Tu vas te magner le cul, oui. Quatrième leçon, quand ça accroche, vous continuez à rouler pour sortir de la zone. Vous vous arrêtez quand vous êtes revenu sur du dur. Les graisseurs, après. Cinquième leçon... »

Tout le monde écoute, inquiet.

« La pratique. Jos, à toi. »

Jos s'installe au volant. J'ai pris la place du passager, les autres se sont accrochés où ils peuvent. Enlisement. Je dirige les opérations en criant, penché à la portière.

« Capone, à toi. »

Il est tellement tendu qu'il donne le grand coup d'accélérateur défendu.

« Putain de bordel ! »

Il essaie de s'excuser, mais ce n'est pas le moment. Je lui gueule dessus.

« Il va falloir piger, et vite. Retourne aux plaques si tu ne peux pas conduire. »

Je le fous hors du camion, et chacun se paie son petit enlisement. Le soleil tape. Le vrai cagnard de midi. Ils s'épuisent à courir à côté du camion, leurs plaques sur la tête. On traverse le banc de long en large.

« Capone, à toi. Rattrape-toi. Vous autres, les plaques. »

Aucun problème pour les deux bamboulas, maniement de plaques et conduite. Ni pour Jos et Albana. Les autres suivent en courant. Ils sont crevés.

« On pourrait boire un coup ?

— Il n'y a pas d'eau. Bon, je reprends. »

Je leur explique une nouvelle fois les quatre points fondamentaux du désensablement.

« Compris ?

— Oui Charlie, compris.

— Exercice pratique. Albana, à toi. »

Et c'est reparti à sillonner le banc de sable. Enlisement, plaques. Enlisement, plaques, plaques et course jusqu'au bahut.

« Samuel. A toi. »

A six heures du soir, ils titubent sur place. Dès que tout le monde s'est tapé son exercice pratique, je les réunis en face de moi.

« C'est compris ?

— Ouais ! Ah ! ouais, on a compris, Charlie. »

Ils sont rouges, sans souffle. Je ne les laisse pas s'asseoir.

« Jos, les quatre points à savoir ? »

Il récite.

« Samuel Grapowitz. »

Lui est abîmé, déjà. Il est écarlate et tient à peine debout.

Il me récite sa leçon sans sketch, d'une traite et sans erreur.
« C'est bien, vieux. »
Il retourne dans le rang.
« Capone.
— Moi j'ai pigé, Charlie, je t'assure.
— Alors au camion. On va voir si tu as pigé. »
Capone réussit son ensablement, et sa sortie du banc de sable. Tout autour du camion, les autres s'activent. Ils posent rapidement leurs bouts de tôle. Seul point faible, ils mettent du temps à rattraper le camion, leur plaque sur la tête. Je leur hurle de se dépêcher.
« One, à toi. »
Les manœuvres sont sûres, maintenant, rodées. Les types agissent mécaniquement, complètement crevés, et il n'y a plus d'erreur. La nuit tombe.
« Exercice différent. Ensablement de nuit. »
C'est pareil, sauf qu'il fait noir autour du bahut. Les phares éclairent devant et pas autre chose. Avantage : il fait plus frais. Par la portière, je continue à gueuler pour activer. On s'enlise maintenant dans nos empreintes. Il ne reste plus une surface vierge sur le banc.
« Jean-Paul, à toi. »
Vitesse, enlisement, pelles, plaques.
Il s'y connaît déjà et arrive à sortir du banc sans s'ensabler une deuxième fois. Ce n'est pas mal, mais s'il s'attendait à des félicitations, il est déçu.
« Albana, grimpe ! »
Lui, il donnerait n'importe quoi pour être ailleurs. Crispé au volant à chaque fois qu'il passe, il n'ose même pas regarder vers moi.
« L'Indien ! »
Et ça continue, et je recommence. Tout le monde y passe encore une fois, puis une deuxième. A dix

heures du soir, je descends du bahut. Ils vacillent tous autour de moi.

« On arrête. »

Ils s'écroulent.

« Allez les gars, rangez les plaques, et grimpez sur le bahut. On rentre au camp. »

Je reste peu au camp. J'ai encore du travail. J'ai un client pour un semi-remorque dans le village, un petit groupe de maisons rouges à l'écart de la piste et du fortin de police. Mon client est le hadji du lieu. Sa maison est semblable aux quelques autres, rouge, carrée et presque vide. J'y reste jusqu'à une heure avancée de la nuit. Le temps a passé en palabres et marchandages, sans que nous arrivions à nous mettre d'accord. Comme souvent, il va falloir une deuxième nuit. Le commerce est plein de ces abrutis qui considèrent avoir fait un bon marché quand ils ont discuté quarante-huit heures. La palabre est un plaisir pour eux, mais pour un Européen, c'est pénible. J'y retourne demain, tant pis.

Reggane, troisième jour. Je bois le café que m'apporte Capone, l'air endormi. Mon chef d'équipe arrive peu après, un peu plus en forme, lui.

« Jos. J'en ai assez de ce désordre dans le chargement. Aujourd'hui, inventaire et rangement. »

Il hoche tristement la tête et va annoncer la nouvelle aux autres : Capone me rase et y retourne aussi.

Le soleil chauffe déjà. Belle journée en perspective. Elle passe en déplacements de tas de ferraille et de pneus. Je marche sans arrêt, avec Jacky, au milieu de l'activité, et le rythme ne ralentit pas.

Le soir, je retourne voir mon hadji.

Cette fois, j'ai emmené Jacky et Samuel Grapowitz. Je sais qu'on va y passer la nuit et je ne tiens pas à m'emmerder. Ça recommence. On fume quelques cepsis et mon hôte m'offre du lait de chamelle et des dattes sèches.

« Ça va Charlie ?

— Oui, très bien.

— Et la famille, Charlie, ça va ?

— Oui, hadji, et la tienne ?

— Tout le monde va bien, et te remercie. *Oualai*,Charlie, *arbatach*, c'est cher.

— Hadji je ne peux pas baisser.

— Je sais, Charlie, je sais. Tu veux écouter la musique ? »

Il y a un poste de radio par terre. Il le rapproche et trouve une station brouillée, comme d'habitude. J'ai envie de lui écraser le poste sur la tête.

Je déconne avec Jacky et Samuel Grapowitz me raconte des histoires de fesses et l'on fume cepsi sur cepsi. De temps en temps, le hadji me relance.

« La famille, ça va, Charlie ?

— Oui, hadji, et la tienne ?

— Bien, nous te remercions. Charlie, comment crois-tu que je peux payer *arbatach millions* (cent quarante mille francs) ? C'est trop cher.

— Je ne peux pas baisser, hadji.

— Je sais, je sais. Tu veux fumer le kif ? »

A huit heures du matin, après une nuit de palabres, je me lève.

« C'est *arbatach millions*, hadji. Puisque tu ne peux pas payer, je vais le vendre ailleurs.
— *Oualai, oualai,* Charlie. Je vais acheter ton camion. Je l'achète. Mais *arbatach* c'est cher. »

Je ne le vole pas mon argent ! Il aura fallu deux nuits de lutte pour en arriver là. Je lui laisse simplement le bahut au prix que je m'étais fixé à l'avance.

« *Clétach millions,* hadji. Pour toi. »

Ça lui fait une ristourne de vingt mille francs. Moi, mon bénéfice reste de sept cents pour cent.

Il veut l'acheter ici mais en prendre livraison au Mali, pour que je le lui descende et le fasse immatriculer en bas.

« Tiens-toi prêt, hadji. Je ne sais pas quand je vais partir. Je peux te faire prévenir à n'importe quel moment, dans les jours qui viennent. »

Je n'ai plus rien à faire faire. Les hommes se prélassent. Près du camion de Capone, j'entends des « Belote, dix de der », etc.

Qu'est-ce que ça veut dire, ça, « dix de der » ? L'après-midi, c'est pire. Jos, Capone et l'Indien ont sorti les boules de pétanque et ils jouent, un bob sur la tête. Ils se croient en colonie de vacances. Jacky et moi jouons un peu. Pour nous, la question « tu tires ou tu pointes ? » ne se pose pas. On veut tirer tous les deux. Au bout de dix minutes de ce jeu stupide, on envoie les boules n'importe où, de toutes nos forces. Un graisseur en reçoit une sur la cheville, et ça lui fait mal. On arrête.

Reggane, cinquième jour. J'ai interdit les jeux.

Quand je passe près d'eux, mes hommes baissent les yeux pour éviter mon regard. Ils roupillent toute la journée. Cette oisiveté m'énerve, j'arpente le camp dans tous les sens. Alors que je passe près du camion d'Albana, un des moutons achetés à Adrar a la mauvaise idée de bêler. Je grimpe et j'en jette trois par-dessus bord. Ces bêtes innocentes paient pour tout le monde.

Reggane, sixième jour. J'arpente toujours.

Le camp est désert. Afin d'éviter d'être dans ma ligne de mire, les hommes se sont planqués partout. Un des voyageurs n'a pas dû bien saisir la gravité du problème. Il est descendu sans ma permission de sa remorque, où tous doivent cuire, et s'avance vers moi en toute inconscience.

« Bonjour, euh... Les copains voudraient savoir si on va bientôt partir ? »

Je ramasse un caillou qui le rate de peu. Il bat en retraite en courant vers son camion. Je le poursuis. Une autre pierre lui cogne l'épaule. Il saute sur la roue en appelant au secours. Les autres en haut lui tendent leurs mains. Son gros cul vacille un instant. Il disparaît au moment où j'allais lui attraper la jambe et lui faire Dieu sait quoi.

Je reste de longues minutes à hurler des menaces en bas de la remorque, en marchant de long en large.

Le lendemain matin, enfin, un employé d'Ayoudjil arrive, et me prévient que Rabah est parti en tournée et doit rentrer dans l'après-midi. Je crie ma joie. Les hommes sortent de leurs planques.

« Capone, l'Indien. Démarrez. On part tout de

suite. Et j'envoie une grande claque dans le dos de Capone, ce qui ramène le sourire sur tous les visages. Un jour de plus et ça allait devenir dangereux pour eux tous. Ils l'ont senti. »

Je pars avec les deux citernes.

On avale Reggane-Adrar en un temps record. A Adrar, Rabah a laissé des instructions aux pompistes. L'un d'eux refuse absolument de me servir. A l'autre pompe, il n'y a pas assez de gasoil pour les deux citernes. J'envoie l'Indien à Timimoun, et nous l'attendons.

Il est long.

Il est deux heures de l'après-midi et si Rabah rentre maintenant, je suis marron.

« Charlie. C'est lui. »

C'est bien son citerne qui arrive. L'Indien s'arrête à notre hauteur et me fait signe que tout va bien, pouce en l'air. Adrar-Reggane, nouveau record. Suivant mes instructions, le convoi est prêt à partir, les camions en ligne sur la piste. Avant de rejoindre mon bahut, je réunis tout le monde.

« On a cinquante kilomètres délicats avant d'attaquer la piste balisée. Restez en ligne, dans mon axe, pendant ces cinquante bornes. On arrivera peut-être à éviter l'ensablage. »

Après ça, il en reste cinq cent cinquante jusqu'à Bordj-Moktar. Rien que de la piste.

« Ça m'aurait étonné qu'on y arrive sans problème. »

Dans mon rétro, je vois le citerne de Capone arrêté. One et Two sont derrière moi. Je ne suis pas en terrain sûr. Je continue jusqu'à un passage plus dur, avant de m'arrêter.

Je descends et j'y vais. Capone est toujours coincé, cinq cents mètres derrière, mais les graisseurs s'agitent autour de son camion. D'ici, j'entends le ronflement caractéristique du moteur à fond de régime, peinant pour se dégager. Le citerne est sorti du premier coup. Je fais signe à Capone de continuer à rouler jusqu'à nous.

Le désensablement creuse les passages. Arrivé sur les lieux, je dirige la manœuvre. Il faut que chaque bahut suivant contourne les ornières laissées par Capone. Petit à petit, tout le monde passe, lentement. Les camions ondulent sur ce terrain irrégulier.

Au volant, les hommes sont tendus. L'air est saturé de fumée de gasoil et de poussière. Le vacarme des moteurs est assourdissant.

Puis c'est au tour d'Albana de planter son engin. Les graisseurs sont aussitôt à l'œuvre. A grands coups de pelles, ils creusent un passage pour y glisser les plaques de désensablement. Les pneus surchauffés patinent sur les tôles, dégageant une épaisse fumée bleue. Le camion glisse latéralement et retombe. Tout est à refaire. Je fais signe aux deux derniers de passer de l'autre côté. Quand tout le monde est finalement arrivé, la piste est labourée sur toute sa largeur.

Cinq kilomètres après, ça recommence. Je fais dégonfler les pneus car un camion passe beaucoup mieux avec des pneumatiques en pression basse, qui s'écrasent sous le poids et augmentent la surface sur laquelle il repose. Du coup, il a moins tendance à s'enfoncer. L'ennuyeux, c'est que les boudins dégonflés s'abîment sur terrain dur, et qu'il faudra prendre le temps de regonfler dans trente kilomètres. Les graisseurs sont accroupis devant les roues, un clou à la main pour appuyer sur la valve. De temps en temps, ceux qui ont affaire à des doubles trains arrêtent de dégonfler et regardent entre les deux roues. Ces types sont incapables de lire une pression sur un manomètre. Leur repère, c'est qu'il ne faut pas que les deux pneus se touchent, sous peine d'explosion.

Le gain est malgré tout minime. Sur les cinquante kilomètres, chaque chauffeur s'ensable une ou deux fois. Seul Wallid, qui connaît bien ce genre de passage douloureux, s'en sort sans problème. Pour les autres, c'est une technique qu'ils apprennent peu à peu.

Tout repose sur la coordination des efforts. Chauffeurs et graisseurs prennent rapidement le rythme. Les pelles, les plaques, un coup d'accélérateur, le camion roule et plus loin s'ensable à nouveau et on recommence. La nuit n'est pas loin quand nous arrivons aux bornes qui marquent la fin du sable mou.

C'est le début du billard. Les centaines de traces qui sillonnent le sable sur une largeur d'au moins un kilomètre sont à peine marquées sur le sol. Je repère tout de même trois ou quatre voies plus fréquentées que d'autres. Ce sont des sortes de couloirs, de la largeur d'un bahut, plus claires et dures comme de la pierre, avec, par endroits, de la tôle ondulée.

On regonfle les pneus à l'aide des bouteilles d'air comprimé qui alimentent les freins. Kara surveille les pressions, de camion en camion.

Je roule encore une petite heure, avant de klaxonner et d'amorcer le cercle du campement. Les bahuts suivent, la manœuvre est parfaite.

Comme la nuit tombe, les graisseurs s'éloignent pour la prière. Ils emportent leur petit tapis, bien souvent une peau de mouton, leurs grosses théières ou des boîtes de conserve rouillées destinées à leurs ablutions. Ils s'arrêtent à une centaine de mètres, se lavent et se prosternent vers le soleil couchant. Les couleurs du ciel, orange et bleu sombre, le silence qui s'abat soudain et cette troupe de gens paisibles en prière forment un ensemble d'une tranquillité parfaite.

Autour de notre cercle semblable à ceux des pionniers de l'Ouest, il n'y a rien. Le sable est plat à perte de vue. Les problèmes d'intendance sont vite réglés et le repas est détendu.

Les hommes sont impressionnés par ce grand vide qui nous entoure, et le passage difficile de ce matin leur a plu. On est passé relativement rapidement, et ça les rassure. Le désert ne leur apparaît plus compliqué. Ils ne savent pas ce qui les attend.

A l'extérieur du cercle, les feux des graisseurs, et plus loin ceux des passagers brillent toujours. Mon client de Reggane, le hadji qui veut immatriculer son camion au Mali nous a rejoints en 403. Les hommes vont se coucher les uns après les autres. Je vais rejoindre les graisseurs.

Ils ne dorment presque pas la nuit. Ils somnolent le jour en attendant qu'il y ait du travail pour eux. Quelques heures de sommeil nocturne leur suffisent. Ils profitent de la fraîcheur et de la tranquillité pour discuter longuement. Je m'assois avec Kara et une demi-douzaine d'autres. Ces heures passées avec ces types calmes sont un de mes plaisirs. Je fume et fais tourner quelques joints, en les écoutant et en répondant à leurs questions. Ce soir, Kara parle d'un de ses voyages. Lui qui connaît le désert par cœur a poussé un jour jusqu'à Oran. Là, il a vu la mer, et il explique aux autres ce que c'est. Ils ont du mal à réaliser, visiblement. Ils sont incapables d'imaginer une étendue d'eau. Kara agite ses longues mains, à plat, pour figurer l'infini. Je leur dis que c'est comme le Tanezrouft, mais sans sable, juste de l'eau toute bleue. Petit à petit, d'autres graisseurs viennent se joindre à notre cercle et écoutent le grand Kara parler interminablement de la mer.

On se réveille avec le jour. Il fait presque frais, au petit matin. Les graisseurs font la première prière de la journée. Mes hommes prennent le petit déjeuner. En peignoir et en bottes, je me fais raser par Capone. Je prends mon temps. Les premières heures de la journée africaine sont un délice. Il y a juste ce qu'il faut de chaleur pour oublier le froid de la nuit et se préparer au cagnard de la journée.

Pour rigoler, je demande aux hommes dans quelle direction il faut aller maintenant. Nous avons fait un tour pour nous ranger en cercle. Il n'y a aucun repère, excepté les traces de la piste. Mais dans quel sens les suivre ? Capone regarde de tous les côtés en marmonnant des « Ça alors ! », paumé comme les autres. En fait, il suffit de regarder le soleil, à l'ouest, et d'en déduire le sud, mais aucun Européen n'y pense jamais. Les anecdotes de types ayant refait leur chemin en sens inverse après le réveil sont nombreuses sur la piste. Ma petite blague leur fait sentir à quel point ils sont paumés.

Au moment où j'arrive à mon camion, ayant donné le signal du départ, je trouve Kara désolé. Il répond respectueusement à un des passagers de mon bahut, un vieux type en blanc, très propre, le crâne rasé. Il est en train de l'engueuler.

« Qu'est-ce qu'il te veut, le vieux ?

— Lui, c'est marabout, patron. Il est très en colère, toutes ses casseroles cassées.

— Et alors ?
— Il dit c'est ta faute. Le chargement est mauvais. »
Il faut qu'on vienne me les gonfler jusqu'ici avec des histoires de ferrailles cabossées !
Je dis au marabout de prendre ses affaires et de rester là. Kara ouvre de grands yeux mais traduit. Le vieux n'en revient pas.
Un marabout, c'est un sorcier, une personne que l'on craint et qu'on respecte. Il marmonne sans comprendre. On n'abandonne pas quelqu'un en plein Tanezrouft ! Je m'en fous. Qu'Allah lui vienne en aide.
Dans le silence général, je fais descendre ses affaires et donne l'ordre du départ. Le vieux, debout, n'a pas l'air d'y croire.
Dans mon rétro, la silhouette blanche, immobile, est vite masquée par la poussière que nous soulevons. Je sens la surprise, la stupéfaction et la crainte chez les graisseurs. Ils n'ont jamais réussi à savoir jusqu'où peut aller ma folie. Je roule quinze kilomètres, fais stopper les camions, et attends une demi-heure avant de faire demi-tour. La leçon devrait suffire.
Le vieux est toujours à l'endroit où je l'ai laissé, debout et immobile. Je fais un large cercle à sa hauteur. Kara descend.
« Traduis-lui : ici, le seul à avoir le droit de gueuler, c'est moi. »
Kara traduit.
« Tu veux remonter, maintenant, vieux ? »
Le sourire du vieux lui arrive jusqu'aux oreilles. C'est le soulagement, la joie simple d'un être simple : je l'abandonne en plein désert et il me sourit quand je reviens le chercher.
« Tu as compris ? Toi plus crier ? »
Un grand sourire. La tête fendue de droite à

gauche, largement. Non monsieur, je ne crie plus, je suis tranquille, j'ai eu les pétoches.

« Kara, remonte ses affaires. »

Les bahuts sont déployés. Les moteurs lancés doivent s'entendre à des kilomètres à la ronde, s'il y a quelqu'un pour écouter. C'est un immense nuage de poussière blanche qui suit le convoi. Nous formons une ligne irrégulière, sur toute la largeur de la piste. Les carrosseries brûlent au soleil.

Sur les remorques, les tas de marchandises et les grappes humaines, passagers et graisseurs, augmentent encore l'effet de démesure. Douze monstres lancés sur la piste dévorent le sable. J'aime la puissance qui se dégage de cette petite armée en mouvement. Tous répondent à mes longs et joyeux coups de klaxon. Rien ne nous arrêtera. Je les emmènerai tous à l'autre bout. Jacky et moi empocherons la fortune qui nous revient.

Dans son trou, le douanier Rabah doit s'étrangler de rage. Il croyait m'arrêter, celui-là. Au pompiste d'Adrar, j'ai laissé un petit mot pour lui. *Ehchich Fizokak,* « Dans le cul », douanier. Et j'ai signé. Douanier, douanier, tu es en colère, hein ? Charlie t'a encore roulé.

Je l'aime bien ce Rabah. Il fait partie de l'aventure, lui aussi.

Les hommes se comportent bien. Ils sont contents d'être là. De temps en temps, Capone roule jusqu'à ma hauteur et m'envoie un coup de klaxon ou de grands signes de la main. Sur les remorques, les graisseurs s'interpellent. Je les aime bien. J'ai bien fait d'en emmener autant.

Kara dort à côté de moi. C'est un vrai copain, lui, simple et intelligent. Il s'occupe bien de moi. Tous les soirs, il prépare ma couchette. Il m'aide à enlever mes bottes et à enfiler mon peignoir. Je l'aime bien.

J'aime tout le monde, moi.

Bientôt, je serai avec Radijah, ma petite Tamachek. J'ai tous les cadeaux de la liste qu'elle avait écrite de sa main d'écolière, sur du papier quadrillé. J'ai aussi tous les cadeaux pour son père. Je vais épouser ma petite fille du désert, dans quelques jours, à Tessalit. Je ne veux pas attendre plus longtemps. On risque de me la prendre si je ne mets pas la main sur elle.

Elle est l'image même de la pureté dont j'ai besoin, et que les femmes ne donnent jamais, sauf en mensonge. Tout le monde attend la noce, là-bas, à Tessalit. Au dernier voyage, un négrillon est venu me saluer comme un copain et m'a dit d'un air important que ma fiancée était dans la même classe que lui, le cours élémentaire première année.

Encore quelque chose qui arrive à peu d'individus.

Plus tard, quand elle sera prête à me recevoir, physiquement, je lui apprendrai. Puis, j'assurerai pour toujours son rang de princesse.

Je klaxonne deux coups longs. Aussitôt les bahuts ralentissent. Le convoi se remet en ligne derrière moi et s'arrête. One et Two s'occupent de l'huile et de l'eau. Je dis à Capone de faire les pleins avec son citerne. Je tiens la forme et Samuel Grapowitz va faire les frais de ma bonne humeur.

Dans le désert plat comme la main, pas question de trouver un endroit à l'abri des regards pour déféquer. On prend son camion, on roule deux cents mètres et on est tranquille, normalement.

Après le repas de midi, Samuel Grapowitz est parti sacrifier à la nature. Allongé sur le sable, je le distingue qui s'agite de l'autre côté de son camion, à une centaine de mètres.

Je prends dans ma cabine le fusil Weatherby à éléphant et je me couche à même le sol. L'équipe intriguée s'est approchée. Grâce à la lunette Zeiss, l'engin est d'une précision redoutable. « Un paquet de gitanes à quatre cents mètres », m'a dit le vendeur.

Samuel Grapowitz est accroupi, l'indispensable boîte de conserve remplie d'eau à portée de la main. Je l'ai dans la mire.

Bang !

La boîte a volé et je vois deux pieds serrés dans un pantalon en accordéon sautiller vers la cabine et disparaître.

Une telle précision mérite que je fasse un peu de vandalisme gratuit. Ça ne peut pas faire de mal. La deuxième balle fait sauter un malheureux phare accroché sur l'aile, la troisième volatilise un des rétroviseurs extérieurs, inutile dans le désert à mon avis pour un chauffeur de la classe de Samuel Grapowitz.

Les hommes sont impressionnés par la puissance, le bruit et la justesse de cette arme magnifique. Si un grand sourire illumine mon visage, ce n'est aucunement par fierté, je n'ai pas beaucoup de mérite. Avec une telle lunette, un aveugle ferait mouche. Non, je me marre en pensant à ce pauvre Samuel Grapowitz que j'ai peut-être constipé à vie.

On termine les pleins. Les chauffeurs, les mains dans les poches, regardent bosser les graisseurs. Ils ont chaud. La luminosité est très forte.

J'aime quand le soleil tape fort, impitoyable. A la différence de nombreux Européens, il ne m'a jamais dérangé. Depuis longtemps je ne m'étais pas senti aussi bien et plein d'énergie.

En milieu d'après-midi, le terrain change. Sur les côtés de la piste, très loin, viennent mourir des sortes de digues de sable, assez basses. Nous arrivons au kilomètre 400. La piste se creuse par endroits. Les ornières sont plus marquées.

Ce sol est délicat quand il n'est pas dangereux, avec de courts passages de mou. Avec de l'élan, ça passe tout seul.

Les digues de sable se succèdent sur cinquante kilomètres. Devant, c'est toujours le couloir dur, clair. Le soleil y fait des taches brillantes très loin à l'horizon comme des nappes d'eau. Les passages de mou sont gris, tranchant sur l'orangé du désert. On roule encore une heure, puis je fais former le cercle.

Le campement s'installe. C'est à ce moment qu'on constate qu'on a un bahut en moins. Albana est porté manquant.

« Kara. Prépare-moi du thé. »

Je n'ai pas envie de gâcher tout de suite cette bonne journée par un problème. Les hommes viennent aux nouvelles. Naturellement, personne n'a rien vu. Les suppositions vont bon train. Je demande le silence. Le thé terminé, je décide.

Plusieurs solutions : s'il s'est perdu, on est dans la merde. Il peut avoir quitté la piste n'importe où, et je ne veux même pas envisager l'organisation qu'il va falloir déployer pour le retrouver. La tentation sera forte de l'abandonner, mais par ailleurs cela nous ferait un camion en moins. Il peut être aussi ensablé jusqu'au cou, s'il a mal pris un passage après le point 400. Je pense plutôt qu'il est simplement en panne. En tout cas, il fait chier.

« Chotard, prépare la 504, tu vas conduire. »

Je prends également Jos, le seul à avoir des notions de mécanique, Kara, qui a le chic pour trouver les solutions à tous les problèmes du désert, et Jacky, partant pour la balade.

On roule vingt kilomètres dans l'autre sens sans rien voir. La nuit est claire. Si le camion est arrêté sur la piste, on ne peut pas le manquer... Trente, quarante kilomètres...

Il m'énerve, cet Albana. Il ne pouvait pas tomber en panne un peu plus près du campement, non ?

Au fur et à mesure que nous roulons, je commence à m'inquiéter. Nous n'avons fait que quatre-vingts kilomètres depuis le dernier arrêt huile et eau. Il était présent. Je me rappelle bien avoir vu sa sale gueule. On en a fait jusqu'ici soixante. Si dans vingt bornes on ne l'a toujours pas trouvé, c'est le désastre. Ça veut dire qu'il est perdu quelque part dans le désert.

« Chotard, combien de kilomètres au compteur ?

— Soixante-quinze environ.

— Enculé d'Albana ! »

Quelques instants plus tard, Kara me montre une masse sombre. C'est le camion. Enfin. Cet abruti d'Albana n'a même pas pensé à allumer ses phares pour nous guider. Apparemment, il n'a pas bougé depuis notre dernier arrêt.

La voiture n'est pas encore immobilisée que j'en jaillis.

« Alors ? »

Albana, qui était venu à ma rencontre, recule d'un pas.

« C'est pas ma faute.

— On va voir ça. Qu'est-ce qui est arrivé ?

— C'est la roue qui est bloquée. Je ne sais pas pourquoi. »

Kara obtient plus de renseignements de l'un des graisseurs. Le frein s'est rabattu, pour une raison inconnue, sans vouloir se débloquer. Au lieu de s'arrêter tout de suite, Albana a forcé, ce qui a cassé l'arbre de roue. Je me tourne vers le chauffeur qui se recroqueville sous mon regard.

Jos, qui a examiné le camion, est moins formel. A son avis, l'arbre a pu casser tout seul, bloquant la roue. Albana vient de sauver ses oreilles, mais il est terriblement inquiet. Il sait que son sort est lié à celui de son camion, et que je ne l'ai pas trop à la bonne.

« Tu peux nous démonter ça, Jos ?

— Démonter, ouais. C'est facile. C'est pour remonter...

— On verra. Commence tout de suite. »

Le démontage de la roue est rapide. Un cric a été placé sous l'essieu du train arrière, et il a fallu encore creuser autour du pneu pour la sortir. C'est rouillé sous la peinture et Jos doit se battre avec les boulons avant de sortir l'arbre.

C'est une longue tige crantée à son extrémité, ou qui a dû l'être, car toutes les dents sont usées. Jos se frotte les bras avec du sable pour enlever le cambouis.

« C'est bien cassé. Il n'y a rien à faire, l'arbre est juste bon à jeter. »

Et merde. Il y a un moment de silence. Chacun

pense aux conséquences de cette panne. Gris de peur, Albana transpire à grosses gouttes. Mais Jos qui contemple la pièce cassée me dit pensivement :

« Je me demande si on n'a pas un de ces trucs dans le chargement. Il me semble avoir vu un lot de ces pièces.

— Tu en es sûr ?

— Que ce soient les mêmes, non. Mais ce sont des arbres de roue, j'en suis certain. C'est dans le camion de Jacky et on peut les atteindre rapidement. »

C'est une bonne nouvelle.

« Chotard. Retourne au campement. Trouve ces pièces et prends un exemplaire de chaque par précaution. Prends des provisions pour trois personnes et pour un mois, pour le cas où on arriverait pas à réparer. »

A ces paroles, la gueule d'Albana s'allonge encore. Il rassemble son courage :

« Tu ne vas pas me laisser là ?

— Et pourquoi pas ? Tu connais les consignes. Qu'est-ce que j'ai dit avant de partir ?

— Oui, mais...

— J'ai dit que chacun est responsable de son camion et qu'il reste avec lui où qu'il soit, jusqu'à ce qu'il soit vendu. J'ai pas dit ça ?

— Si, mais...

— Alors, qu'est-ce que tu m'emmerdes. Tu dois t'y attendre, non ?

— Mais, Charlie, je ne connais pas le désert. Les graisseurs, c'est mieux. Ils peuvent rester, eux, ils ont l'habitude...

— Tu restes. Comme ça, tu auras le temps pour prier Allah. Il me semble que tu n'es pas tout à fait en règle avec lui. Tu vois comme tout s'arrange !

— Mais...

— Ta gueule ! Maintenant, ça suffit. J'ai dit que tu resterais et tu resteras, jusqu'à ce que je trouve une solution. Et ne t'avise pas de foutre le camp, je vais laisser des instructions à la douane de Bordj-Moktar, pour te bloquer si tu essaies d'aller au Mali. Maintenant, écrase, si tu ne veux pas que je t'enchaîne au bahut. Va aider Jos. »

Ce dernier est retourné sous le camion pour débloquer la mâchoire de frein.

Chotard revient deux heures et demie plus tard, alors que la petite équipe nage toujours dans le cambouis. Jos en a jusque sur la figure. Sous les regards d'Albana qui ne respire plus, Chotard sort du coffre cinq grands tubes métalliques. Jos les confronte un à un à la pièce cassée. Il me regarde, puis regarde Albana avec un sourire en coin.

« Y'a la bonne. »

Le soupir de soulagement d'Albana a dû s'entendre jusqu'au campement.

La réparation longue et fastidieuse dure plusieurs heures. Au milieu de la nuit, un ronflement de moteur nous parvient du nord. Pendant un bon quart d'heure, on l'entend approcher, puis un camion passe, loin sur la piste. On distingue la silhouette d'une voiture, chargée à l'arrière. Ce sont les deux Grenoblois qui ont refusé de me vendre leurs véhicules à Adrar. Ils ont dû avoir des ennuis, sinon ils seraient passés depuis longtemps.

Ma foi, c'est une bonne nouvelle. Je vais pouvoir les coincer tout de suite.

Jos a enlevé la mâchoire de frein. Il a des difficultés à poser le nouvel arbre de roue. Il y a une position précise pour l'enclencher, et elle est difficile à trouver. Enfin, il m'appelle.

« Ça y est, Charlie.

— Super ! Beau travail ! »

Il est content. Albana, qui revient de loin, l'est encore plus. Les graisseurs remontent les roues, et un nouveau problème surgit. Avec le trou creusé pour dégager le pneu, le camion d'Albana est maintenant bien plus qu'ensablé. Le train patine sans parvenir à atteindre la surface. Les plaques de désensablement ne servent à rien. Les roues les enfouissent complètement sous elles en les tordant sans jamais accrocher. On perd encore du temps, alors que je suis très pressé d'arriver à Bordj-Moktar. Des coups de gueule, je remue les graisseurs et Albana. Ils creusent une pente douce à partir du trou. Le camion sort enfin. On couvre les quatre-vingts kilomètres qui nous séparent du camp. Le jour se lève. J'annonce qu'on part tout de suite, et déclenche le branle-bas de combat pour tout ranger. Et on part.

C'est à nouveau le billard, plat et monotone. On dépasse bientôt Bidon V. Ce passage me rappelle toujours mes souffrances lors de mes premières traversées, lorsque mes reins se bloquaient. Je suis resté une fois des heures sous l'un de ces petits hangars.

A toutes les traversées, je me maudissais de ne pas avoir emporté d'ampoules de morphine. Arrivé à Niamey, j'allais mieux et j'oubliais. En Europe, loin de la douleur, je ne préparais jamais rien. Résultat : un calvaire à chaque fois. Maintenant, j'ai tout ce qu'il faut mais je ne m'en sers jamais. Bien que je n'aime pas ça, je me suis fait une règle de boire beaucoup d'eau et ça a évité bien des crises.

Le ciel est un peu voilé aujourd'hui. Il fait

toujours aussi chaud, mais la lumière blesse moins les yeux. Je pense arriver à Bordj-Moktar dans l'après-midi.

Je n'y serai pas avant le soir.

A moins de soixante kilomètres du poste frontière algérien, je suis retardé. Depuis plusieurs kilomètres déjà, j'ai remarqué un point noir à l'horizon, sans nuage de poussière. C'est un véhicule arrêté. Plus j'avance, plus sa forme me semble bizarre. C'est trop carré pour être un camion et trop gros pour être une voiture. C'est Kara qui comprend le premier.

« Accident, patron. »

Ce serait la première fois que je vois ça dans le Tanezrouft, en plein billard sans obstacle. Pourtant, je dois me rendre à l'évidence, c'est bien un camion qui gît sur le côté.

Des sacs de dattes éventrés sont répandus tout autour et le pare-brise a éclaté. Comment le chauffeur a-t-il pu se planter ici ? Je ne le saurai jamais.

Accompagné de Kara, je m'approche du groupe des passagers, visiblement en état de choc. L'accident vient de se produire. Les types s'écartent et je découvre une forme allongée sur le sol. C'est le chauffeur, un Algérien que j'ai déjà vu plusieurs fois. Il est salement amoché. Son teint est cireux et sa respiration difficile. Sous son bras, le sable est rouge de sang. J'écarte le tissu et grimace. C'est pas joli. L'avant-bras est cassé net. De la chair jaillit un os et le sang gicle à flots. La plaie est remplie de sable. Il va falloir agir vite pour le sauver, celui-là, car dans le désert les plaies s'infectent très rapidement. La chaleur pourrit une blessure en quelques heures, et c'est la mort assurée. Je fais taire les passagers qui se sont tous mis à parler en même temps. Aucun ne semble blessé à part quelques contusions légères.

D'abord parer au plus pressé. Je fais un pansement serré et une piqûre de morphine. A part des caisses de vitamines et d'aspirine, il n'y a aucun autre médicament sur le convoi, et pas de trousse de secours.

« Chotard, on va le charger dans la 504. File à Bordj-Moktar le plus vite possible avant qu'il ne claque.

— Je ne peux pas, Charlie. Je ne supporte pas la vue du sang. J'ai peur de tourner de l'œil.

— T'as vraiment toutes les qualités. Capone, fais le charger dans mon camion, avec précaution, et mets une couverture pour qu'il ne colle pas du sang partout. Chotard, pars en avance et préviens l'infirmier qu'on a un blessé grave. Wallid, tu penses pouvoir redresser le camion ?

— Ouais, c'est faisable, avec des câbles. »

Pendant que Capone, aidé de trois graisseurs, installe le blessé dans ma cabine, toute l'équipe s'active.

Ils sortent de je ne sais où des câbles et les attachent entre le camion renversé et le Mercedes blanc de Wallid, qui accélère doucement, jusqu'à tendre les filins. A ce moment-là, il met la gomme. Le Mercedes peine, l'autre camion vacille, se penche un peu, et retombe de tout son poids sur ses roues.

Pendant qu'on décroche les câbles, je fais distribuer des vivres et de l'eau aux deux graisseurs du camion accidenté. Je connais le propriétaire, un commerçant de Gao avec qui j'ai fait des affaires ; je le préviendrai. En attendant, les graisseurs, qui ne savent pas conduire, vont attendre ici auprès du camion. Ça peut prendre plusieurs semaines, mais ils ne s'inquiètent pas, ils ont l'habitude de ce genre de situation. Les passagers se répartissent sur mon convoi, puis on fonce sur Bordj-Moktar.

La tôle ondulée arrache des gémissements au blessé. Je ralentis l'allure, mais il faut quand même aller vite pour le sauver. Quelle que soit la vitesse, de toute façon, le camion rebondit sur chaque bosse. Le sang s'est remis à couler.

Quelques kilomètres plus loin, il se met à hurler. Ce pauvre diable qui gît à mes côtés commence à m'énerver. Ses gémissements sont longs et aigus. Je ne peux rien faire pour lui sur cette piste défoncée.

Pourquoi ne souffre-t-il pas en silence ? Ses cris, ajoutés à mon manque de sommeil, me fatiguent. Je demande à Kara de lui dire de se taire. C'est en pure perte. L'énervement affecte ma conduite et je prends de plein fouet une bosse plus haute que les autres. Je bondis jusqu'au plafond et Kara s'écroule de tout son poids sur le blessé, qui pousse un hurlement. Au comble de l'énervement, je pile, les projetant tous les deux sur le pare-brise.

J'envoie valser tout ce qui me tombe sous la main. Je trouve un chiffon couvert de cambouis et je l'enfonce dans la bouche du blessé.

— Avale ça et fous-moi la paix. »

Son regard exprime la plus grande terreur. Il en oublie sa douleur.

« Kara, explique-lui : je comprends qu'il ait mal, la douleur d'accord, mais en silence. Se taire ! S'il crie, je ne peux pas conduire. »

Et je repars pendant que mon graisseur traduit. Entre deux évanouissements, on n'entend plus que des gémissements étouffés par le bâillon. Kara lui donne des petites claques pour le ranimer. Mon pansement est mal fait car le sang continue à couler. Il se vide doucement et n'a plus bientôt la force de crier. A chaque évanouissement, Kara lui prend le pouls et me fait signe qu'il vit toujours.

La nuit est presque tombée quand je me gare en face des douanes. L'infirmier militaire m'attend. Il se charge du blessé, qui par chance respire encore.

Le camion des Grenoblois est encore là. Je l'ai rattrapé malgré le temps perdu.

Ça fait maintenant longtemps que je n'ai pas dormi. Je suis crevé, énervé, mais il me reste encore quelque chose à faire. Il faut que j'aille à la douane malienne, de l'autre côté du *no man's land*, à cent soixante kilomètres environ. Comme la nuit est claire, il ne faut pas que je réveille les douaniers algériens. Ils me retiendraient. Vingt graisseurs se relaient pour pousser sur trois kilomètres la 504 où j'ai pris place avec Jacky. Quand j'estime être assez loin, je mets le moteur en marche.

C'est une course de deux heures. Luttant contre le sommeil je roule à fond, sur la musique des Rolling Stones, au grand malheur des gerboises qui traversent dans la lumière des phares, en bondissant comme des petits kangourous. Jacky me passe cigarette sur cigarette pour m'aider à rester éveillé. Nous parlons peu.

La piste a changé. Nous arrivons sur des cailloux noirs, signe que nous allons bientôt entrer dans le massif de l'Adrar des Iforas. La route s'est rétrécie. Elle est pleine de cahots maintenant, avec des virages et des petites côtes.

On passe entre deux collines noires, et on débouche sur Tessalit. Il faut prendre la petite route à droite pour arriver face à la cahute des douanes.

Je réveille la sentinelle en short qui dort allongé sur une natte devant la porte.

« Oh ! Bonjou' monsieur Cha'lie. Tu n'as pas les camions ?

— Pas maintement, ils sont derrière. Cissoko est là ?

— Non, le lieutenant il est pa'ti avec les femmes. Tu as mes chaussu'es ? Et mon ballon de foot ? Tu me les donnes ?

— Attends un peu. Plus tard, je suis pressé. Tu sais où il est, le lieutenant ? »

Cissoko est le chef de poste. Il m'est entièrement dévoué. Depuis trois ans, j'ai considérablement augmenté ses revenus et son train de vie, sans compter les cadeaux. Il profite de mes largesses pour se taper plusieurs femmes dans le village.

« Tu sais dans quelle maison il est ?

— Oui, monsieur Cha'lie, moi je sais. »

Après avoir réveillé la moitié de Tessalit, le lieutenant Cissoko est enfin localisé. Il est très heureux de me voir. A chacune de mes visites, il gagne du pognon.

« J'ai du travail pour toi. »

Il a un grand sourire.

« Qu'est-ce que je dois faire ?

— Il y a deux types qui arrivent en camion. Bloque-les, prends les passeports et empêche-les de continuer jusqu'à mon arrivée.

— Ah ! c'est facile alors.

— Mais tu les bloques, c'est tout. Pas de coups, pas de prison. Tu ne leur prends pas d'argent, tu ne leur voles rien.

— Oh ! mais c'est compliqué alors.

— Une 504 pour toi si tout va bien, sans violence. »

Il est content. Ça fait longtemps que je lui promets de lui amener une voiture. Il m'assure qu'il n'y a pas de problème. Je lui répète d'y aller en douceur.

« C'est promis, je jure, ne t'inquiète pas. »

Pas m'inquiéter, avec ce fleuron de l'armée malienne ! Il est en poste à Tessalit, dans le désert, en punition, et pour être puni au Mali, il faut en avoir fait beaucoup. Mais on ne choisit pas ses alliés. Je suis au moins sûr d'une chose. Les Grenoblois ne passeront pas.

Il nous reste juste le temps nécessaire pour rejoindre Bordj-Moktar. Je fonce sur la piste cabossée, et on s'envole plusieurs fois. Après une trentaine de kilomètres, on retrouve le billard, et cette fois je mets la gomme. Les douaniers, comme tout le monde ici, se lèvent tôt pour profiter des premières heures fraîches. Le ciel s'éclaircit déjà quand on arrive en vue de Bordj-Moktar, juste à temps.

Je contourne une nouvelle fois le village et je me range à côté des camions.

J'ai le temps, maintenant. Je n'aspire plus qu'à une chose, dormir.

J'aurais pu faire la grasse matinée, mais on vient m'emmerder.

« Charlie. Cafééé ! J'ai trois gonzesses pour toi ! »

Ça, c'est Capone et ses blagues. Pour lui faire plaisir je me prête au jeu. Sans bouger de ma couchette je lui réponds :

« Elles sont bien ou c'est des gigots au cul bas ?

— Bof, il tombe un peu. »

Sacré Capone. Il faudrait qu'il remonte le niveau de ses farces. J'imagine un instant ce que pourrait être en réalité le spectacle de trois filles dans le désert, au pied de mon camion. Ce serait sympa. Il récidive.

« Elles veulent te voir.

— Ça va Capone, tu deviens lourd.

— Il n'est pas le seul d'ailleurs. »

Nom de dieu ! C'est bien une voix de femme qui m'a répondu, et en français. J'enfile mon peignoir, je saute de ma couchette. J'ouvre la porte : c'est pas une blague.

Il y a effectivement trois filles, figées dans une réprobation muette. Je les regarde et je regrette déjà ma couchette. L'une d'elles est à peu près agréable, un peu grasse. Les autres sont des gigots à cul bas : une grosse touriste modèle courant, rougeaude et gentille, et une petite, brune, sèche et moche.

Elles me haïssent déjà et me fusillent du regard. Ma bonne humeur est tombée.

« C' que vous voulez ? »

C'est le petit roquet brun qui me répond d'un ton acerbe.

« D'abord un peu de respect. »

Et c'est parti pour la tirade féministe : le règne des machos est terminé, les femmes refusent d'être vues comme des objets, elle n'a pas lutté toute sa vie en vain pour l'abolition des privilèges masculins et ce n'est pas dans le désert qu'elle va se laisser traiter de cette manière. Mais qu'est-ce que j'ai fait, moi ? De bonne humeur je fais un peu d'humour et on me traite comme le dernier des salauds.

Pendant sa sortie, je suis descendu du marchepied et me dirige vers l'arrière du camion pour pisser. Elle me suit en braillant, tout occupée à son discours. Mais elle va me laisser uriner tranquille, oui ? La vue de mon activité la surprend et elle recule en continuant à couiner, choquée.

La libération des femmes et toutes ces sortes de

choses, je trouve ça très bien. Si seulement elles renonçaient à crier à chaque fois qu'elles me parlent, et à être blessantes sous prétexte qu'elles parlent à un homme. Qu'elles défendent leurs droits, leur personnalité, je n'y vois pas d'inconvénients. Je leur accorde volontiers la liberté de penser, mais moi, c'est leur cul qui m'intéresse.

J'ai remarqué que ce sont les plus moches qui sont les plus remontées, parce que pas assez montées. Elles détestent les hommes parce qu'elles n'en ont pas. C'est ce que j'ai en face de moi.

« Bon, vous ne m'avez pas réveillé pour me gonfler avec vos revendications. Qu'est-ce que vous voulez ?

— Nous avons un problème avec l'amortisseur de notre voiture, il faudrait la charger sur un camion. C'est notre seule solution pour partir d'ici. Vous...

— Non. Je peux pas.

— Mais...

— Pas possible. »

Elle n'aime pas ça, la petite. Elle a découvert un jour qu'elle pensait et depuis, elle ne se sent plus. S'il y a une chose qu'elle n'apprécie pas, ce sont bien les brutes dans mon genre. Du moins, c'est ce qu'elle pense de moi. Pour cela, j'en rajoute.

« C'est pas possible parce que je ne veux pas de femelles sur mes convois. Je ne veux pas de culs qui viennent déranger mon équipe. »

Elle est suffoquée. Jacky et Capone sont pliés de rire. Elle n'avait qu'à pas commencer. Puisqu'elle me considère comme l'ennemi de sa race, je fais de même.

« Allez, cassez-vous. Vous n'êtes même pas belles.

— Salaud. »

Je rigole d'un bon gros rire.

« Ta gueule. Capone, emmène ça. »

Elles se tournent toutes les trois et rejoignent leur bagnole, une 2 CV jaune garée un peu plus loin. En chemin, le roquet se retourne pour un dernier regard méchant. Je m'y attendais et quand elle se tourne vers moi, j'ai déjà tendu le bras, le médius en l'air pour un dernier salut.

Comment pourraient-elles comprendre que ce n'est pas uniquement par méchanceté que je les ai envoyées se faire voir. Je ne peux pas les admettre dans une équipe d'hommes. Les femmes ont le pouvoir de rendre con. Si je les avais acceptées, tous mes types se seraient mis à faire des courbettes, dans l'espoir de tirer un coup. Il n'y a rien de plus abruti qu'un homme en position de chien, et ça m'énerve. Pendant que j'en suis à régler mes comptes, je décide de débarquer les touristes montés à Adrar. Durant ces trois jours, ils n'ont fait que se plaindre et disparaissent généralement au moment d'aider. De toute façon, ils seront plus en sécurité ici qu'en continuant le convoi avec moi.

Jacky refuse que j'aille les descendre moi-même de leur perchoir. Il préfère opérer à sa façon. Je le laisse faire, et je commande un autre café à Capone, afin de pouvoir prendre mon petit déjeuner tranquillement. Peine perdue, à peine arrive-t-il avec une cafetière brûlante que les passagers rappliquent aussi.

« Vous ne pouvez pas nous abandonner en plein désert. »

Le plus gros, celui qui a failli se prendre un caillou, se tient prudemment en retrait. Un petit blond pleure. Des larmes coulent sur ses joues.

Qu'est-ce que j'ai fait, aujourd'hui, pour mériter tout ça ?

« C'est un village, ici, abrutis. Dans quelques jours, un transporteur passera et vous pourrez finir le voyage sur son camion. Jacky vous a dit de vous casser, je vous le répète. Ne me faites plus chier, cassez-vous. »

Le porte-parole hésite. Il me regarde, il comprend et il s'en va en entraînant les autres.

Le café est froid.

On jette de la remorque d'Albana quatre moutons crevés en route. J'en sélectionne cinq pour le repas de midi. Une bonne bouffe me réconciliera avec la vie. Les gamins tamacheks sont accourus autour des camions. Certains viennent me dire bonjour et demander un cadeau. Sous la direction de Wallid, les hommes distribuent des boîtes de lait et des Bics. Les enfants d'ici réclament toujours des stylos. Ils sont de plus en plus maigres et les mouches assaillent leurs yeux. Capone est ému et passe la matinée à faire la distribution.

Enfin, on s'attable dans un coin-cuisine improvisé autour des feux. Les graisseurs ont leur part. Les gamins s'approchent et je leur fais donner tout ce qui reste.

Chotard, parti ce matin avec la pile de passeports des hommes et des graisseurs, revient avec un invité.

C'est un des policiers d'ici. Je lui ai demandé quelques services qu'il m'a rendus sans problème. Aujourd'hui, c'est lui qui est demandeur.

« Qu'est-ce que je peux faire pour toi ? »

Il avale un morceau de mouton. C'est un type jeune, en djellaba. Dans le Sud, les fonctionnaires algériens renoncent à l'uniforme. Il fait trop chaud.

« Il y a trois femmes coincées ici. Il faudrait que tu les emmènes. Tu peux charger leur voiture sur une de tes remorques.

— Non. Demande-moi ce que tu veux, mais pas ça !

— Charlie. Tu ne peux pas me refuser. Ça fait cinq jours que je les supporte, surtout la petite brune. Charlie, trois ans qu'on se connaît, tu es mon ami, tu dois m'aider. Je ne t'ai jamais rien demandé.

— Elles sont si chiantes que ça ? »

Le regard qu'il lance au ciel est plus éloquent que n'importe quelle description. Pour qu'un Algérien, perdu en plein désert, se débarrasse de trois femmes, c'est qu'elles doivent être redoutables. Mais il ne comprendrait pas que je lui refuse ce petit coup de main, alors qu'il a toujours arrangé mes coups. Je suis obligé d'accepter.

Pourquoi ce type vient-il me gâcher mon repas ? Jacky se lève aussi et on quitte l'assemblée. On était bien, on mangeait le mouton, tranquilles, dans cette bonne chaleur. Paisibles. Il faut toujours que quelque chose vienne me déranger.

Rongés par les injustices de la vie, on marche sans rien dire.

Nos pas nous rapprochent de la 2 CV jaune des trois vagins desséchés au soleil qui, j'en suis sûr, vont m'embêter.

Je n'ai pas envie de leur parler. C'est en silence que nous les regardons manger une espèce de popote peu appétissante. Elles sont gênées. Le roquet, surtout, nous regarde en coin, toujours prête à la bataille, et c'est elle qui craque la première.

« Qu'est-ce que vous voulez ? »

On se roule un joint, toujours en silence, et on fume. Elles se demandent ce que nous sommes venus faire.

« Faites-moi un café. »

C'est la surprise. Le roquet ne trouve pas quoi répliquer. La rougeaude se met au café. J'étends les jambes et je précise :

« Je l'aime fort. »

Le café arrive. Je le bois et je remercie. Elles sont déboussolées. La seule chose qu'elles comprennent, c'est qu'il ne faut pas m'emmerder.

« Je vais vous emmener. »

Je lève la main pour couper court aux remerciements. Je n'ai pas fini.

« Je le fais à contrecœur. L'autre en a marre de voir vos gueules et ne peut plus vous supporter. Je lui dois un service, je lui rends. C'est tout. »

J'apprécie le regard de haine que me lance le roquet. C'est un des plaisirs de la vie, se faire haïr.

« Mais je ne veux pas que vous couchiez avec mes hommes. »

Malgré la réprobation des trois grasses, je continue.

« Vous êtes moches, mais mes hommes sont dans le désert depuis plusieurs semaines. Ça donne de la valeur à votre cul. Vous avez un pouvoir. Comprenez-le et n'en usez pas. Laissez mes hommes tranquilles. C'est clair ? »

Pas de réponse, on n'a jamais dû leur parler comme ça. Après cet avertissement, on peut passer aux politesses.

« Lui c'est Jacky, moi c'est Charlie. »

C'est la brunette qui réagit. Elle s'appelle Yannick. Le roquet s'appelle Domi, c'est une infirmière. J'ai oublié le nom de la rougeaude dès que l'on me l'a présentée. Je dis à Yannick qu'elle voyagera avec moi. Jacky grimace parce que j'ai pris la plus potable. Je leur ordonne de venir s'installer tout de suite, et j'entraîne Yannick.

En chemin, elle me demande pourquoi elle doit voyager sur mon camion. Je lui réponds qu'elle est la moins moche des trois, et que par conséquent il est normal qu'elle voyage avec moi.

Maintenant, il faut s'occuper de la charrette de ces dames. Le personnel du convoi est mobilisé pour charger la 2 CV sur un semi blanc à plateau découvert. Les filles regardent l'opération dans leur coin. Trente graisseurs, parmi les plus balèzes, ont poussé la petite voiture jaune près de la remorque. Vingt d'entre eux l'agrippent de tous les côtés, l'enveloppent, et dans un seul effort l'arrachent du sol. Les autres se glissent en dessous, se redressent et achèvent de lever la caisse à hauteur de la plate-forme. Les types passent délicatement les roues avant sur la remorque, et tout aussi délicatement, dans un magnifique épaulé-jeté, la projettent littéralement en avant, où elle va tranquillement s'encastrer dans un grand bruit de ferraille sous l'arrière du tracteur déjà chargé. Quelques tours de câble et voilà la 2 CV ligotée et prête au voyage.

Le roquet a eu le mauvais goût de venir me voir pour se plaindre que l'aile de la voiture avait été « arrachée », je l'ai envoyée se faire foutre.

Le soir, après le repas, je préviens mes hommes de ne pas toucher aux filles. Wallid est déçu. Il a vite repris goût aux touristes après sa mésaventure avec la grosse Luxembourgeoise de mon premier voyage.

Seul, Samuel Grapowitz n'entend pas mon avertissement. Il est déjà en compagnie des trois femelles et leur fait une cour assidue. Demain, à la première occasion, je m'occuperai de lui. J'ai déjà ma petite idée.

La soirée s'avance, tranquille. Les hommes sont détendus. Ils ont pris la figure du désert, maintenant. Des têtes de fous, mal rasés, brûlés et couverts de poussière. Je leur propose de venir avec moi prendre le thé chez les graisseurs et la majorité me suit.

Kara est accroupi devant son feu, avec d'autres dans la même position, les jambes pliées, les bras pendant au-dessus des genoux. Je demande si on peut s'inviter et il est ravi.

Ahmed a fait venir d'autres graisseurs et c'est sur plusieurs feux que les thés se préparent. Ma visite de ce soir a un but précis, mais je laisse venir.

Je sais qu'ils vont en parler.

Les Tamacheks se parlent entre eux, puis Kara se tourne vers moi.

« Patron... »

Il y a des sourires, les graisseurs se dandinent et rigolent.

« Patron, les filles, c'est touristes ? »

En Afrique, c'est un truc nouveau, cette apparition de touristes. Ils connaissent le mot, le nom de cette nouvelle tribu, mais ça ne leur évoque rien. Comment leur expliquer ? Aller voir quelque chose de différent, se déplacer pour le plaisir, ce sont des notions trop compliquées pour les types d'ici. Ce sont des gens très simples. Ils ne connaissent que leur coin. C'est d'ailleurs pour ça qu'ils croient tout ce que je leur dis, et que j'en profite.

Ils se sont tous rapprochés, sourire aux lèvres. Les regards brillent. Chez les Noirs, on ne voit même que ça. Leurs grands yeux, et leurs dents.

« Ces filles-là, les gars, c'est pas bon.
— Pas bon. »
Ils secouent tous la tête. Les sourires ont disparu. C'est pas bon. Les deux bamboulas se sont rapprochés aussi. Ils ont toujours leur casquette, avec le chiffre qui brille au-dessus de la tête.
« Ces filles-là, ça vaut rien. »
Ils attendent des explications, tous. La femme européenne, ils ne connaissent pas. Les leurs, soit elles sont voilées, soit on leur a coupé le clitoris pour qu'elles ne fassent pas chier. L'amour à l'européenne, ils ne connaissent pas. Ils tirent un coup, rapide, à sec, pour assurer la descendance et c'est à peu près tout. En plus, ils sont excessivement prudes. Ce truc qu'elles ont entre les jambes, ils n'y touchent même pas. Ils ne veulent pas savoir à quoi ça ressemble. Alors, par gestes, j'explique.
« Ces filles-là... »
Je montre : trois. Et je désigne l'endroit où elles sont allées dormir.
« Ces filles-là, elles se bouffent l'oignon.
— Boufl'odion ?
— Non. Vous savez, le vagin ? Ce que les femmes ont là ? »
Je montre, entre les jambes.
« Vagin. Vous comprenez ? »
Ils hochent la tête. Les traits sont tendus, les yeux fixés sur moi, les visages éclairés par la braise.
Samuel Grapowitz tire la langue et fait le geste de lécher.
« Elles se... elles... Avec la langue, vous comprenez ? »
Ils se reculent. Ils se traduisent en dialectes. Et se regardent. Ils ne comprennent rien. Eux, déjà, ils n'y touchent pas. La caresse buccale, c'est quelque

chose d'horrible, de strictement défendu. Mais alors deux femmes !

« Les femmes, patron ? Les femmes toutes les deux ?

— Oui. On appelle ça des lesbiennes, dans notre pays.

— Lesbiennes. Oui, patron. »

Mes hommes commencent à sourire, ils comprennent ce que je veux faire. Capone hoche vigoureusement la tête et confirme à Albana et aux deux bamboulas, en refaisant les gestes :

« Elles se bouffent l'oignon, mon pote. »

Les graisseurs sont effarés et dépassés.

« Et attendez, vous ne savez pas le pire. »

Ils se rapprochent à nouveau de moi, et écoutent.

« Là, entre les jambes, vous savez ce qu'elles ont ? »

Non. Ils ne savent pas.

« Elles ont des dents dans le vagin. Dans le trou, des dents. »

Je montre des dents, l'endroit où ça se passe.

« Si un homme essaie... »

Une main paume en l'air, et j'abats l'autre comme un couperet.

« Klak ! »

Jacky a embrayé sur le coup. Même geste de la main, et il crie :

« Klak ! »

Les graisseurs font tous un bond en arrière, terrifiés. Ils crient en dialecte, se protègent instinctivement, Jacky continue.

« Klak ! Klak ! »

Il s'avance, et les graisseurs reculent, épouvantés.

Capone embraie :

« Oui les gars, un coup de ratiches et klak ! Plus rien ! »

Jacky :

« Les dents sont pointues, c'est aiguisé, ça coupe d'un coup. Klak ! »

Capone.

« Ces crocs qu'elles ont ! Klak ! »

Samuel Grapowitz est tout sourire dans son coin. Il est en train de regarder toute la concurrence qui disparaît, et compte se retrouver seul en lice pour séduire les filles.

Les hommes se calment. Les graisseurs discutent entre eux. Albana la ramène. Lui s'était fait discret ces derniers temps, il a retrouvé une occasion d'étaler sa science. Il s'est levé, il a pris l'air supérieur et, doctement, il déclare que j'ai raison. Il est allé en Europe, il a vu, et ce que j'ai dit est vrai. Ahmed le montre du doigt.

« Toi, Albana ? Klak ! Klak ?

— Non, je l'ai vu dans les films. Moi, en Europe, je suis allé au cinéma. J'ai vu des films. »

Et il embraie sur une tirade en arabe. Les autres écoutent sérieux, surtout les Tamacheks. Il doit leur parler de la religion, des femmes impures et tout ça.

Après cette mise en scène, je suis tranquille. Ils feront tout pour s'écarter des filles. Il reste encore Samuel Grapowitz. Il est difficile d'interdire à un copain de tirer un coup, surtout à Samuel Grapowitz après quinze jours de désert. Je vais lui monter une petite farce, dont la seule perspective me permet de m'endormir heureux.

Le lendemain, au moment du départ pour Tessalit, Kara se résigne avec peine à continuer la route dans la cabine. Yannick, la petite klaklak lui fait peur.

La brunette est installée entre moi et Kara. Elle jette de petits coups d'œil impressionnés à ce gigantesque homme bleu, qui fait tout pour ne pas la toucher. Elle a essayé de lier conversation avec moi, mais j'ai décidé de l'ignorer. Ayant demandé aux hommes de ne pas toucher, je ne peux pas me permettre de donner le mauvais exemple. C'est dommage. Ce matin, quand elle est montée, je lui ai juste dit :

« Tu t'appelles comment, toi, déjà ?

— Yannick. »

Sa petite moue était charmante.

« Yannick, ouais. Monte. »

Et j'ai continué à conduire en silence. J'ai quand même pris une pose avantageuse, genre chef de convoi. Les épaules bien dégagées, le bras à la portière, regard au loin et tout le cinéma. Un petit coup de pectoraux pour fignoler le tout et puis... Je m'en fous, tiens. Je vais l'ignorer. Elle ne m'intéresse pas.

Tu as vu comment je t'ignore, petite.

Je comptais faire les cent soixante bornes qui me séparent de Tessalit d'une traite, mais les affaires m'attendent en chemin. Ce sont trois hommes en boubou à côté d'une 404 bâchée qui me font de grands signes. C'est un commerçant de San, une petite ville du Mali, un de mes bons clients.

Il remonte du Sud pour venir me voir. Le téléphone tam-tam a fonctionné. Il sait que j'arrive et il veut acheter en priorité. La rapidité de la circulation des nouvelles dans le tiers monde restera toujours un mystère pour moi.

J'ai droit aux embrassades.

« Salut, hadji.
— Oualai Charlie, je suis content de te voir. »
Badou Traouré est jeune, une trentaine d'années. C'est un grand Noir qui porte l'inévitable boubou bleu. Les lunettes noires, la bague en or et la montre sont les signes obligés de sa richesse.

Il est monté avec deux graisseurs, ses employés en boubou multicolore. Badou Traouré me tape dans les mains, rigole, me tape dans le dos.

C'est un ami de l'autre hadji, qui me suit en 403 depuis Reggane. Ils sont contents de se voir et les voilà déjà qui papotent en arabe. Que peuvent-ils se raconter ? Des histoires de hadjis sans doute.

Jacky nous a rejoints, et les affaires commencent, à l'ombre d'une bâche.

« Chotaaaaaaard ! »

Je vais avoir besoin de mon comptable. Ça fait longtemps que je ne l'ai pas vu, celui-là. En fait, il était tous les matins au rapport, mais comme je n'avais rien à lui dire, je ne l'ai pas remarqué.

« Chotard, bon dieu, où tu étais, pendant tout ce temps ?
— Mais... Mais j'étais là tout le temps. »

Je lui demande ça sans méchanceté, et il le prend mal.

« Ça suffit, on a du boulot, il ne faut pas se relâcher. »

Badou Traouré lui tombe dessus.

« Comptable. La santé, comptable ? »

Chotard a horreur des familiarités. Il rate son tapage de main. Ses yeux se mettent à fureter vers le bas, et il se retranche derrière ses papiers.

Badou Traouré veut beaucoup de matériel. Il ouvre un nouveau commerce au Niger et veut constituer son stock. Il a toutes les qualités pour le commerce. Il est résistant, têtu, retors et tricheur. Le business va être long.

« Abdoulai, je fais affaire si les camions sont bons. »

Je lui réponds que tous mes camions sont bons et il explose de rire. Il se tourne vers son employé :

« Tu entends ? Charlie n'amène que des bons camions. Ah ! oui ! des bons camions, Charlie, oualai. »

La crise de fou rire aigu qui les secoue dure bien cinq minutes avant que j'en connaisse l'explication.

« Tu sais comment ils sont, tes camions ? »

Il me raconte l'épilogue d'une de mes dernières transactions. J'ai vendu à un type de Sévaré, un lointain cousin de Badou Traouré, un petit bahut de trois tonnes et demie. Comme je n'aimais pas ce chiffre à virgule sur la carte grise, je l'ai transformé en dix, et j'ai vendu le camion comme étant un dix tonnes.

Comme tous les Africains, mon client s'est dit que si le bahut supportait dix tonnes, il tiendrait bien jusqu'à quinze. Il a chargé et le châssis à cassé.

Je dis à Badou Traouré que c'est une erreur de mon comptable sur les papiers, et qu'une pareille chose ne peut pas lui arriver.

« Je sais bien, Charlie. Tu es un frère. J'ai confiance en toi. Tu es un ami. »

Re-embrassades. Tapes dans le dos. Cela ne l'empêche pas de vouloir tout vérifier, camions et stocks de pièces. Je charge Chotard de faire l'article. Tout l'après-midi, il se promène dans le camp avec le hadji, ses employés et Jos qui sort le matériel.

Le sable est incrusté de milliers de petits cailloux, nu et plat à perte de vue. Nous sommes à une soixantaine de kilomètres de Tessalit, en plein *no man's land.*

Les trois Klaklaks se sont installées un petit coin à part, repoussées par tout le monde. Les graisseurs font des détours pour éviter de passer à proximité d'elles.

Samuel Grapowitz, droit et détendu comme dans un salon, discute avec elles.

« Jacky, tu as remarqué ?

— Ouais, il ne les quitte plus. Au petit déjeuner, à Bordj, il était déjà avec elles.

— Écoute, ce n'est pas à cause de lui, mais ça me fait chier, tu comprends ? »

Mon plan est simple. Il s'agit d'éloigner Samuel Grapowitz en me l'envoyant au rapport. Pendant qu'il est avec moi, Jacky va voir les Klaklaks et demande à l'infirmière si elle a de la pénicilline en lui expliquant que c'est pour Samuel Grapowitz et le voilà grillé à vie.

Samuel Grapowitz accourt me voir. Il n'a pas pu s'empêcher de se laisser pousser trois poils de moustache, comme Jacky et moi. Il ne cesse de les lisser du pouce et de l'index. Visiblement, il est aux anges.

« Tu m'as demandé, Charlie ? Me voilà. Que puis-je faire ?

— Rien, vieux. Je voulais savoir si ça allait, c'est tout. Ça te plaît, le désert ?

— Merveilleux.

— Super, vieux. Dis donc, je t'ai vu avec les filles, tu as la cote. »

Il en sautille.

« Tu as remarqué. Tu as vu, hein, tu as vu ?

— C'est évident, vieux. Tu leur plais. Comment fais-tu pour être aussi rapide avec les femmes ? »

Resplendissant de joie, Samuel se lance dans une tirade exaltée. Il me confie que les trois filles sont pour lui l'occasion de revivre.

« Tu comprends, Charlie, c'est le sexe qui règle l'équilibre général, tu comprends ? »

Je regarde les Klaklaks. Jacky vient d'arriver et discute avec elles. A côté de moi, Samuel Grapowitz parle couple à quatre, union multiple. Le roquet fouille dans son sac, là-bas. Samuel Grapowitz continue à rêver tout haut pendant que tout le bel avenir qui s'ouvre devant lui se fait démonter d'un coup bien placé à une vingtaine de mètres.

« Samuel...

— Hmmm... ?

— Tu ne devrais pas les laisser seules. Dans un campement, c'est l'erreur à ne pas faire. Tu sais combien de types sont sur le coup ? »

Il pose sa main sur mon bras, se lisse de l'autre ses trois poils de moustache.

« Tu as raison, Charlie. Tu as mille fois raison. J'y vais, j'y cours de ce pas. »

Il sautille sur place.

« Le bonheur m'attend, Charlie, j'y vais im-mé-dia-te-ment ! »

Et il repart vers le désastre.

Jacky a fait du zèle. Il a dit aux filles que Samuel Grapowitz avait la chtouille, comme convenu. Il a rajouté que c'était bien fait pour lui, car il n'avait qu'à pas sauter des chèvres. C'est presque un remords qui me prend quand je pense que je l'ai renvoyé les voir.

Badou Traouré continue à regarder les pièces et les camions. On en profite avec Jacky pour ne rien faire. Kara nous fait des thés. Il est de mauvaise humeur. Je crois que ça ne va pas chez les graisseurs. Il semble qu'il y ait eu des incidents. Je ne m'en mêle pas.

Samuel Grapowitz aussi est de mauvaise humeur. Il vient s'asseoir avec nous. Sans un mot, il refuse successivement le joint, le thé, le café. Il ne veut rien. Il est touchant.

Jacky et moi fumons en silence. Ce n'est qu'au bout d'une heure que Samuel Grapowitz sort de sa prostration et déclare :

« Charlie, je veux rentrer à la maison. »

On se récrie, on lui dit de rester avec nous, qu'on se marre bien tous. Il ne veut rien entendre.

« Ce matin, avec elles trois, le courant était passé. On avait noué le contact. On marchait vers la cohésion parfaite. Et voilà qu'elles me font la gueule, alors que j'allais leur montrer mon gland. Et puis elles m'ont traité de zoophile. »

Il se lève, reste un instant debout, regardant le feu.

« Ouais, un salopard de macho zoophile, elles ont dit. »

La tête basse, il part tout droit, lentement, et sa silhouette désolée rapetisse, solitaire, dans le désert.

J'évite la discussion avec Badou Traouré. Les palabres vont durer des heures, et je repousse à demain. Je me suis retiré avec Jacky, ce soir-là, quand Samuel Grapowitz fait sa réapparition.

Je suis allongé sur ma couchette. Jacky roule joint sur joint. Samuel Grapowitz assis sur le marchepied du camion se lamente à mi-voix. De temps en temps, il y a le fou rire de Jacky, en toile de fond. Les joints m'arrivent régulièrement.

« Barcelone... Ça a commencé à Barcelone... Des sondes. Et tous les autres qui baisaient... Cléopatra... L'amour oriental, ah! oui! tu parles... La faute à Charlie... Piqûre... Une Marocaine... »

Au petit matin, il est toujours là entouré des mégots de joints. La bouteille de cognac est vide. Jacky s'est endormi sur place, lui aussi. Capone arrive avec le café. Il va falloir travailler.

Jusqu'à deux heures de l'après-midi, Chotard bataille avec Badou Traouré. Assis avec eux, je me contente d'approuver ou d'exprimer mon désaccord. Le hadji veut prendre trois camions, les deux citernes et un semi blanc, plus une bonne partie des pièces. La discussion roule autour des alternateurs, des gicleurs, des joints de culasse et je m'emmerde énormément.

Traouré considère qu'en achetant gros, il a droit à des prix mirifiques. Chotard tient bon. Il a fait des progrès en marchandage. Il laisse Badou Traouré rire, gémir, pleurer jusqu'à la somme de six cent mille francs, payables en francs français et maliens. Il peut m'en laisser une partie en francs maliens tout de suite, à titre d'arrhes. Pour le reste de la somme, il faut qu'il retourne dans sa famille. Il est convenu que nous nous retrouverons à Gao. L'employé en boubou nous apporte un sac en plastique rempli de billets maliens et Chotard, en soupirant, se met à vérifier. Trois heures plus tard, la 404 bâchée s'éloigne dans le désert.

Kara est en colère. Il est le chef reconnu des Tamacheks. Une dispute l'oppose à Yssouf, le Bambara au cou de taureau, chef des graisseurs noirs. Pendant le trajet jusqu'à Tessalit il parle de meurtre. Je lui demande d'attendre la fin du convoi.

Nous attaquons les montagnes russes qui précèdent Tessalit à vingt à l'heure.

Lentement, les mastodontes avalent bosse après bosse. Les remorques se balancent. Nous soulevons une tempête de poussière rouge.

Le convoi s'engouffre entre deux collines noires, et je fais entrer mes camions directement dans le village.

Tessalit n'a pas grandi. Ce n'est qu'une centaine de maisons en terre. La civilisation n'est présente que chez Amico. Son grand frigo soviétique fonctionne et il est toujours empli de bières fraîches quand mon convoi arrive. Le camion des Grenoblois est là. Les familles de Tamacheks, alertées par le bruit, sont sur le pas de leur porte. Elles m'adressent des signes de bienvenue. Les femmes effarouchées rabattent leur voile bleu sur leur visage.

Amico est sur le pas de sa porte, souriant. Devant la maison voisine, avec sa famille, Radijah m'attend. Elle porte la longue tunique blanche des enfants.

« Bonjour ma chérie. »

Elle baisse ses grands yeux, intimidée. A chacun de mes passages, il lui faut toujours un peu de temps pour se réhabituer à moi. Ces premiers moments de timidité passés, elle est merveilleuse. Les négociations avec son père sont difficiles, car il parle très peu le français. En plus, il lui manque la quasi-totalité des dents ce qui n'arrange pas sa prononciation.

La mère de Radijah participe à la discussion. Elle est beaucoup plus jeune que son mari, sans doute moins de trente ans. Elle a dû être très belle. Ils sont d'accord pour fixer la cérémonie du mariage à demain.

Le lendemain, très tôt, on jette les moutons crevés. Il n'en reste que quatre vivants. Je fais compléter par dix autres, que j'achète à un type du village. Les graisseurs égorgent alors tout ce bétail selon les règles tandis que d'autres, aidés par des gens de Tessalit, allument des feux au centre du village, entre la rangée de camions et les maisons.

Assis sur un fauteuil pliant, devant le pas de porte d'Amico, je donne à Kara le signal, et vingt de mes graisseurs amènent jusqu'à la maison de mon beau-père les marchandises qui représentent le prix de sa fille.

Le défilé commence par les tapis. Il y en a dix, portés deux par deux sur les épaules de mes grands types. Solennels, très droits, ils marchent des camions jusqu'à la maison de Radijah. Les quatre suivants, à la même allure portent sur leur tête les caisses de pains de sucre, des cônes entourés de papier bleu. Puis, c'est le tour des caisses de thé.

Après, viennent les cadeaux moins traditionnels. Ils amènent chez mon beau-père des cartons emplis de boîtes de conserve, de lait en poudre, de vêtements.

Derrière, au fond de la place, les moutons cuisent. Toute la population s'est massée autour. J'y repère tous ceux que je connais. Bayah, les douaniers couverts d'insignes, le policier de Tessalit, les mécanos grenoblois, au moins aussi étonnés que mes chauffeurs. Les hommes apportent maintenant les cadeaux de Radijah, les parfums, les livres et, enfin, le défilé se termine par ma dernière offrande à mon beau-père, un gigantesque poste de radio à cassettes, et une caisse de piles.

Ma belle-mère m'amène alors Radijah qui, pour

la première fois de sa vie, porte le voile bleu des femmes tamacheks. Je la fais asseoir à côté de moi et, d'un geste de la main, j'ordonne que les festivités commencent.

Tout le village est invité. Les moutons sont découpés, et les morceaux de viande distribués. Amico a fourni des caisses de bière, les grandes bouteilles de Flag, et du jus d'orange. Des outres de dolo, un cidre blanc à base de mil, circulent également. Deux cents personnes se restaurent. Mes chauffeurs m'entourent. Amico m'a apporté de l'herbe, et les joints circulent. Je surprends quelques regards en coin vers Radijah, sagement assise à côté de moi. Les Klaklaks, quant à elles, sont visiblement horrifiées, et se sont mises à l'écart.

Chacun puise à sa convenance dans les bassines de légumes frais fournis par Amico. Puis ce sont les mangues, et enfin les thés et les cafés. A côté de moi, les yeux de ma petite princesse brillent de plaisir.

Toute cette foule sommeille après le repas. Radijah est rentrée chez elle pour la sieste. Quand tout le monde s'est bien reposé, je donne l'ordre tant attendu de préparer la course. C'est une épreuve traditionnelle sur mes convois quand nous sommes à Tessalit.

Il s'agit pour les graisseurs de courir une distance d'environ cinq cents mètres en contournant une butte centrale, avec une plaque de désensablage de plus de deux mètres au-dessus de la tête.

Les types aiment se mesurer entre eux et sont alléchés par la belle prime que j'offre au vainqueur. Kara a toujours gagné. Douze graisseurs se tiennent sur la place. Capone et l'Indien, en bons turfistes, jaugent les concurrents. Ils n'iront pas jusqu'à leur regarder les dents.

L'Indien n'aime pas les nègres. Un jour, bien *stoned*, il me dit, fier de sa trouvaille :

« Tu sais Charlie, les nègres, ils sont pas comme nous.

— Ah ! ouais ?

— Si tu y réfléchis bien, ils ont la couleur de la merde. »

Et il repart en hochant la tête, pour revenir dix minutes plus tard.

« Et le plus fort, c'est qu'ils ont des poils de cul sur la tête ! »

Je ne saurai jamais s'il déconnait. Pour l'instant il oublie son racisme et ouvre les paris. Il mise mille balles sur Yssouf, rapidement imité par Capone pour la même somme.

Il est vrai qu'Yssouf paraît beaucoup plus fort que Kara. Petit de taille, il semble tout en muscles, alors que Kara est en longueur. Mais Kara va gagner, j'en suis sûr. C'est le meilleur et c'est mon graisseur. Capone me regarde avec un air plein de commisération.

Flambeur, je donne à Kara dix mètres de handicap et je prends les paris à cinq contre un. Aussitôt Capone s'improvise manager. Une serviette presque blanche autour du cou, il fait faire des exercices et des mouvements de gymnastique au Noir. Il lui donne des claques dans le dos et lui fait masser les épaules par les Bambaras étonnés.

Yssouf, ahuri, ne comprend rien mais se laisse faire. Capone tient la vedette et déclare à qui veut l'entendre que son poulain est imbattable. Quand les autres Noirs ont fini de lui ruiner les épaules, il l'entraîne dans un coin pour « parler stratégie » et élaborer le plan secret de course.

Pour ne pas être en reste, j'emmène Kara à l'intérieur du café d'Amico. Il m'assure qu'il va

gagner. Alors qu'il retire son chèche bleu, j'aperçois pour la première fois qu'il a les cheveux blancs.
« Tu as quel âge, Kara ?
— Je ne sais pas patron. Au village, à Aguelock, ils disent le vieux Kara, maintenant... »
J'ai soudain un doute. J'ai risqué dix mille balles sur un vieillard.
« Tu vas gagner, hein, Kara ?
— Oui, patron. Yssouf il est trop bête. »

Dehors, c'est un dimanche à Longchamp. Les conditions de course sont excellentes. Le soleil éclaire les tribunes. Le terrain est bon, très sec. Il n'a pas plu à Tessalit depuis quinze ans.
A la tribune d'honneur, Radijah, Jacky et moi, des paquets de pognon à mes pieds, retenus par un caillou. Autour de moi, mes chauffeurs et Amico. Les graisseurs et la populace se sont alignés le long des maisons. Les concurrents sont prêts, chacun avec sa plaque. Samuel Grapowitz doit donner le départ. Kara s'est placé dix pas derrière les autres. Samuel Grapowitz prend une inspiration, lève le bras et crie :
« J'offre une photo pornographique à titre gracieux au vainqueur de cette compétition. »
Le silence total qui suit est uniquement coupé par le rire de Jacky. Samuel Grapowitz compte :
« Un ! Deux ! Trois, partez, allez-y c'est parti ! »
Ils sont partis à fond de train. Les plaques dansent au-dessus du peloton. Ils doivent faire le tour de la place. Kara n'a eu aucun mal à regagner le peloton, mais Yssouf va vite. Il a cinq foulées d'avance sur le gros de la troupe qui longe les camions. Yssouf court les bras tendus au-dessus de

la tête. Il est de plus en plus détaché, Ahmed le suit. La foule commence à trépigner, taper des mains. Capone et l'Indien sont hystériques.

« Vas-y ! Cours ! Coooooouuuurs ! Ouais !

— Tue-le ! Tue-le ! Tuuuuuuue-leeeee ! »

C'est Yssouf qui disparaît en tête derrière la colline. Les cris se calment. Capone me regarde triomphant. J'aurais dû charger Jacky d'aller se poster derrière le tas de cailloux et d'assommer le nègre, pour parer à toute éventualité. C'est la faute de Kara. Il est trop vieux. Il est fini.

Les voilà. Le Bambara est en tête, mais Kara est dans sa foulée. Et il remonte. Ses pas font le double de ceux d'Yssouf. Une araignée lancée à toute allure.

« Kara ! Kara ! Karrrrrrrrraaa ! »

Jacky s'est levé en même temps que moi.

« Karaaaaaaa ! »

Il passe. Il s'envole. Yssouf est épuisé. A vingt mètres du poteau, Ahmed le passe à son tour. Kara passe en trombe devant moi. Second, Ahmed. Troisième, Yssouf.

Sacré Kara ! Il a fait une course intelligente.

Je vais féliciter les graisseurs. Le mien est content, fier d'avoir bien fait son devoir. Chotard lui donne la prime de cinq cents dinars prévue, soit la moitié de son salaire. Ahmed reçoit deux cents dinars.

D'un simple regard, j'écrase de mépris Capone et l'Indien. Je prends le temps.

« Chotard, note que ces messieurs me doivent mille balles. »

Ils font la gueule.

« Chacun... »

Quel plaisir de voir leurs visages s'allonger.

« A déduire de leur salaire. »

Le calme revient. Les gens s'éloignent. Radijah est toujours assise, sage comme une image sur le fauteuil à côté du mien. Un gros joint circule. Kara profite encore un moment de l'euphorie de la victoire. Samuel Grapowitz lui donne le poster d'une blonde à gros seins, spécialement décroché de sa cabine. Kara serre le Juif sur son cœur.

« Bamuel Poupitz ! Ah ! Bamuel Poupitz ! »

Quelques minutes plus tard, alors que je discute avec Amico, un graisseur arrive en courant.

« C'est Kara, patron. Il est mort.

— Quoi ?

— Une plaque tombée du camion, sur la tête. »

Je cavale jusqu'aux camions. Kara est allongé dans le sable, au pied du Man. Les autres graisseurs l'entourent en silence.

Kara. Je m'approche et m'accroupis à côté de l'immense corps étendu. Je mets ma main sur sa poitrine. Rien.

Putain de bordel de merde de convoi ! Kara, mon pote.

« Il est mort. »

Toutes les épaules tombent, les hommes sont stupéfaits. Ils se regardent, regardent le corps, me regardent. Et merde, merde, merde ! Pourquoi lui, c'est pas juste. Je me sens vidé, anéanti. Kara...

Le roquet, la Klaklak infirmière est accourue avec sa trousse. Je n'ai même pas la force de la repousser.

« Laisse tomber. »

Elle s'accroupit de l'autre côté, elle prend le pouls et relève la tête.

« Il n'est pas mort. »

C'est pas possible ! Il n'est pas mort, c'est fantastique, brave infirmière.

« Tu en es sûre ?

— Oui, il respire, mais il est dans un sale état. Il lui faut des soins. »

Il n'est pas mort et c'est le principal. On va le sauver, ça je le jure. Il bouge. Le roquet commence à examiner sa tête, appuyée contre lui. Kara lève un bras et la repousse sur le côté. Il a ouvert les yeux. C'est là que je vois qu'il est atteint. Son regard est ailleurs, révulsé.

Il fait des efforts. Il est fou de vouloir se relever.

« Bouge pas Kara, on va s'occuper de toi. »

Il se redresse juste un peu, péniblement et il me regarde. Il ouvre la bouche. Il veut dire quelque chose. Des bulles de sang viennent crever aux commissures des lèvres. Il me regarde intensément. C'est à moi qu'il veut parler. J'approche ma tête, mon oreille collée contre sa bouche.

« Tranquille, Kara, je t'écoute. Tout va bien.

— Patron... »

Ça sort de loin, caverneux, terrible.

« J'écoute, Kara. Dis-moi ce que tu as à me dire. Je t'écoute, c'est promis.

— Pak... Pak... »

Il me regarde, regarde l'infirmière penchée sur sa blessure. Ses yeux s'agrandissent comme sous l'effet d'une terreur et, dans un effort surhumain, il lâche dans un souffle :

« Pas Klaklak, patron. »

Elle lui a fait peur, cette salope. Elle ne peut pas se cacher, non ?

Mais elle fait du bon travail. Elle repousse tout le monde et le soigne sans affolement. Ses gestes sont précis. En un tour de main, elle a retiré le chèche et mis la blessure à nu, une grande entaille sanglante. Heureusement que l'épaisseur de son turban a amorti le choc. Elle désinfecte, et entoure la tête d'un bandage serré. On ne peut rien faire d'autre. S'il y a traumatisme crânien, on le saura demain.

Pour l'instant, je fais porter Kara dans une chambre chez Amico. S'il passe la nuit, il est sauvé, sinon « Inch'Allah ».

Ce soir, c'est notre nuit de noces, à Radijah et à moi. Nous nous sommes retirés dans notre chambre chez Amico. Son père me l'a amenée puis, après avoir disposé du thé sur un brasero, il s'est retiré.

Je suis ému comme un collégien. Radijah, brusquement intimidée, est grave. Elle s'est depuis longtemps préparée à ce jour. Sans idée précise, elle sait inconsciemment que quelque chose de différent s'est passé aujourd'hui. Son silence gêné fait rapidement place à sa volubilité naturelle.

Elle parle beaucoup, me raconte des histoires, essaie de me faire parler. Plus une enfant, mais pas encore femme, elle me fait des agaceries, elle a des gestes tendres. Peu à peu, la femme perce sous la gamine et son attitude change ostensiblement.

C'est le moment que je choisis pour sortir son dernier cadeau, une poupée de cinquante centimètres, cachée sous le lit. Aussitôt, ses yeux s'allument. Le peu de féminité qui était apparu disparaît et c'est de nouveau Radijah l'enfant heureuse devant un cadeau inattendu.

Nous jouons ensemble une partie de la soirée avec sa poupée. Plus tard, lorsqu'elle a sommeil et que je m'allonge sur le lit, elle redevient grave et me demande d'éteindre la lampe à gaz. C'est dans l'obscurité qu'elle se déshabille et vient se blottir dans mes bras comme une petite gazelle effarouchée.

Elle bascule très vite dans le sommeil, comme une enfant qu'elle est. A part quelques caresses très douces, nous n'avons pas eu de rapports physiques.

Elle n'est pas prête à me recevoir. Plus tard, je lui apprendrai. Pour l'instant, j'ai surtout besoin de sa pureté.

Le lendemain et les jours qui suivent sont un paradis. Hélas ! ce bonheur est cantonné à quelques heures par jour. Mon épouse doit aller à l'école pendant la journée. Tous les pédagogues approuveraient mon désir de ne pas déranger la scolarité de cette enfant. Le cours élémentaire première année est une classe importante.

Il reste encore un mois d'école avant les vacances. J'ai dit à mon beau-père de préparer Radijah pour cette date. J'enverrai la chercher. J'ai eu toutes les peines du monde à lui interdire de l'engraisser au lait de chamelle, pour qu'elle soit forte comme, à son avis, les femmes tamacheks doivent l'être.

Les soirées sont merveilleuses car je les passe seul avec elle. Quelques heures par jour, je me plonge dans les jeux d'enfants. Nous avons inventorié et déballé tous ses cadeaux, comme un matin de Noël. Je fais semblant de manger et d'adorer les dînettes qu'elle me prépare. Tous les employés m'ont vu jouer à la marelle. Pas un d'entre eux n'a osé rire. J'ai d'ailleurs perdu, comme au saut à la corde. Mon poids et mon volume n'avaient aucune chance contre l'agilité de ma princesse. Quand ce n'est pas un jeu, c'est une histoire qu'elle invente, interminablement, et qu'elle conclut par un rire. Ses dents sont de petites perles, tout son visage en est éclairé. C'est l'innocence heureuse qui rayonne. Elle est belle.

Pour la première fois depuis longtemps, je suis amoureux.

J'ai rendu visite à ma nouvelle famille. J'ai

maintenant des cousins éparpillés dans toute la brousse autour de Tessalit. Des centaines de familles y vivent. Certaines tentes sont luxueuses, la plupart ne sont que des morceaux de toile tendus sur des branches séchées.

On m'invite pour le thé de bienvenue. J'en ai bu des dizaines et serré des centaines de mains, chacun se prévalant d'une parenté plus ou moins éloignée avec moi et j'en soupçonne certains de s'être présentés plusieurs fois juste pour le plaisir de me serrer la main.

A Tessalit, mes hommes vivent tous une romance avec une ou plusieurs femmes du coin. Wallid a servi d'entremetteur. A cette occasion, Samuel Grapowitz le Juif, s'est lié d'amitié avec l'Algérien. Ils ont découvert leur amour commun pour les femmes, et ne se quittent plus.

Mon brave Kara s'en est sorti. Le lendemain de son accident il était toujours vivant. Maintenant, il a recommencé à manger et a encore de longs moments d'absence, mais il est sauvé et en bonne voie de guérison.

Les deux professionnels de la marche arrière, Jean-Paul et Olivier demeurent une énigme. Ils me gênent mais je n'ai rien à leur reprocher. Ils font leur boulot correctement, mais ne se mêlent jamais à l'équipe. Même ici, ils font bande à part et sortent peu de leurs camions.

Ce soir, les deux Grenoblois ont capitulé. Ils ont mis le temps. Depuis cinq jours, ils sont bloqués ici. Je les ai aperçus de temps en temps, désœuvrés et errant dans le village.

Au début, Cissoko a tenu le rôle du douanier désolé mais service-service. Puis il en a eu marre de les voir sans arrêt. Maintenant, il les insulte copieusement et les menace de tout à chaque fois qu'ils insistent.

Je dois même intervenir discrètement pour qu'il ne les emprisonne pas. Ils ont vu la rapidité d'exécution pour les formalités de mon convoi et bien qu'ils ne soient pas des lumières, ils finissent par comprendre et demandent l'armistice. Chotard est venu me prévenir alors que j'étais en pleine partie de bataille navale avec Radijah.

Une clarté de pleine lune baigne la cuvette de Tessalit. Les Grenoblois campent à l'écart de mes camions. On me fait place et c'est le plus jeune qui parle.

« Je vais aller droit au but, hein ? Combien tu paies pour notre bahut et la voiture ? »

Ce sont des types râblés, sans finesse. Leurs treillis sont sales. Torses nus, ils souffrent de la chaleur. Je n'ai aucune animosité contre eux. Ils ne flambent pas, et c'est ce qui les sauve.

« Je vous en donne le prix que je vous ai proposé à Adrar, quarante mille francs. »

Ils sont d'accord, et soulagés du prix, qui leur laisse quand même un bénéfice.

« J'ai pour habitude de mettre des amendes à ceux qui résistent quand ils sont prévenus, mais vous avez une bonne tête. Chotard, paie ces messieurs. »

Je l'envoie ensuite chercher leurs passeports à la douane. Il revient dix minutes plus tard avec leurs papiers recouverts de tous les coups de tampon nécessaires.

Heureux du dénouement, les deux Grenoblois nous ont conviés à boire leur dernière bouteille de vin. Nous passons un moment relax. Depuis leur départ, toutes les douanes leur ont créé des problèmes. Aucune rancœur contre moi ne paraît les animer, sauf hypocrisie de leur part. Avant de regagner ma chambre, je leur conseille de remonter illico vers le nord.

« Malgré toute ma sympathie, je ne veux plus vous revoir par ici. »

Dans notre chambre, Radijah s'est endormie sur un livre d'images.

Il ne reste plus grand-chose à faire. Kara tient debout, mais reste très faible. Il a du mal à réfléchir et nous paraît souvent absent. Physiquement, il est trop affaibli pour travailler.

J'ai donné mes présents aux indigènes. Le chef de la police a reçu le prix qu'il m'avait demandé pour ses services : Radijah est trop jeune pour se marier et il fallait trafiquer un peu les papiers officiels de l'État malien. Le flic m'a fait un faux sans objection. Il a eu droit à une voiture aussi pourrie que lui. J'ai presque eu du mal à en trouver une à sa hauteur. Il ne faut pas confondre générosité et stupidité.

Cissoko, le lieutenant des douanes a eu lui aussi la 504 promise pour le blocage des Grenoblois. Cet abruti sillonne le village à fond, ses quatre subalternes entassés derrière.

Je lui ai donné la 504 de Chotard. Lui, je l'ai mis sur le camion des Grenoblois. Toute la journée, il s'exerce à conduire. Contracté, nerveux, c'est le plus mauvais élève de toute l'équipe. Il n'arrive à rien d'autre qu'à faire hurler douloureusement la boîte de vitesses. Seules mes menaces de représailles l'ont obligé à faire un effort.

Domi, Yannick et la rougeaude font la gueule. Les hommes sont occupés avec des femmes de l'une des plus belles races au monde, et ces demoiselles

les Klaklaks ont perdu beaucoup de valeur. Les Tamacheks ont parlé. Tout Tessalit est au courant de leur sexualité, et les repousse sans équivoque. La réputation que je leur ai faite devrait les précéder dans toute l'Afrique.

Aujourd'hui, c'est le départ. Prévenus la veille, les employés ont pu faire leurs adieux aux dames et se remettre à neuf, propres et rasés. Les équipes au complet m'attendent devant leur camion. Des grappes humaines se sont accrochées aux remorques. Les gens des alentours savent que je ne fais jamais payer les passagers, contrairement aux autres, et ils attendent pour partir dans le Sud sur mes convois. Ils grimpent avec leurs cinquante kilos de bagages et s'installent où ils peuvent.

Kara et Yannick sont montés dans ma cabine. Je suis à ma portière quand Radijah accourt vers moi. Elle me saute au cou pour une bise maladroite. Elle reste dans mes bras, sa jolie figure contre mon cou.

« Tu vas revenir me chercher ?

— Mais bien sûr, Radijah. On est mariés, maintenant.

— C'est ta femme blanche avec toi dans le camion ?

— Mais non, ne t'inquiète pas. »

Elle s'écarte un peu de moi. Elle est grave.

« Je sais que tu as beaucoup d'argent et que tu as acheté beaucoup de femmes. »

Je console ce petit bout de femme avant de la renvoyer vers ses parents.

D'autres voudraient aussi me voir revenir, ce sont Cissoko et sa bande de douaniers, de plus en plus gourmands.

« Tu 'éviens, hein, monsieur Cha'lie ? »

J'ai un faible pour les honneurs et, à ma demande, Cissoko fait mettre ses lascars au garde-à-vous, afin que je les passe en revue.

Ceux-là ont bien profité de mes largesses. En ligne devant moi, leurs grands pieds en canard et le cul en arrière, ils sont un assortiment vivant et complet de ce que j'ai pu leur apporter. Le plus grand, au milieu, porte une casquette d'aviateur, enfoncée jusqu'aux narines. Un petit gros, pieds nus dans des sandales en plastique arbore deux cartouchières blanches de carnaval croisées sur sa poitrine. C'est le lieutenant Cissoko qui est le plus superbe, avec des épaulettes à galons, une chemise bleue, un short beige, deux énormes rangers, deux gants de motard passés dans sa ceinture, une gourde dont il a perdu le bouchon et une bonne vingtaine de breloques. Le général Lee serait surpris de voir ces messieurs les Noirs exhiber fièrement sur leur torse son insigne sudiste des deux fusils croisés. Ces cinq imbéciles chamarrés, toujours en ligne, m'adressent des signes d'adieux pendant que le convoi s'ébranle.

Ils sont bientôt masqués par la poussière.

Une simple halte à Aguelock nous permet de procéder à nos premières distributions. Les premières caisses de lait en poudre et de sucre, des sacs de riz sont ouverts et répartis dans la population. Aguelock compte une trentaine de maisons, habitées presque exclusivement par des Tamacheks.

Dans ce coin où rien ne passe, l'arrivée du convoi est un grand événement. Les gamins surgissent de partout et courent avec les camions. Nous roulons très doucement pour ne pas en écraser un.

Beaucoup de graisseurs sont originaires d'ici, et je les ai laissés aller saluer leur famille. Kara m'inquiète. Il est hébété la plupart du temps, quand il ne dort pas. Il est à peu près inutilisable, alors que nous allons passer le Marcouba. C'est la partie difficile de cette piste. La zone couvre à peine quinze kilomètres. Un vent permanent de sable recouvre le sol d'une épaisse couche molle, peu stable et différente à chaque passage.

En voiture, c'est de la broutille. Les reprises et la maniabilité permettent de louvoyer et de prendre de l'élan sur les plaques de dur, assez rares.

En camion, on est sûr de s'ensabler plusieurs fois.

En semi-remorque chargée de matériel et de bagages, la traversée peut tourner à l'exploit.

Un trente tonnes n'est pas à son aise sur ce genre de terrain. S'il déploie une énorme force de traction, sa nervosité est pratiquement nulle. Les roues motrices placées à l'avant, un poids énorme sur l'arrière, il s'ensable avec une facilité déconcertante.

En fin d'après-midi, je stoppe devant le passage. Deux ornières profondes creusent la route devant mes phares. Graisseurs et passagers profitent de la halte pour s'éloigner et adresser une prière à Allah, en lui demandant de ne pas nous faire trop souffrir. Pendant ce temps, je repère le terrain. Ce sable est imprévisible. Parfois sa couleur et sa texture donnent de bonnes indications sur ce qui va suivre, mais il est arrivé plusieurs fois que ces prévisions soient fausses. Il en est de même de toutes les méthodes préconisées par les Sahariens. Aucune n'est fiable à cent pour cent. Pour ma part, je préfère passer de nuit. Le sable est moins sec, et plus porteur. Et il est certain que les travaux pénibles sont facilités par la relative fraîcheur nocturne. Comme le meilleur moyen de savoir ce qui nous attend est d'aller voir, je m'engage dans les deux ornières et je m'ensable au bout de quelques mètres.

Après une nuit de travail, nous avons progressé de cent cinquante mètres au plus.

La traversée sera dure.

Il fait déjà chaud lorsque je fais descendre tous les passagers. Il faut se débarrasser des bras inutiles. Je vais faire construire un camp provisoire pour les femmes, les enfants et les vieux, à quelques kilomètres d'ici, à l'écart.

Pendant que les autres travaillent, je fais le tri entre les vieux et les tire-au-flanc.

« Tu as quel âge, toi ?

— Trente-cinq ans. Je suis vieux. »

Il faut quelques coups de gueule pour que la colonne d'une quarantaine d'invalides soit prête à partir. J'ai pris la 403 du hadji de Reggane pour veiller à leur installation. Nous longeons le Marcouba. C'est un plateau, légèrement en accent circonflexe, le point le plus haut étant situé au milieu. C'est du sable gris, mort. Une grande dalle de pierre nue marque la fin des difficultés.

Des bâches sont tendues pour faire de l'ombre. Des graisseurs ont porté des vivres, du riz, du thé, du sucre et du bois. Les trois Klaklaks vont rester ici, sur mon ordre.

Je quitte l'endroit l'esprit tranquille. J'ai éloigné tous ceux qui ne servaient à rien. Ils sont installés au mieux et je n'aurai même pas à penser à eux pendant l'action.

Les pneus ont été dégonflés pour une meilleure

adhérence. Devant les cent cinquante hommes, je lance quelques ordres immédiatement traduits.

« Travaillez ! Je ne veux voir personne inactif. »

Une petite menace :

« Je laisse ici le premier qui me fait chier. »

Et on y va.

La file de camions s'étire sur cinq cents mètres le long du couloir d'ornières que j'ai choisi de prendre. Une vingtaine d'hommes courbés travaillent aux roues de chacun. C'est un ballet incessant. Deux par deux, des hommes dégagent les plaques et les amènent à l'avant. Quatre ou cinq pelles s'agitent par camion. Le reste des forçats à genoux, dégagent le sable à la main. Les chauffeurs aident aux travaux de terrassiers avant de sauter à leur volant pour donner le coup de moteur. Le bahut se dandine, redresse le nez pour s'arracher au sable et retombe désespérément. Il parcourt moins d'un mètre par opération. La progression du convoi est insensible.

Au cours des premières heures, la chaleur monte jusqu'à son maximum pour ne plus baisser, rendant le travail encore plus pénible. S'il est vite devenu mécanique et efficace, le ballet des équipes en est ralenti. Pour compenser, il n'y a pas de pause. En tête, mon camion ne s'arrête jamais, et même les graisseurs commencent à souffrir. L'après-midi est interminable, brûlant et sans répit.

Le cagnard ne cesse de frapper qu'aux dernières heures du jour. Les Klaklaks se sentaient inutiles là-bas et m'ont proposé leurs services.

« J'ai besoin de bouffe pour tout le monde. Faites cuire quelque chose de chaud et de consistant, en grande quantité. »

Je surveille les équipes une à une. A la faveur de la nuit et hors de ma présence, le rythme tend à ralentir. Je stationne derrière et ils n'ont d'autre ressource que de trimer plus dur. J'ai empoigné l'Indien qui restait au volant au lieu de dégager le sable avec les autres. Je l'ai jeté au bas de sa cabine. Saine réaction de sa part : il creuse. Plus tard, c'est sur Albana que je suis tombé. Il s'était tout simplement réfugié sur son marchepied, grapillant des minutes. Mon coup de pelle a brisé ses lunettes. Il a enfoui en gémissant les deux bras dans le sable, et a disparu sous le camion.

Les collations sont rapides. Nous mangeons debout. Les Klaklaks pommadent les premières brûlures. Capone a souffert du soleil. La peau de ses avant-bras s'en va par morceaux, rouge écarlate. Tous les Européens sont touchés. A ma grande surprise, Chotard n'a pas l'air de trop morfler.

Il arrive un moment où les hommes sont à ce point harassés que les ordres ne suffisent plus. Il faut aussi donner l'exemple. Cette journée-là, je creuse.

Toutes les équipes reçoivent mon aide. Ma présence à leurs côtés leur fait retrouver encore des forces et me permet de gagner toujours plus de distance. Les manœuvres sont précises. Quelques-uns trouvent le courage de plaisanter pendant que je bosse avec eux.

Le convoi s'est étiré. Le gros des bahuts reste au centre. Les camions d'Albana et Samuel Grapowitz sont plus en avant.

A nouveau, l'épuisement reprend le dessus.

La progression est stoppée soudain par l'explosion du radiateur d'un camion.

Je suis accouru aux coups de klaxon. C'est le

camion de Samuel Grapowitz, le Man jaune. Jacky est sur place.

« Qu'est-ce qu'il y a ? »

Désolé, Samuel me désigne le radiateur et j'évalue l'ampleur du désastre. La trame métallique a éclaté et la brèche est large comme la main. Le radiateur est déchiqueté vers le bas.

« Putain de bordel ! »

Repos.

Toutes les suggestions exprimées ont été étudiées, puis rejetées. C'est la tuile, le coup dur. Nous n'avons rien qui puisse réparer ce trou de merde. Ni poste de soudure, ni enduit, rien. En deuxième position, le bahut immobilise le reste du convoi.

De toute façon, ce camion ne peut pas rester ici.

Même si je dois le faire tirer et pousser par deux cents graisseurs. Je n'ai jamais laissé un bahut derrière moi, et ce n'est pas aujourd'hui que je vais commencer.

Alors que mentalement je ratisse tous les hommes des villages de la vallée du Telemsi, Kara sort de l'état comateux dans lequel il navigue depuis son accident pour me dire :

« Du riz et des nouilles. Tu casses, tu casses, avec de l'eau, tu mélanges, tu mélanges et tu poses sur le radiateur et ça tient. »

Ça tient ? Ça m'étonnerait. Je me demande si le choc ne lui a pas totalement ramolli le cerveau. Les graisseurs semblent approuver. Je sais que sur la piste, le système D n'a pas de limite, mais c'est avec le plus grand scepticisme que j'envoie chercher du riz et des nouilles.

On regarde tous Kara s'installer et mélanger, malaxer, casser pendant une demi-heure.

Je fais remplir le radiateur. Apparemment il ne fuit plus.

Samuel Grapowitz a peur. Il m'a attiré à l'écart. Lui aussi souffre de brûlures au visage.

« Tu vas pas me laisser là, hein, Charlie ?

— Tu le ferais pas ? »

Il a peur. Il est trop exténué pour une quelconque exagération. Je ne peux pas le laisser ici. Il n'est pas assez fort pour prendre la responsabilité d'un camion, et il mourrait seul dans le désert. Et puis c'est un copain.

Jos souffre et commence à perdre pied. A l'effort s'ajoutent les amibes et la diarrhée qui le vident. Son visage a fondu. Jacky lui-même accuse le coup. Il est sale, les traits tirés.

Kara a appliqué son emplâtre. La première préparation était trop liquide, elle n'a pu que gicler à travers la brèche. Il a fini par obtenir plus solide. Du plat de ses longues mains, jusqu'à une sorte de boule. Ça a toujours l'air de tenir, mais il nous faut attendre deux heures pour être sûrs. Il faut que ça sèche bien. C'est en silence que nous nous armons de patience.

Il fait trop chaud pour dormir. Le dessous des camions sert de refuge. Seules bougent encore les trois Européennes. Elles renouvellent les soins aux brûlés et s'occupent des mains abîmées. Les miennes sont couvertes d'ampoules à vif, déchirées et douloureuses.

La pâte est sèche, enfin, dure comme du plâtre noir.

« Samuel. Démarre le moteur. »

Il démarre et l'eau gicle immédiatement de la brèche. Ça ne tient pas, bien sûr. Samuel Grapowitz descend, de nouveau effrayé et vient me parler.

Kara s'est approché. Il observe son emplâtre et m'appelle.

« Regarde, patron, c'est le trou tout petit. »

Effectivement, la majeure partie de la pâte a tenu sans bouger. L'eau ne coule plus qu'en un petit filet que Kara affirme pouvoir supprimer. Une nouvelle fois, il étale une couche de saloperie. Au deuxième essai, le démarrage de Samuel Grapowitz ne déclenche aucune fuite.

Lorsque tout est enfin prêt, c'est le crépuscule. Les graisseurs et les passagers s'éloignent, en emmenant leurs théières ou leurs boîtes de conserve et les peaux de mouton qui leur servent de tapis et ils se courbent pour prier. Moment de paix parfait qui naît du coucher de soleil, du silence qui règne soudain, et de cette troupe de gens à genoux.

Un repas. Je fais un nouveau speech pour relancer l'ardeur des hommes. Le hasch circule. Du café, et on y va.

Au travail, les nerfs commencent à lâcher. Les réactions violentes et exaspérées se multiplient. Yssouf a frappé un Noir qui ne travaillait pas assez vite. Les lèvres de l'autre ont éclaté. Je ne suis pas intervenu.

Les repas sont de plus en plus fréquents. Yannick et la rougeaude cuisent d'énormes gamelles de riz et de viande, que nous avalons.

Depuis le début, les deux chauffeurs professionnels accomplissent leur part de travail sans défaut. Omniprésents autour des camions, ils dirigent bien les graisseurs et paient de leurs personnes. Wallid bénéficie de son expérience, son bahut avance régulièrement. Partout ailleurs, le travail est automatique. Les hommes sont au-delà de la fatigue. Ils ont cessé de penser, entraînés dans ce mouvement régulier.

Nous avançons encore une nuit et presque une journée. C'est en fin d'après-midi que mon camion arrive en bordure de la dalle de pierre, premier sol dur de l'autre côté du Marcouba.

Et d'un.

Je remonte le convoi pour encourager encore une fois les équipes. L'approche du but relance l'énergie. En trois heures de travail parfait, tout le convoi sort et se range. Trois jours et deux nuits pour faire quinze kilomètres !

Les hommes ont coupé leurs moteurs et se sont écroulés autour des bahuts. Nous goûtons depuis une heure le repos lorsque le drame éclate.

Yssouf, le graisseur, s'est approché de Kara par-derrière, au centre du campement, et il lui a abattu une manivelle sur le crâne, l'étendant net sur le sable. Le coup était imprévisible. Nous y avons assisté, impuissants, de loin.

La seconde de silence qui suit est terrible.

Puis ça jaillit. Les Tamacheks, suivis aussitôt des chauffeurs se ruent sur Yssouf qui tente d'échapper à cette horde, mais très vite, il est happé et disparaît sous les coups. Les graisseurs bambaras accourent pour le défendre, et les passagers se jettent dans cette mêlée furieuse.

La bataille est bientôt générale. Tamacheks contre Noirs, Noirs contre Tamacheks. Les manches de pelles et les haches tournent au-dessus des types devenus fous. Les coups qui s'échangent sont portés sans retenue. C'est parti pour une tuerie, et ce n'est pas en gueulant que j'arrêterai quoi que ce soit.

Je cours à la cabine prendre la Weatherby et une poignée de cartouches. Mes deux premières balles passent au ras des têtes, mais les détonations assourdissantes stoppent net le massacre.

« Vous allez arrêter, enculés ! »

Silence.

« Je fais sauter la tête du premier qui continue. »

Ils ne bougent pas. Je glisse deux nouvelles cartouches dans le magasin et dirige l'arme sur le groupe des Noirs.

« Vous les Bambaras, cassez-vous. A vos camions. »

Comme ils n'obéissent pas, j'épaule et je mets leur groupe en joue. Ça provoque un recul, et ils cèdent.

« Les autres, dispersez-vous. »

Tout le monde reflue. C'est fini.

Les Bambaras emmènent Yssouf et je m'approche de Kara. Contre toute attente il est encore en vie. Les Klaklaks, accourues sur les lieux, s'empressent autour de lui.

La fatigue aidant, l'énervement tombe rapidement. Je garde le fusil en vue toute la soirée, et les consignes sont strictes. J'ai prévenu chacun des groupes que je tirerai sur ceux que je verrai se promener dans le camp. Les chauffeurs sont consignés aux bahuts. C'est la première fois que cela m'arrive en plein Sahara.

Plus tard, alors que les esprits sont un peu calmés, je vais voir Yssouf. Il est bien amoché. Sa figure est en sang. Son nez et ses arcades sont éclatés et une oreille à demi arrachée. Son corps est couvert d'ecchymoses.

Je lui demande gentiment :

« Qu'est-ce qui s'est passé, Yssouf ? »

Il enfouit sa tête entre les genoux sans répondre. Ce type est désolé de ce qui est arrivé. Je ne peux pas l'en tenir pour unique responsable. Kara est un ami, mais je ne peux pas juger Yssouf sur le peu que je connais de leur dispute. Il est possible que Kara ait poussé à bout le Malien, ou qu'il soit responsable de quelque chose qui a déclenché la vengeance. Le fait qu'Yssouf ait attaqué mon graisseur par-derrière n'entre pas non plus en ligne de compte. Kara est le plus fort des deux. La seule chance d'Yssouf était de l'abattre ainsi, et en profitant de sa faiblesse. Une haine réelle est un sentiment incontrôlable. Face à cela, les critères de loyauté et de noblesse sont des valeurs de morale qui sont ici déplacées. A part ça, Yssouf a toujours fait du bon travail.

« Je ne peux pas te garder, Yssouf. Tout le monde t'en veut. Tu ne serais pas à l'abri, ici. »

Il hoche la tête. Deux larmes lui viennent.

« Chotard te donnera ce qu'il te doit. Je vais t'envoyer à Gao tout de suite. Ciao Yssouf.

— Au 'ewoi' pat'on. »

J'appelle le hadji de Reggane :

« Prends ta 403, tu emmènes Yssouf avec toi à Gao. Je te retrouve là-bas. Tu pars maintenant.

— Je comprends, Charlie. Mais tu n'oublies pas mon camion, hein ?

— Ne t'inquiète pas pour ça. Dépêche-toi. »

Kara m'étonne une fois encore. Même si son chèche épais a amorti le choc c'est la première fois que je vois un type déjà commotionné prendre un tel coup sur la tête et s'en sortir. Il est d'une résistance exceptionnelle ou il a peur de crever.

Deux jours après le choc, il est de nouveau prêt à

voyager, sinon à travailler. Tout le monde est blessé. Capone arbore un magnifique coquard, enflé et bleu. Chotard a la lèvre supérieure éclatée. Ce sont les graisseurs qui se sont infligé les blessures les plus graves, dont ils ne semblent pas souffrir. Encore une fois, les talents de nos gentilles Klaklaks sont mis à contribution. Les soins qu'elles prodiguent m'apportent une aide réelle.

La période de repos est suffisante pour retaper tout le monde. Les passagers mis à l'écart sont revenus s'installer sur les remorques. La réparation de Kara tient toujours, et la partie suivante est plus tranquille.

Trois jours plus tard, nous longeons la vallée du Telemsi, habitée par des nomades et quelques habitants des petits villages, tous tamacheks. C'est la bordure du Sahel, une région soumise depuis longtemps à la sécheresse et la pauvreté. Cinq cents kilomètres de piste au milieu d'un peuple qui meurt.

Je ne crois pas en Dieu, mais s'il en existe un, on devrait bien s'entendre tous les deux. A chaque groupe important de tentes nous faisons halte pour distribuer des vivres et du lait en poudre à ces gens qui n'ont rien. Heureusement que les puits ne sont pas tout à fait à sec, car nos boîtes de lait tourneraient à la plaisanterie.

Il n'y a pas de sentiment plus fort que celui d'aider. La puissance qu'on y éprouve est sans égale. La joie des enfants me fait du bien. Je les adore : ils sont à l'âge le plus sincère. Ils accourent par dizaines dès l'arrivée des bahuts. Les garçons ont les cheveux coupés en iroquois. La maigreur de leurs jambes qui sortent des tricots fait mal. Certains ont des visages de vieux, sans cheveux, graves. Les autres rient et se massent autour de la remorque ouverte. Chotard, aidé de quelques-uns, ouvre des cartons. Ce sont des dizaines de bras tendus qui attendent les cadeaux. Autour de la mêlée, les plus rachitiques qui n'ont pas eu la force de se frayer un passage, traînent tristement. Les femmes viennent puiser dans les sacs de riz éventrés.

Capone s'est fait une spécialité de la distribution des stylos que tous les gamins réclament. Bousculé et bougon, il donne par paquets entiers.

Quand il y en a, j'achète quatre à cinq fois plus de moutons que nos besoins réels et je fais distribuer. Ici plus qu'ailleurs, il est impossible de manger sous le regard de dizaines de personnes, aux joues creusées par la famine.

Ce sont les Klaklaks, de plus en plus sympathiques, qui déploient le plus d'énergie. Surprises une première fois par des actes qu'elles n'attendaient pas, elles abattent maintenant une bonne part du travail à elles seules. Domi soigne à tour de bras, multiplie les piqûres et donne tout de sa boîte de secours. La rougeaude est émue jusqu'aux larmes. Elle est parfaite pour répartir les dons entre les enfants. La petite Yannick se retrouve toujours avec un ou deux gamins dans les bras. Toutes les trois exécutent de la meilleure manière possible nos distributions, équitablement, gentiment et rapidement.

Elles nous regardent d'un autre œil, maintenant. Yannick commence à penser que je ne suis pas le salopard supposé. Cela aidant, mon charme commence à agir. C'est pour la punir que je ne réponds pas à ses sourires et ses efforts de toilette. Elle n'avait qu'à comprendre tout de suite.

Samuel Grapowitz vit un rêve. Nous lui avons fourni une fiancée. Le soir de son anniversaire, j'ai eu une conversation avec Jacky. Ni lui ni moi n'avons jamais passé tout seul une nuit d'anniversaire. Nous pouvions faire quelque chose pour ce bon copain. Nous sommes allés voir la rougeaude pour lui parler en particulier. Jacky a expliqué que nous lui avions fait une farce à propos de Samuel, et que cette mauvaise blague tournait au drame.

« Depuis, il meurt d'amour pour toi.

— Il en écrit des poèmes. »

Sa première attitude est de refuser notre copain. Mais elle a deux qualités. Elle est bébête et gentille. En quelques phrases bien tournées, nous lui faisons craindre que Samuel Grapowitz ne se suicide pour elle. Elle ne tarde pas à céder, d'autant plus facilement que Samuel a une bonne gueule, qu'elle est un vrai boudin et qu'elle ne doit pas avoir souvent l'occasion de se faire décemment honorer.

La joie de Samuel Grapowitz nous découvrant, notre cadeau rougissant entre nous, au pied de son camion, fut bruyante et expéditive. Il a empoigné la grosse et claqué la portière sur leur union. Un grand rire nous a amplement remerciés de nos efforts.

Le lendemain, tout le convoi est immobilisé pour attendre Samuel Grapowitz. Sevré depuis plus d'un mois, il fait durer le plaisir. De son camion s'échappent des cris, ponctués de grands éclats de rire. Les hommes, intrigués, se rapprochent par petits groupes. Il y a bientôt tout le convoi, assis en un grand cercle autour du Man et les commentaires vont bon train. C'est un cadeau, on ne peut pas interrompre sa nuit de noces, mais sa vitalité m'étonne quand même.

Vers dix heures, alors que je commence à m'inquiéter pour la grosse, la porte de la cabine s'ouvre sur Samuel Grapowitz en grand calbar blanc. Il a un petit sourire en voyant le public, salue l'assistance d'un large geste de la main, pose le pied sur le marchepied et s'écroule raide sur le sol.

Je passe de longues heures sous les tentes, avec les Tamacheks. Ce sont des gens calmes et beaux. Ils souffrent avec dignité, coupés de tout et sans espoir. Ils sont inquiets. La saison des pluies est terminée, et pas une goutte d'eau n'est tombée. Le niveau baisse dans les puits. Ils voient venir une nouvelle famine, et de nouvelles morts.

Nous sommes arrivés à l'éolienne, à quatre-vingts kilomètres de Gao. La route est praticable pour la 2 CV des filles. Très en retard sur leur programme, elles ont manifesté leur intention de partir le lendemain. Je demande donc, d'une voix douce et chaude de crooner, à la petite Yannick d'être mienne ce soir. Son souffle s'accélère pendant que je la détaille. Elle acquiesce avec une moue charmante.

Je fais installer une couche confortable sur le sable et amener de l'eau. Yannick a à sa disposition du savon et des parfums pour se préparer. Lorsque je reviens, elle est fraîche et propre, simplement vêtue d'une de mes chemises. Elle offre l'exceptionnel spectacle d'un petit bout de féminité dans le désert.

Elle vient me savonner le dos, et me sécher. Je

l'attire à moi pour l'embrasser. Son petit corps tremble. Je la porte jusqu'à la couche, entendant à peine les petits mots d'amour qu'elle me murmure. Je la prends d'un va-et-vient brutal qui la laisse quelques secondes plus tard béante, les genoux aux épaules et délaissée.

« Alors, petite, heureuse ? »

Mon rire lui fait comprendre qu'au fond, je ne suis qu'un salopard. Je l'ai empêchée de s'enfuir. Fermement, tendrement serré contre elle, je m'endors heureux.

C'est ma blague favorite avec les gonzesses.

Elle commençait à me prendre pour un héros et je n'aime pas cette image de boy-scout. Il est vrai que je lui ai sauvé la vie, quelques jours auparavant.

Du moins, elle en est persuadée.

Chaque fois que j'attrape un scorpion, je coupe l'aiguillon et je le mets dans une boîte d'allumettes. Ça permet de faire des plaisanteries du meilleur goût.

Cette fois-ci, j'en pose un sur l'épaule de Yannick et j'attends qu'elle s'en aperçoive, suivant du coin de l'œil la lente reptation de l'animal mutilé. Elle l'a vu et se met à hurler, mais Tarzan est là...

« Ne bouge pas. Surtout ne bouge pas. »

Elle est pétrifiée, livide.

« Reste calme, Yannick. Si tu paniques, il va le sentir. »

Comme dans les meilleurs films à suspense, j'avance la main et du geste rapide du vrai Saharien, j'attrape, je jette à terre et écrase d'un coup de talon la pauvre bestiole inoffensive qui n'avait rien demandé à personne.

Le lendemain, la 2 CV déchargée, Domi, le

roquet, me serre la main virilement, en copain. La rougeaude retient ses larmes, ce qui lui donne encore plus l'air d'une grosse vache. Yannick ne m'a même pas regardé en me serrant la main, distante, et me tourne fermement le dos. Je regarde ce cul s'éloigner, réprobateur et fermé, et le remords me prend.

Il m'arrive de me venger des femmes. On m'a trop menti à leur sujet. Petit, j'imaginais que la vie d'aventurier me donnerait droit à une belle au donjon, virginale et tendre, qui saurait m'accueillir avec amour après mes combats. Très tôt, je suis allé voir à quoi elle ressemblerait, et me renseigner sur ce qu'il faudrait lui faire. J'ai vite réalisé qu'elle puait le poisson, la belle au donjon !

Mais là, le regard réprobateur de ce petit cul me dérange. Et si elle se mettait en tête d'aller clamer à qui veut l'entendre que Charlie n'est rien qu'un mauvais baiseur. Pas de ça. On a beau se défendre de n'être qu'un vilain macho, on a sa fierté.

J'ai pris Yannick par la main. Je l'ai entraînée au camion sans écouter ses protestations.

« Monte. »

Je me suis éloigné du convoi, en roulant à fond pour ne pas qu'elle saute en route.

Je l'écrase de tout mon poids sur la calandre. Elle me couvre d'insultes et de coups de poing mignons, avant de s'abandonner. J'honore mademoiselle quatre heures durant.

Elle crie son plaisir, mais aussi sa douleur. Le sable est brûlant, la tôle sur laquelle je la plaque l'est encore plus. Son corps est couvert de marques rouges de toute sorte. A une centaine de mètres, le camion de Samuel Grapowitz s'est garé en trombe et des hurlements s'en échappent. Samuel Grapowitz fait ses adieux. Yannick me gémit d'arrêter depuis longtemps lorsque enfin je la lâche. Deux fois déjà, la 2 CV est venue klaxonner à notre hauteur. C'est une Yannick rouge et hirsute qui lui a gueulé de foutre le camp.

Quelque temps plus tard, c'est le vrai départ. Une nouvelle fois, nous nous faisons nos adieux.

« Alors, petite, heureuse ? »

Elle me répond « oui » avec un sourire, la charmante enfant.

Les hommes sont parfaitement à l'aise. Les campements se montent et se démontent sans anicroches. Descendre la 2 CV a été une affaire banale et vite réglée. Jos se remet en suivant un régime d'eau de riz, un constipant efficace, c'est une rage de dents qui le fait souffrir, maintenant.

One et Two sont joyeux à l'approche de chez eux. Le village dont ils sont originaires appartient à la région de Gao, et ils vont y retourner dès qu'ils seront payés. Wallid restera sûrement à Gao, lui aussi, et je me débarrasserai d'Albana, qui m'aura fait chier jusqu'au bout. Je ne suis pas pressé de m'enfoncer en Afrique noire et je fais traîner le farniente chez les Tamacheks.

Les trois camions qui se rangent cet après-midi près du campement sont pourris. C'est le prototype du véhicule d'occasion vendu en Afrique, et la première réaction de mes hommes est une profonde méfiance.

« Du calme, les gars, j'en connais un. »

Je rencontre Fred, l'un des deux Bordelais de Niamey, deux ou trois fois l'an. Alain, l'exubérant, a quitté le commerce africain. Fred continue toujours sur le Niger et nous avons des relations de bon voisinage. Je connais également les deux cakes qu'il a embarqués avec lui. Le premier, je m'attendais à le revoir par ici, il est du genre à traîner pendant des années dans la même combine. C'est Francis, dit la Bagouze, mac bordelais et arnaqué quasi permanent des routes africaines. J'ai aidé à le ratisser, une fois, chez le ministre des Affaires d'occasion.

Le troisième, c'est une surprise. C'est le Pâtissier, le type que j'ai fait tourner en bourrique et dont j'ai claqué les économies, il y a trois ans avec Miguel.

C'est loin.

Il n'est pas ravi de me revoir, mais pas surpris, car on lui a parlé de moi. Il est tout de même impressionné par la grandeur de mon convoi. La Bagouze se perd dans les compliments.

Dans le dos du Pâtissier, il m'explique à grands renforts de gestes ce que j'ai déjà compris depuis longtemps : le Pâtissier est un pigeon. Pendant qu'il s'agite ainsi derrière lui, toujours impassible, Fred me donne d'un autre signe le deuxième épisode de cette histoire. Si la Bagouze croit qu'il n'y a qu'un pigeon dans ce scénario, il va être cruellement déçu.

Fred n'a pas changé. Derrière ses lunettes d'intellectuel, c'est un pirate sans pitié, qui entube tout ce qui passe à sa portée. En professionnel, il ne peut pas ne pas rester sur ses gardes avec moi, bien que ce soit sans raison. Leur visite ne s'éternise pas, et ils repartent sur Gao.

Le convoi entame sa première étape d'Afrique noire. Déjà, nous avons quitté le désert. Le sable est maintenant parsemé d'arbres tordus et secs, mais verts.

Cela fait cinquante-trois jours que nous sommes partis, beaucoup plus que d'habitude. Les camions ont changé d'aspect. Toutes les surfaces exposées sont recouvertes d'une croûte de sable séché. Les pneus, déjà bien lisses au départ, sont déchiquetés par endroit. Les pare-brise sont opaques. Certains donnent déjà des signes de faiblesse mécanique. Je me débarrasserai d'eux en priorité.

Mais il n'y a pas que le matériel.

Les hommes aussi ont morflé. Le convoi installé dans le parking du grand hôtel de l'Atlantide à Gao, je charge Jos d'organiser des tours de garde, pour maintenir à distance la population, et je décrète le repos général.

C'est une journée de fête et de détente dans la salle de bar de l'hôtel. Le groupe électrogène de la ville est cassé et les frigos ne marchent plus. On se procure quand même de la glace. Le pastis est la seule boisson fraîche qu'on puisse trouver. Les hommes s'y adonnent avec délices. Je me suis assis avec Jacky et Chotard, qui nourrit de lait un petit fennec acheté à Tabankort, il y a quelques jours. A première vue, il ressemble à un fennec : quatre pattes, une queue et des oreilles.

« Jacky, tu es sûr que c'est bien un fennec ?

— Et comment que j'en suis sûr !

— Pourquoi alors est-il si moche et pue-t-il comme un bouc ?

— C'est la jalousie qui te fait parler. Attends qu'il soit plus grand et, une fois lavé et brossé, tu vas voir qu'il aura de la gueule. »

Nous sommes sans cesse dérangés par des notables et des hadjis qui veulent parler affaire. Je leur donne rendez-vous le lendemain, à huit heures.

Ils sont ponctuels. Certains d'entre eux sont même présents dès huit heures du matin. D'autres traînent déjà dans l'hôtel en attendant l'occasion de me parler.

Ce commerce lucratif est d'une extrême facilité. Les commerçants et transporteurs ne peuvent acheter sur les circuits locaux que des camions neufs, qui leur coûtent très cher. Je leur amène des véhicules moitié moins chers. Ils se les arrachent, même si le marché n'est déjà plus aussi favorable qu'au début.

Je reçois les clients dans ma chambre, et les mêmes palabres se répètent. Chotard assure la partie marchandage, à dix ou vingt mille balles près, en plus ou en moins.

J'élimine rapidement tous ceux qui viennent faire semblant d'acheter pour le plaisir de discuter, un cas fréquent, et ceux dont les premières propositions sortent des limites de ce que je considère comme raisonnable. Deux sortes de clients sérieux se bousculent à ma porte : des transporteurs qui cherchent des camions et des commerçants qui veulent acheter des véhicules ou des pièces, ou les deux. Ils se serviront du camion pour leurs propres besoins, ou se montent des circuits de reventes. La première affaire conclue, comme je m'en doutais, a été la vente de mes cinquante mille litres de gasoil. J'en ai obtenu quatre fois son prix en raison d'une pénurie dont, ma foi, je sais m'accommoder. Les pneus disparaissent par piles. C'est une denrée rare en Afrique, qui se revend extrêmement bien. Ils servent même de monnaie d'échange pour les petits business. Je ne fais pas de marché de détail pour les pièces mécaniques. C'est à prendre par lots. Le deuxième jour, tout est parti.

J'ai terminé mon affaire avec le hadji de Reggane, venu ici pour faire immatriculer son bahut. Le commerçant Badou Traouré, qui était remonté dans le *no man's land* vient lui aussi me rendre une petite visite, et solder ses comptes. J'ai vendu deux camions et trois des tracteurs chargés à la fin de cette séance.

Ces journées de négociation sont pesantes. Heureusement, il y a Chotard, dans le rôle du souffre-douleur, et le secours de Jacky qui reste un maximum avec moi. Le seul inconvénient de ses visites est qu'il nous amène son prétendu fennec. Malgré des bains répétés, l'animal s'obstine à puer de plus en plus.

« C'est pas un fennec, ce truc.

— Mais si je t'assure.

— Alors c'est une race de fennec qui pue. »

Le quatrième jour, je fais les comptes.

« Chotard, où en est-on ? »

Il se rue sur sa calculatrice. On nous paie en francs maliens, francs C.F.A. et francs français et c'est en dollars que Chotard convertit.

« On a deux cent quarante mille dollars. »

Le chiffre est bon. Les pièces sont d'un bon rapport. On a vendu en tout six camions sur les treize dont celui du Grenoblois, trois des quatre tracteurs et il ne reste que trois 504. J'ai plusieurs clients en vue pour les camions qui restent à Mopti et Ségou, des quasi-commandes qui finiront de boucler notre chiffre d'affaires.

Le soir même, je fête cette réussite avec Jacky, par une visite à la maison des courtisanes, où les Maures à la peau claire qui tiennent l'établissement ont pour habitude de nous soigner.

Dans ce bordel, j'ai une favorite. Une métisse très

claire, ma manchote. Ce qu'elle peut faire avec une main est inimaginable.

Je savoure un moment d'intimité avec deux expertes quand on fait entrer dans notre chambre une petite fille.

Elle est très jeune, sans une ombre de poitrine. Mon premier geste est de la refuser, mais, du moment où elle se mêle aux ébats de mes deux compagnes, mon deuxième est de l'enfiler. Il ne faut quand même pas exagérer.

J'aurai connu en Afrique les deux pôles de ma vie sexuelle. La plus jeune, je viens de l'avoir. J'ai inséminé la plus vieille aux Canaries, lorsque j'ai rencontré Jacky. C'était une lady anglaise qui avouait soixante-quinze ans et en paraissait quatre-vingt-dix. Partant du principe qu'il faut tout connaître dans la vie, je suis monté au front. J'ai lâché ce vestige de l'ère victorienne en pâmoison juste avant de devenir nécrophile.

Je me suis débarrassé de la majeure partie des graisseurs. Ne gardant qu'une douzaine de Tamacheks, dont Kara et Ahmed. J'ai réglé en priorité les Bambaras et les Peuls. Les Noirs sont de bons travailleurs, mais les Tamacheks font maintenant partie de ma famille. Je les ai fait défiler pour remettre à chacun son dû. Beaucoup sont repartis dès le soir ou le lendemain, à bord de camions remontant vers le nord.

Mes hommes mettent le bordel dans l'hôtel. Le parking, derrière, a été transformé en village. La population de Gao, qui n'a jamais rien d'autre à faire que regarder les spectacles qui s'offrent à elle, se déplace pour observer, tenue hors du parking par les sentinelles. Des feux brûlent entre les camions. Des négresses de tous âges et de toutes grosseurs font la cuisine, s'occupent du linge et se font happer dans les cabines.

On peut aussi les retrouver au bar. Les quatre ventilateurs du plafond sont la seule source de fraîcheur de Gao quand le groupe électrogène fonctionne. Accoudés au grand comptoir, ou répandus dans les fauteuils de plastique, ces braillards font des concours de vantardises.

Capone affirme s'être tapé la plus grosse. Samuel Grapowitz insiste pour être déclaré vainqueur sur le nombre, soutenu par son ami Wallid, qui ne réclame modestement que la deuxième place. Après s'être défoulé comme tout un chacun, l'Indien fait une crise de morale, et ne parle plus que de sa femme. Jos se tient à part car il a mal aux dents. Je lui ai conseillé d'appeler le dentiste local à son secours.

C'est un ambulant qui se rend à domicile. Ses outils tiennent dans une petite caisse en bois. Son matériel est réduit à un couteau, une pince multiprise et une paire de tenailles, plus une boîte de conserve pour la monnaie. C'est un petit Noir très sec. Il a dû opérer dans la journée car des taches de sang maculent son short et sa chemise.

Jos boit une rasade de whisky.

Il emporte la bouteille avec lui et va s'asseoir sous la lumière, au centre de la salle de bar. Les autres hommes présents font cercle.

Trop petit pour le mètre quatre-vingt-dix de Jos, le dentiste a fini par s'asseoir sur les genoux de son client, pour travailler à hauteur de bouche. Le patient, calme comme toujours, ne dit rien, les commentaires et les rigolades fusent.

De temps en temps, quand le nabot cesse de le martyriser, Jos prend une grande lampée de whisky. L'autre remonte sur ses genoux et repart à l'assaut. Un filet de sang coule de la bouche ouverte d'où s'échappent des clapotis immondes. La pince travaille toujours. Les spectateurs se marrent.

« Vas-y, ce coup-ci, tire, tu l'as. »

Mais rien ne vient. Au bout d'une quarantaine de minutes le public se lasse. Certains sont déjà retournés au bar quand le dentiste promène devant nos yeux l'énorme molaire, trophée sanglant au bout de la pince, l'air tout à fait fier de lui. Personne n'applaudit.

Derrière, Jos se gargarise au scotch, crache du sang plusieurs fois et fait signe à son tortionnaire de s'approcher.

Celui-ci vient la main tendue pour recevoir son dû. En bon appui sur ses deux jambes, Jos balance le bras en arrière et lui envoie un magnifique coup de poing, un swing, en plein dans la gueule. Le petit Noir part en arrière, renverse un fauteuil, se cogne la tête contre le mur et retombe doucement jusqu'au sol, K.O.

Le boxeur écarte de l'index les deux lèvres éclatées et vérifie que le score est à peu près égal. Il sort un rouleau de billets de sa poche et l'enfouit à l'intérieur de cette bouche.

C'est un bon salaire.

Que faire devant cet acte de barbarie, sinon participer ?

Je m'approche à mon tour et glisse quelques billets supplémentaires. Capone, l'Indien, One et Two viennent déposer leur obole. Chacun donne ce qu'il veut, seul Samuel Grapowitz radine un peu en ne glissant que quelques pièces de monnaie dans la bouillie sanglante.

Il me reste sept camions à descendre à Ségou,

plus un tracteur chargé. Je me débarrasse des chauffeurs en trop. Albana a touché son argent et a disparu comme un voleur. Bon débarras. Wallid va dépenser sa paie ici avant de me rejoindre à Ségou.

Les deux professionnels de la marche arrière reçoivent le double du salaire prévu. Je ne les aime pas et c'est réciproque, mais ils ont fait du bon travail. Ils ne sont même pas étonnés, notre poignée de main est glaciale.

Les adieux de One et Two sont plus chaleureux. Ils ont retiré leurs casquettes à numéro. Ils se tiennent l'un contre l'autre, le dos au bar et sourient de toutes leurs dents à l'assemblée. Ils ont tenu à payer la « tou'née géné'ale ». De joyeuses acclamations saluent leur programme. Avec leur argent, un salaire doublé chacun, ils vont acheter la meilleure femme du village. Peut-être même pourront-ils s'installer.

Ce pot d'adieu est le départ de la fête. L'aveugle, le plus grand maquereau de Gao, fait irruption dans le bar, et se dirige avec aisance au comptoir.

« Charlie. Où es-tu ? Je sais que tu es là. »

Depuis que je le connais, il n'a jamais dû ni changer ni laver son boubou. Il m'a fait une embrouille et je lui ai rendu une crasse. Depuis, il me cherche.

« Charlie. Tu me dois de l'argent.

— Ce n'est pas vrai. Viens, je vais t'en faire gagner. »

Je lui commande pour la nuit quelque chose d'un peu chic. Il me promet des jeunes filles. J'emmène les hommes pour une tournée de whisky chaud à travers Gao *by night*.

Il y a trois bars de nuit à visiter. L'intérieur est relativement propre. Quelques tables métalliques et les éternels fauteuils en plastique complètent le décor. On y rencontre des Noirs aisés, des étudiants et des putains. La musique hurle en permanence. Dans cette chaleur moite, personne ne danse.

Les hommes, graisseurs et chauffeurs, braillent et se racontent leurs exploits. Samuel Grapowitz et Capone font les beaux et les fiers-à-bras devant les négrillonnes. Ils ont des manières d'Européens, cherchant à avoir par le charme ce qu'ils n'auront que par l'argent.

Chotard, Jacky et moi restons à notre table, et discutons de ce fennec qui, j'en suis sûr, n'en est pas un. Chotard a son idée.

« Cet animal, c'est un chacal.

— Chacal toi-même, Chotard ! Tiens, c'est vrai que tu ressembles à un chacal. »

Régulièrement, des employés viennent à ma table pour me remercier de tout ce que j'ai fait pour eux. Je les abandonne à leurs pensées embrumées d'alcool avant qu'ils ne deviennent franchement lourds. Et puis le travail n'est pas terminé.

Je suis sûr que ce n'est pas un fennec.

Je récupère des cadavres au réveil, tôt le lendemain matin. Le convoi se présente au bac, à deux kilomètres de Gao aux premières heures du jour. Le Niger est une nappe d'eau grise. Il coule lentement, lisse, et l'endroit est paisible. Des falaises bordent l'autre rive. La piste qui les contourne est en sable mou.

Dix Noirs s'occupent du bac, une plate-forme minable en ferraille qui ne peut faire traverser qu'un camion à la fois. Il nous faut la journée entière pour aborder l'autre rive au complet. On démarre enfin, et on s'ensable.

Les manœuvres nous paralysent. Nous mettons trop de temps pour passer cette centaine de mètres. Il a suffi d'une fête pour que tout le monde se relâche. Je remets le règlement à jour par une révision générale des camions, graissage, pneus et le reste. Nous repartons dans la nuit. Personne n'a fini son repas. Je m'étais occupé moi-même de l'assaisonnement en jetant deux poignées de piment dans une gamelle de nourriture. Seuls Jacky et moi avons mangé. Je l'ai chargé de verser un peu de gasoil dans la réserve d'eau potable pour lui donner mauvais goût. Par méchanceté naturelle, il a forcé la dose et c'est imbuvable. Ce n'est pas de la cruauté gratuite. Je dois reprendre les hommes en main et leur donner le rythme.

Le terrain est accidenté. Il n'y a pas vraiment de piste délimitée, à part des traces qui filent entre les arbres. Ils sont déjà grands ceux-là, et on commence à voir des baobabs. Les cent premiers kilomètres défilent sans problème. Plus bas, la saison des pluies a fait quelques ravages et la progression est stoppée. Trente kilomètres est la distance maximale que nous arrivons à abattre d'une traite. Les parties boueuses sont des pièges imparables dans lesquels les camions s'engluent à l'infini.

La boue revient sans cesse combler les trous creusés à grand-peine devant les roues. Les plaques de désensablement glissent, inefficaces, ne permettent d'avancer que d'un demi-mètre, au maximum. Les roues font gicler la gadoue. Les vêtements et les cheveux sont collés par cette saloperie rouge.

S'ils se sont protégés au début, les hommes ont vite compris que le moyen le plus rapide était de plonger, de se mettre à genoux et de lutter près des éléments. Le matin nous trouve encore dans cet océan de boue. Je mets deux poignées de piment dans le repas prévu. Il n'y a rien à boire, si ce n'est du café.

« On repart ! »

La chaleur est moins élevée que dans le désert, mais plus insupportable. Même en restant immobile, elle est oppressante. Devant nous, de la boue, toujours de la boue.

Jos s'est enlisé jusqu'aux essieux. Même les roues avant s'enfoncent. Le camion a l'air de couler. Après s'être épuisés sur les plaques, il a fallu changer de tactique. Mon bahut a servi de tracteur, attaché à celui de Jos par des câbles. Les deux moteurs, poussés en même temps ont finalement permis de traîner le camion hors de cette colle. L'incident nous a immobilisés deux heures. Autant de repos en moins.

La boue est partout. Les hommes n'ont jamais été aussi sales. La mauvaise humeur est à son comble. Travail et repos se font en silence, à part quelques brefs éclats. A son quatrième repas immangeable, Capone a jeté sa gamelle en travers du campement et s'est enfermé dans sa cabine.

L'effort de volonté de Samuel Grapowitz pour tenir est méritoire. Il est courbé comme un vautour. Il ne sourit plus jamais, tendu et épuisé, recouvert d'un imper noir maculé de terre séchée.

Chotard est tombé à plat ventre dans la boue, et prétend qu'on lui a fait un croche-pied. Je lui conseille d'oublier l'incident.

Jos tient le coup, mais lui aussi se serait bien passé de ce trajet supplémentaire. Depuis notre départ de Gao, nous n'avons roulé que deux heures sans difficulté, en traversant la zone de montagne d'Hombori, un gros village. Ce sont de curieux pics, qui semblent être sortis verticalement sur ce terrain plat, comme des dents. A leur pied, le sol caillouteux est un vrai billard, trop court.

Nous quittons la boue pour affronter d'autres ennuis. Entre les arbres et les dénivellations, le chemin est impraticable. Les camions sont bloqués par des trous de deux mètres qui nous retiennent parfois des heures. Il faut passer à angle droit, à cheval sur la butte, sans casser le système d'amarrage de la remorque.

Moins spectaculaire, le reste du terrain est pénible. Il faut le négocier bosse par bosse. Les camions prennent des inclinaisons dangereuses sur le côté. Les creux mal pris font rebondir les cabines. A force de travail sur le volant, les bras sont douloureux. Nous avançons lentement sur un terrain pour chars d'assaut, mais nous progressons.

Aujourd'hui, l'Indien s'est bien amoché. Il est allé se faire un feu à l'écart pour une bouffe en solitaire, et mal lui en a pris. En jetant maladroitement de l'essence sur son foyer, il s'est gravement brûlé le bras droit. Il ne peut pas conduire dans cet état. La peau s'en va, carbonisée, tout autour de la plaie.

On aurait pu lui être reconnaissant de ce repos inespéré, mais ses plaintes et jérémiades gâchent tout. Je lui ordonne de fermer sa gueule et par la même occasion de cesser de nous parler de sa femme.

« Quand tu rentreras, elle sera en train de se faire mettre par tous les trous. »

Des rires méchants appuient ma prédiction. Trois heures plus tard, l'Indien est au volant.

Nous ne manquons pas de spectateurs depuis que nous traversons des régions plus peuplées. Le chemin est emprunté par beaucoup de monde, à pied ou en carriole, et même à bicyclette. Les hommes portent un chapeau conique en cuir pour se protéger du soleil. Les femmes sont tatouées en bleu autour de la bouche. Tous ces gens nous lancent des signes ou viennent assister aux péripéties les plus spectaculaires. On traverse des villages de huttes de terre, avec parfois un vieux bâtiment en dur, prison, école ou caserne.

On ne s'arrête pas. Je suis pressé.

Enfin, après six jours, trente kilomètres avant Mopti, Kara lance le cri qui marque pour moi la fin du voyage:

« Roule, roule, patron, c'est du goudron. »

Pour la première fois depuis Adrar, c'est du revêtement civilisé sous nos pneus.

Une demi-heure plus tard, on se bat avec les douches de l'hôtel, à Mopti. Les moustiques sont au rendez-vous. La chaleur moite qui monte du Boni est trop désagréable. Au malaise physique vient s'ajouter le souvenir de Peyruse. Je dois pourtant rester le temps nécessaire pour conclure la vente du dernier tracteur.

Je vais voir le client le lendemain. Je me balade avec les hommes, pour leur montrer les pirogues. Dans le marché, entre deux tas de mangues, un camion décharge. Il y en a un deuxième plus loin. Les transports africains se développent. Au Nigeria, ils commencent à fabriquer des camions sous licence Mercedes, en utilisant les rebuts de pièces des chaînes occidentales. Les camions d'occasion n'intéresseront bientôt plus autant les commerçants africains. Et les engins japonais sont apparus. Ils sont neufs et solides, leurs prix concurrencent les miens.

Le soir, je klaxonne devant mon portail, à Ségou, et Ahmed, le vieux Tamachek, vient m'ouvrir le portail. Les six bahuts entrent dans mes garages.

C'est bon de se retrouver chez soi ! J'ai invité tout le monde, y compris Ahmed et Kara. Les autres graisseurs nous ont quittés à Mopti. Il y a assez de chambres pour tout le monde.

Le client en vue pour les six camions vient me donner dès le lendemain sa réponse définitive. C'est un jeune Noir, dans son costume marron de notable. Il porte des lunettes dorées et parle le français trop châtié des locaux instruits. Il m'explique que son sorcier a ouvert un poulet et que les tripes sont formelles : la conjoncture n'est pas bonne pour acheter.

« Dans ces conditions, monsieur Charlie, j'espère que vous serez compréhensif et que nous remettrons l'affaire à des temps meilleurs. »

Immédiatement compréhensif, je fous cet abruti dehors.

Toutes les possibilités de vente ont été passées en revue. Nous n'avons pas de solution de rechange pour fourguer ces camions à Ségou. Il faudrait descendre en Haute-Volta, ce dont je n'ai aucune envie, car Bamako, plus au nord, est une zone que je fréquente le moins possible. La mort dans l'âme, je renonce à faire rentrer du cash immédiatement.

Je connais plusieurs chauffeurs routiers à Ségou qui bossent chez des transporteurs, dans l'espoir de posséder leur propre bahut un jour. Les plus chanceux mettront vingt-cinq ans. J'ai réuni les plus sympathiques et je leur ai proposé du crédit, un mot qu'on ne prononce jamais sur ce continent.

Sur la Côte-d'Ivoire, un transporteur peut ramasser un million de francs maliens par voyage, qui dure une semaine. Il y en a largement assez pour me prévoir une part des bénéfices, à titre de remboursement. L'arrivée du pognon est seulement différée. Du même coup, je mets un pied dans le milieu des transporteurs, où circulent peut-être quelques bonnes affaires.

Il nous reste un camion, que Jacky, exceptionnellement, part négocier à Bamako. Il revient deux jours plus tard, sans argent et sans bahut. Ce dernier a des ennuis de boîte de vitesses. Jacky subit une crise de malaria. Sentant monter la fièvre, il a mis le camion en semi-sécurité pour revenir le plus tôt possible se coucher. Cette histoire ne me plaît pas. Je n'aime pas savoir qu'un de mes bahuts échappe à mon contrôle et les petits ennuis qui fondent sur cette fin de parcours m'inquiètent.

Jacky ne pouvait pas faire autrement. Le temps de me raconter ce qui s'est passé et il s'est effondré sur son lit pour deux jours de fièvre. Pendant qu'il se rétablit, je passe de longs moments avec lui et son clébard pelé, dont la croissance confirme les origines. Comme à chaque fois que l'on a rien d'autre à faire, on parle de la course.

Point de départ, le désert, à hauteur d'Adrar. Arrivée à Mopti, deux mille cinq cents kilomètres plus bas. Tous les concurrents auront une 404

Peugeot, avec un bidon de deux cents litres à l'arrière. Le but est d'aller plus vite que les autres, pour arriver le premier.

Tous les coups seront permis.

Nous mettrons une seule restriction en interdisant les armes à feu. Dès que nous avons eu cette idée, j'ai su que nous n'aurions aucun mal à trouver assez de fous dans le monde pour venir courir. Les premières prospections ont bien donné. Sur la centaine désirée, nous avons déjà une vingtaine de candidats attirés par les émotions fortes et le paquet de fric au bout.

Chaque coureur mise deux mille cinq cents dollars, en guise de droit d'inscription. La totalité des mises revient au vainqueur.

Le vainqueur, ce sera moi. Car naturellement nous tricherons. Je connais assez le désert pour monter d'énormes scénarios aux concurrents, entre les services officiels et les difficultés du terrain, les perdre, et leur réserver la dose d'émotions à laquelle ils ont droit.

L'image de ces cent voitures démarrant à tombeau ouvert dans une plaine de sable me remplit de joie. S'il reste une aventure à tenter dans le désert, ce ne peut être que celle-là.

En attendant, il faut ramasser de l'argent, et nous ne pouvons rien faire d'autre que patienter. Ces vacances forcées ne sont pas désagréables.

La plupart du temps, je suis au jardin, à écouter de la musique, fumer des joints et manger du mouton grillé avec les autres. Entre toutes mes activités, je m'occupe aussi de décoration. Assis dans ma gandoura blanche, à l'aise, je regarde s'activer la cinquantaine de types qui bêchent mon immense jardin.

A côté de moi, les hommes observent aussi le déroulement des travaux. Ils sont sapés de neuf, profitant des prix ridiculement bas d'ici. Capone, surtout, est resplendissant. Il s'est payé des chaussures en croco, une ceinture en croco et un portefeuille en croco. Il porte maintenant une grosse chevalière en or au petit doigt et puis, bien sûr, pour achever le look, la gourmette. Sur sa bague, il a fait monter un petit diamant d'un carat, que je lui ai offert après l'avoir puisé dans ma collection personnelle de pierres. A côté de moi, il souffle sur son diamant et le frotte à son revers toutes les deux minutes, ou s'exerce au balancement de la gourmette. De temps en temps, il rigole ou envoie une plaisanterie.

Tous sont relax, décontractés, et la maison fait une énorme consommation de tchoukou-tchoukou. Tous, sauf moi. La demi-douzaine de femmes que je prends dans la journée me laisse insatisfait. J'ai besoin d'une romance.

J'ai donc envoyé Ahmed et Kara chercher Radijah et c'est pour elle que j'ai déclenché ce chantier, là, devant moi.

Pour Radijah, je veux du vert, je veux du gazon. Il faut remuer cette terre rouge et sèche et la bêcher. Trente mètres de long, presque autant de large, sur un mètre de profondeur, les cinquante types travaillent sans arrêt.

Ils mettent de l'engrais, beaucoup et du très bon, si j'en crois le prix qu'il me coûte. Enfin, courbés, ils plantent brin par brin le gazon. Je l'ai obtenu chez le responsable du « développement, entraide et agriculture » ou je ne sais pas quoi. Je voulais du gazon qui soit prêt en cinq jours. Ravi de l'aubaine, il m'en a trouvé un, très cher, d'excellente qualité.

Je ne jette d'ailleurs qu'un œil sur les factures. C'est le boulot de Chotard, et je paie. La seule chose que je veux, moi, c'est du gazon, rapide, du tranquille, anglais, à la place de mon bout de désert entouré de murs.

Jacky s'est levé et se balade dans le jardin avec sa bête. Il a bien été obligé de reconnaître que ce truc était laid, pelé, jaunâtre, maigre, qu'il puait affreusement et qu'il s'agissait bien d'un chacal. Il le garde parce qu'il ressemble à Chotard.

Samuel Grapowitz m'a expliqué ses déceptions après quelques jours d'études assidues.

« Non, décidément, tu comprends, Charlie, ce ne sont pas des vraies femmes. »

Un gland sans clitoris en face, c'est contre nature. Je regarde le paysage, le gazon qui est bien consistant maintenant et que je fais arroser tous les soirs. Un convoi de mulets m'apporte l'eau du fleuve, qui coule juste derrière. Je contemple le Niger qui miroite, les terres brûlées tout autour, et la merveilleuse tache fraîche de mon jardin.

Quand je pense que je m'épuise à façonner un paysage sublime et que l'autre me le gâche en y promenant son horreur de chacal.

« Tu comprends, Charlie, on n'enlève pas son clitoris à une femme. Nulle part. Ce sont des sauvages. »

Je lui ai planifié un voyage de consolation, via Rio, Bangkok, et lui ai fourni l'argent nécessaire à la réalisation de son rêve. Il ira montrer son gland aux plus belles femmes du monde.

La décision de Samuel donne le signal. L'Indien a hâte de retrouver sa femme. Jos et Capone sont tiraillés par le mal du pays.

Un matin, une 504 taxi les attend tous à la porte, pour l'aéroport de Bamako et leurs avions respectifs. Capone est ému et presse le départ pour le cacher.

« Tu reviens nous chercher, hein Charlie ? T'oublies pas ? »

Samuel Grapowitz a la main sur le cœur.

« Merci, Charlie, merci.

— C'était un plaisir. »

Nos amis les nègres nous donnent quelques occasions de rigoler. En promenade, nous nous arrêtons un jour devant un vieux gag de bande dessinée. Perché dans un flamboyant, un type est en train de scier la branche sur laquelle il est assis, du mauvais côté.

« Cent dollars qu'il tombe. »

Ni Jacky ni Chotard ne sont d'accord. Chotard pense qu'il va s'en apercevoir, quand même.

« Cent dollars.

— Tenus. »

Nous avons patienté jusqu'au dénouement. Dans un grand fracas, la branche et le type se sont écrasés à nos pieds. Le Noir s'est relevé, s'est frotté la tête, nous a souri avant de ramasser son outil et de remonter.

Ces gens-là m'étonneront toujours.

Le soir où l'on projette des films de karaté, la séance de cinéma local est particulièrement amusante. A l'intérieur, l'ameublement est réduit au minimum, et le projectionniste n'a jamais entendu parler de l'ordre des bobines.

L'attraction réside dans le combat que se livrent les spectateurs déchaînés, imitant les karatékas, pour récupérer les pièces de monnaie que je jette à l'issue de la projection.

Il n'est pas question pour eux d'amortir les coups qu'ils se donnent du tranchant de la main. Ils se cognent en poussant des cris de Chinois et les bagarres sont sanglantes. Nous avons un coin favori avec Jacky, un petit muret à l'écart, d'où nous pouvons tout voir et prendre les paris.

Ces gens-là sont réellement différents.

Jacky va mieux, et nous partons tous les deux pour Bamako, afin de régler cette histoire de camion. Le lendemain de notre arrivée, une convocation nous attend à la réception de l'hôtel. Un commissaire, une femme, demande à nous voir dans son bureau. Je ne connais pas la police de Bamako. Je décide de m'y rendre. Les agents des administrations, et notamment de la police, sont prompts à se vexer, et à se retrancher derrière leurs règlements contre lesquels on ne peut rien.

On attend une heure et demie dans un petit hall du commissariat central. Dans la cour intérieure, les flics se déplacent au milieu de l'activité intense qui règne ici. Des civils sont assis dans tous les coins. Des femmes vendent des brochettes et des boissons. A bout de patience, j'explique au planton qu'il n'a qu'à prévenir le commissaire de notre passage.

« Je suis transporteur et j'ai des ennuis avec un camion. »

Je dois aller à Ségou. Je reviens dans deux jours.

Quelques heures plus tard, à l'hôtel, notre sieste est écourtée par des coups violents frappés à la porte. C'est la police, cinq flics, pistolets dégainés. Une sorte de sergent dirige l'opération.

« Je viens vous arrêter.

— Pourquoi ?

— Vous vous êtes soustraits à la justice. J'ai ordre de vous arrêter. »

Il ne veut pas parlementer. Je cède.

« Viens, Jacky, on va voir ce que veut la commissaire. »

Une vieille Land Rover nous attend en bas. Elle démarre aussitôt, et tombe en panne après quelques centaines de mètres. C'est à pied, encadrés, que nous finissons le chemin, au milieu des insultes des gamins et des groupes de curieux. Au commissariat, nous nous dirigeons vers les bureaux où nous avons attendu le matin. Le sergent me glapit quelque chose et trois flics nous barrent la route. C'est dans l'autre bâtiment que nous nous rendons.

En entrant dans la pièce, je comprends que cette histoire pue un peu plus que je ne l'imaginais. Des sacs et des vêtements en désordre encombrent ce minuscule bureau. Des types sont assis à une table, un registre devant eux.

C'est le dépôt.

Je me tourne vers Jacky et je le préviens en espagnol :

« Danger. Tiens-toi prêt. »

On veut nous enfermer. Ils sont cinq, armés, derrière nous, plus ceux du registre. Nous n'avons aucune chance.

« Donnez-moi vos affaires personnelles.

— Pourquoi ? Nous voulons voir le commissaire. »

Il crie de ne pas lui compliquer la tâche, le sergent se rapproche de nous. Ils ne veulent rien entendre, accrochés aux seuls ordres qu'ils ont reçus. Je sors l'argent de mes bottes, Jacky m'imite. Nous déposons deux cent mille francs sur la table, notre petite provision de fête. Le tas de billets excite les convoitises. Le sergent me propose tout simplement de ne pas porter la somme sur le registre.

« On met dans une enveloppe, tu écris ton nom dessus et c'est bon. »

Malgré mon peu de confiance envers leurs papiers officiels, je dicte au gratteur ce qu'il doit écrire sur le livre. En plus de l'argent, il y a ma boucle de ceinture en or, nos chaînes de cou et la petite plaque de désensablement en or que je porte en médaille. Se dépouiller devant ces macaques est une véritable épreuve.

Nous sommes poussés hors du dépôt et emmenés sous bonne garde au fond de la cour du commissariat. Nous sommes pieds nus, sans ceinture, en réel état d'infériorité. Le bâtiment est une longue casemate au toit de tôle. Une lucarne sur la porte est la seule ouverture. Ça pue.

« Attendez. Je veux voir la commissaire. Toi, amène-moi au commissaire.

— Elle est pa'tie.

— Elle revient quand ?

— Demain matin. Elle vient te voi'. »

Le sergent a tiré le verrou. On nous pousse à l'intérieur, où l'odeur nous fait suffoquer, une puanteur fauve, presque solide, mêlée à une moiteur incroyable, qui nous fait transpirer instantanément. On est entré dans un four, chaud et puant.

L'obscurité est totale, on n'y voit absolument rien mais il y a du monde, en quantité. A peine entrés, on s'est heurté à une foule, en rangs serrés, de gens debout.

Mes yeux commencent à s'habituer. Partout devant moi, des têtes de Noirs, les unes contre les autres, des yeux qui brillent, des reflets, je n'en vois pas plus. Et partout sur le corps des contacts physiques.

Mon premier réflexe, c'est de pousser autour de moi, et de frapper pour faire le vide. De cet amas de têtes, tout à coup, une voix s'élève et nous salue. J'arrête de boxer tout le monde. Je crois que ça ne sert à rien. On est trop nombreux ici pour avoir de la place, et personne ne nous veut de mal.

Une autre voix, tout aussi calme, nous explique qu'il faut respirer à la lucarne de la porte pendant qu'on est là.

Après, plus ton tour. Attendre.

On aspire de longues goulées d'air. Au bout de quelques minutes, ça pousse sur la gauche et on doit laisser la place.

Dès qu'on s'est éloigné de la lucarne, on commence à avoir du mal à respirer. L'air est vicié, brûlant, chargé d'odeurs insupportables. Je suis trempé, je sens même les gouttes tomber sur mes pieds. Jacky, plus petit, qui disparaît entre les Noirs est dans un état bien pire. Ses cheveux sont plaqués sur sa tête et sa figure ruisselle de sueur.

Je commence à mieux y voir. Parqués dans ce réduit à toit de tôle, il y a des vieux, des jeunes, de toute sorte. Je quitte ma chemise, je la tords et c'est un filet d'eau qui coule. Ça fait moins d'une heure qu'on est là.

C'est une histoire de fous !

Lentement, ça bouge. Toutes les deux ou trois minutes, la masse se secoue et tout le monde se décale d'un cran. C'est au tour de quelqu'un d'autre de respirer à la lucarne.

Aspirer une gorgée d'air frais, quel plaisir ! Mais c'est loin d'être mon tour. Je continue à dégouliner de transpiration. Certains jours, avec le cagnard qui tape sur le toit en fer, il doit y avoir des morts.

Pour calmer l'angoisse qui monte, j'engage la conversation avec mes voisins. Je les avais repoussés tout à l'heure sans réfléchir, mais il est impossible de continuer en restant seul. Ils ne demandent qu'à discuter. Chacun raconte pourquoi il est là. Le premier à qui je parle devait mille francs C.F.A., soit quatre dollars. Il est là pour vingt jours. Un autre, doit passer un mois dans cet enfer. Celui-là, ça fait une semaine qu'il est là. Je ne peux pas y croire.

Comment font-ils pour tenir, pour simplement rester en vie ? Un prisonnier raconte son histoire. Plus j'écoute, plus ce piège dans lequel nous nous sommes fourrés m'apparaît dangereux. Les types sont là pour des motifs invraisemblables. L'un a mal réparé la voiture d'un flic, l'autre a présenté à l'autorité une facture trop élevée, un troisième a cogné sur un cousin de flic. Certains ignorent quand ils sortiront.

C'est fou. C'est une vraie geôle du Moyen Age. Il n'y a pas de règle, c'est la bêtise qui règne. Il faut absolument que cette commissaire arrive et qu'on nous tire de là.

Au fil des renseignements et des histoires, je finis par apprendre quelques détails pratiques, pas plus reluisants que le reste : ce sont les familles qui apportent à manger. Si personne ne vient, ils ne mangent pas, c'est aussi simple que ça !

On les sort une fois par jour, le matin, pour dix minutes, dont ils profitent pour pisser et chier. Si un type ne peut plus tenir et le fait à l'intérieur, ça ajoute à l'odeur. Tous ces gens autour de moi puent. Comme Jacky et moi, ils transpirent abondamment. L'odeur de leur sueur est aigre et difficile à supporter.

Enfin, après des heures, c'est bientôt mon tour de

respirer à la lucarne. J'en suis à un mètre à peine quand un flic dehors passe un pétard d'herbe à un homme à l'intérieur. Je joue des coudes, entraînant Jacky et je vais le voir. Il ne fait aucune difficulté pour nous laisser fumer. Ces longues taffes d'herbe pure nous font du bien.

Cet enfer est conçu pour des Africains. Souvent, depuis que je suis sur ce putain de continent j'ai été frappé par leur résistance morale et physique. Ils sont forts, incroyablement durs à cuire, et ils ont une étrange capacité à subir, à tenir sans limite, et sans se révolter. C'est comme ça que, pendant des siècles, ils se sont laissé réduire en esclavage. Dans cette taule, ils peuvent survivre, mais pas deux petits Blancs qui n'aiment pas souffrir. Je ne sais pas si cette commissaire va venir, mais nous devons sortir de là.

Alors que tout le monde s'est écroulé pêle-mêle pour dormir, je me suis assis avec Jacky sur une sorte de banc étroit qui court le long d'un mur. On est encore dégoulinants, et nos vêtements sont trempés. L'herbe de tout à l'heure nous a un peu abrutis, et cela nous fait du bien. Pendant un moment, on parle, juste pour se maintenir au calme. On se raconte que la commissaire va venir et nous libérer avec des excuses, mais on n'y croit ni l'un ni l'autre.

« Jacky, on ne tiendra pas pendant la journée. On va crever.

— Ouais, je sais.

— L'important, c'est de bouger d'ici. Il faut au moins se faire enfermer ailleurs. Après, c'est une question de temps pour arranger le tout. Ici, le temps, on n'en a pas beaucoup. »

J'ai une idée. C'est un plan simple, mais je compte sur la bêtise des policiers africains pour le faire fonctionner à plein.

« C'est toi qui vas tout faire, Jacky. Demain, lorsque nous sortirons, il faut que tu tombes. Tu simules une crise cardiaque, un évanouissement, quelque chose qui t'écroule par terre, et tu ne bouges plus. Eux, ce sont des brutes. Je les convaincrai que l'endroit est trop dur pour nous. Si j'arrive à les inquiéter, ils nous placeront ailleurs. »

Jacky est d'accord, et nous passons les heures qui restent à discuter de notre plan d'action.

Jacky est un homme valable, et je sais que je peux avoir confiance à cent pour cent. Il tiendra son rôle parfaitement. A un moment de sa vie, dans des circonstances spéciales, il a dû simuler la folie. Il s'est retrouvé dans une camisole de force, pendant que les cafards de sa cellule venaient chercher la chaleur entre ses jambes et ses fesses. Il a tenu. Il a du cran. En quelques mois, il est devenu un grand copain. On est d'accord sur quelques grands principes.

« Si demain ça ne marche pas, on leur rentre dans le lard et qu'Allah nous vienne en aide ! Plutôt crever au combat que mourir ici. »

La nuit n'en finit pas. Nous sommes prêts, regonflés à l'idée d'agir, mais le séjour n'en est pas moins pénible. On perd des litres d'eau, on s'affaiblit et c'est long.

A huit heures, enfin, la porte de la prison s'ouvre et, lentement, les gens sortent pour les dix minutes quotidiennes de promenade.

C'est là que ça va se jouer. Jacky passe la porte.

« Bonne chance, Jacky. »

Petit sourire.

« Toi aussi. »

Et c'est parti.

Les prisonniers sont en groupe, à quelques mètres de la taule. Deux flics restent à la porte, et trois autres autour du groupe. L'un d'eux est armé. Si ça tourne mal, c'est sur lui que je me jette en premier.

Jacky tombe.

Sa chute est parfaite. Il mollit d'un coup et s'écroule de tout son poids, face contre terre. Moi, je m'appuie à un bidon, avec l'air de suffoquer. Je n'ai aucun mal à simuler. Je ne dois pas être beau à voir. Les autres prisonniers, en voyant Jacky évanoui, se sont éloignés, et quelques-uns font signe aux gardiens. Ceux de la porte ont vu, c'est sûr. Le mien aussi, celui qui est armé, n'a pas pu ne pas remarquer la chute de mon copain qui attend, immobile.

Et il ne se passe rien.

Aucun de ces enfoirés ne lève le petit doigt. Les minutes passent. Je m'affaisse sur mon bidon. Par terre, Jacky n'a pas un frémissement. Tiens bon, il va bien falloir qu'ils se décident. Ne bouge pas.

Les flics à la porte font des signes de la main aux prisonniers. C'est la fin de la récréation. Enfin, il se passe quelque chose. Lentement, passivement, les prisonniers regagnent la taule, sans précipitation mais sans révolte. C'est une triste image. Le gardien armé s'avance vers nous. Nous sommes seuls maintenant, dans la cour. Un autre nègre s'approche de Jacky, tourne autour, et lui envoie un terrible coup de latte dans les côtes.

Enculé de ta race de nègre! Enculé!

L'autre tourne encore autour de mon copain. Re-coup de latte.

Re-enculé de ta race.

Jacky n'a pas bougé. Le spécialiste du coup de latte me regarde, abruti.

« Qu'est-ce que tu penses, ducon, que tu vas le réveiller ? »

C'est toute la bêtise africaine qui me regarde droit dans les yeux. On pourrait l'entendre penser. Il met beaucoup de temps à articuler :

« Qué qu'il a ? »

Je me tourne vers celui qui est armé, et qui a l'air un peu moins idiot.

« Écoute. Nous, Blancs pas habitués à prison comme ça. »

D'autres commencent à approcher. J'en ai bientôt cinq autour de moi. Je continue à expliquer au mien, qui m'écoute avec application.

« Prison comme ça, c'est pas bon. Tu comprends ? Trop dur pour nous, Blancs. Nous mourir là-dedans. »

Il hoche la tête. Un début. C'est un autre, un petit sec, qui se met à crier :

« Comment pas bon ? C'est bon pour les autres, présentement, c'est bon pour toi aussi. »

Toi, va te faire foutre. Je reviens à mon type.

« Nous, pas assez forts. Beaucoup moins forts. Tu comprends ? moins forts, tu sais ?

— Oui, moins fort. »

Ça vient. Et l'autre qui sabote le travail.

« La prison est bonne pour tout le monde. C'est tous pareils, c'est l'égalité. »

Je n'y fais même pas attention. Je ne quitte pas le mien des yeux.

« Moi pas bien. Lui coma. Tu comprends ? Malade.

— Oui, malade.

— Si on rentre là-bas, on va mourir. Tu seras responsable. »

Un air de panique passe sur sa figure. Le teigneux le bombarde de phrases en dialecte. J'insiste.

« Toi responsable. C'est pas bon, responsable. Responsable ! »

Il fait signe à l'excité de se taire un peu. Il se gratte la tête, le bide, les couilles, et décide :

« Il faut le po'ter celui-là, là-bas. Il est malade. »

Deux d'entre eux empoignent Jacky, et nous conduisent dans un petit bâtiment à l'écart du reste du commissariat. Nous entrons dans une chambre, une sorte de salle de repos qui communique avec des bureaux et où ils nous laissent.

« Jacky. »

Il ouvre les yeux, regarde autour de lui ce décor peu reluisant mais normal et nous avons ensemble la même réaction.

« Ouf ! »

Nous avons conquis une relative liberté de mouvements, mais on s'emmerde ferme pendant les neuf jours qui suivent. On a récupéré nos bottes et un peu d'argent pour vivre.

La chambre et les bureaux sont peints en vert écaillé. Dans un coin, un lavabo jaunâtre où l'eau ne coule plus depuis longtemps. Il faut aller au robinet de la cour pour boire et se laver. Les lits sont de simples bat-flanc aux moustiquaires trouées. Il n'y a rien d'autre à faire que regarder le spectacle du commissariat. Un petit vieux a été accusé d'avoir volé des arachides. Deux flics l'ont obligé à avaler les cacahuètes avec leur cosse. Ensuite, l'un des deux est monté à califourchon sur le vieillard à quatre pattes et s'est fait conduire à grands coups sur la nuque jusqu'à la porte de la casemate du fond, où un coup de pied a envoyé le vieux.

Ces gens-là sont différents. Nous achetons à manger dans la cour. Dans les bureaux, à côté de notre chambre, ne travaillent que des inspecteurs en civil. Ils sont aussi cons et méchants que les autres, mais relax avec nous. On commence à nouer amitié pour leur bouffer la tête et se faire rendre quelques services.

Les policiers se distraient comme ils peuvent. Ils ont un jeu de dames qui les occupe pendant de longues parties. Ils se servent de capsules de Coca-Cola en guise de pions. Mauvais joueurs, à chaque tournoi, le perdant va se chercher un prisonnier pour lui taper dessus et passer son énervement.

Pas comme nous.

Enfin, on nous prévient que nous verrons le commissaire ce matin. Pour nous, cela signifie la fin de nos ennuis. On va pouvoir s'expliquer. S'il y a un problème, nous aurons d'autant plus de chances d'embrouiller ce commissaire que c'est une femelle, donc naturellement sensible au charme masculin.

La furie qui nous fait entrer dans son bureau nous ôte immédiatement toute illusion. C'est une Noire d'environ trente-cinq ans. Le corps est potable. On ne peut pas juger du visage car il est déformé par les grimaces.

Jacky et moi, on se regarde. On s'est rafraîchis et pomponnés au mieux, tous les deux. On n'a aucune chance avec celle-là, c'est une excisée. Je fais le signe à Jacky, en faisant semblant de me couper l'index. Il avait compris et il m'approuve.

« Qu'est-ce que c'est que ce geste ?

— C'est rien, madame. Continuez. »

Elle continue. L'enquête est partie du camion garé à Bamako. De là, elle en arrive à Interpol, en passant par toute la liste des méfaits possibles. C'est une litanie de mensonges sans logique, qui me confirme ce que je craignais. Ce sont des ennemis qui nous ont envoyés ici, en payant ce commissaire, ou en étant de sa famille. On écoute jusqu'au bout poliment, et on retourne dans notre chambre pour agir.

Nous avons promis beaucoup d'argent à l'un des inspecteurs pour qu'il nous passe du courrier. Je connais quelques ex-ministres à Bamako et l'ancien représentant du pays à l'O.N.U. Jacky écrit au consulat français et à Chotard.

Aucun de mes « amis » ne me répond et mes craintes se confirment. Je suis dans le collimateur, et le Mali cesse d'être le pays accueillant qu'il était jusqu'ici. Jacky reçoit une réponse du consul, qui vient nous voir au commissariat.

C'est un vieux diplomate de la Coloniale, un alcoolique, gentil mais fou et inefficace. Il est d'accord avec nous sur la valeur juridique des accusations portées par le commissaire. Il lui suffit de dire un mot et nous pourrions sortir, mais nous attendons encore trois jours que ce gros se décide à forcer les portes pour aller la trouver et lui parler. Enfin, nous sortons, en compagnie du consul.

De retour à Ségou, nous faisons le point avec Chotard, affolé. Je suis conscient d'avoir bien tiré sur la corde. La mésaventure qui vient de nous arriver est un avertissement. Nous ne pouvons plus rester au Mali. Il est temps d'en terminer avec cette aventure, dont j'ai tiré le maximum. Le danger est maintenant trop proche. Si, après des années d'aventure, je suis toujours libre et vivant, c'est parce que j'ai toujours su partir à temps.

La solution la plus simple est d'aller à Ouagadougou, et d'y attendre Chotard. Ce dernier ramassera le cash qui reste à venir sur nos camions à crédit. Jacky n'est pas d'accord.

« J'en ai assez de l'Afrique. »

Je ne suis pas long à être convaincu. J'ai lutté, j'ai mis mon bordel, j'ai aidé à ma manière, j'ai épuisé tous les plaisirs. Je suis saturé, moi aussi.

Jacky a sorti un atlas. Son index tombe sur le planisphère.

« Amérique centrale. »

On a ramassé l'argent liquide. Chotard s'est vu chargé d'attendre le reste ici avant de nous rejoindre, et on s'est cassé mettre le bordel ailleurs.

Tant pis pour la course. Mon seul regret restera Radijah.

Jacky et moi avons continué plusieurs années ensemble.

Capone et Jos ont poursuivi leur trajectoire.

Albana a trop craché sur l'alcool, il en est mort.

Le racisme de l'Indien était prémonitoire : rentré chez lui, il a trouvé sa femme avec un Africain.

Chotard s'est enfui avec l'argent. C'est un chacal.

On m'a parlé d'un hidalgo, mort fou d'héroïne, qui se baladait en Asie, en soufflant dans un vieux clairon.

DU MÊME AUTEUR :

Oro, Hachette, 1985.

Composition réalisée par COMPOFAC - PARIS

IMPRIMÉ EN FRANCE PAR BRODARD ET TAUPIN
Usine de La Flèche (Sarthe).
LIBRAIRIE GÉNÉRALE FRANÇAISE - 6, rue Pierre-Sarrazin - 75006 Paris.
ISBN : 2 - 253 - 04083 - 5

30/6292/4